Guy Burt

Urodził się po to, żeby pisać — już jako dwunastolatek został laureatem W.H. Smith Young Writers Award, miał zaś lat osiemnaście, gdy opublikowano jego pierwszą powieść, *Bunkier (After the Hole)*. Książka otrzymała entuzjastyczne recenzje, została też gorąco przyjęta przez czytelników, do których przemówił jej autentyzm. Zauroczony hipnotyczną atmosferą powieści reżyser młodego pokolenia, Nick Hamm, nakręcił na jej podstawie film pod tym samym tytułem z rewelacyjną Thorą Birch w roli głównej.

Kolejna powieść, *Sophie*, ukazała się drukiem, kiedy Burt jeszcze studiował w Oksfordzie. Wówczas sceptycy, którzy się zastanawiali, czy *Bunkier* nie jest przypadkiem jednorazowym wyczynem przedwcześnie dojrzałego nastolatka, musieli się przyznać do błędu — *Sophie* zachwyciła wszystkich, podobnie było z *The Dandelion Clock*, trzecią powieścią wydaną w roku 1999.

Po ukończeniu studiów Burt przez trzy lata uczył w Eton, elitarnej szkole dla chłopców. Obecnie mieszka w Londynie, gdzie pracuje nad kolejną powieścią. Pisze także sztuki teatralne i scenariusze kinowe i telewizyjne. Interesuje się muzyką współczesną, zwłaszcza jazzem. Gra na fortepianie oraz instrumentach klawiszowych, komponuje. Uwielbia gotować.

Nakładem Wydawnictwa „Książnica"
ukazała się powieść
GUYA BURTA

BUNKIER

»Książnica«
kieszonkowa

Guy Burt

Sophie

Przełożyła z angielskiego
Barbara Korzon

Wydawnictwo „Książnica"

Tytuł oryginału
Sophie

Koncepcja graficzna serii
Marek J. Piwko

Logotyp serii i projekt okładki
Mariusz Banachowicz

Ilustracja na okładce
© Stone/FPM

Niniejsza powieść jest tworem wyobraźni. Wszelkie podobieństwo
do osób żyjących i zmarłych oraz rzeczywistych miejsc
i wydarzeń jest całkowicie przypadkowe.

ISBN 83-7132-717-X

ROZDZIAŁ PIERWSZY

Siedzę na gołej podłodze — nie ma tu żadnych mebli. Siedzący naprzeciw Matthew w tej chwili na mnie nie patrzy — zerka na okna. Od jego ciosu boli mnie pół twarzy. Na dworze szaleje burza. Okna od zewnątrz zabite są sklejką, która drży i klekocze o szyby pod naporem wściekłej wichury. Jesteśmy w kuchni starego domu. Przewalające się przez ogród gwałtowne podmuchy wiatru wciskają się do wnętrza, miotając płomykiem jedynej świeczki. Po ścianach tańczą chybotliwe cienie; nagłe rozbłyski światła rozjaśniają czające się w kątach mroki. Z ciemnych korytarzy na piętrze niosą się dziwne szelesty i szmery; są jak szept, jak wspomnienia o tym, co minęło.

Oddycham trochę spokojniej. Zaczynam rozumieć, o co tu chodzi, uświadamiać sobie zasady tej gry. Matthew wydaje się zdenerwowany, widać to w jego ruchach. Niezgrabnie podnoszę ręce, by odgarnąć z twarzy pasmo włosów. Dostrzega ten gest kątem oka i odwraca się w moją stronę.

— Przepraszam — mówi.

Nie wiem, co powiedzieć, więc milczę.

— Sophie? Przepraszam. Żałuję, że cię uderzyłem. Nie chcę ci zrobić krzywdy, ale musimy z tym skończyć... Wiesz, o czym mówię: dość kłamstw. Ten etap mamy już za sobą. Żadnych więcej gierek. Zgoda?

Kiwam głową i widzę, że trochę go to uspokaja. Za oknami rozlega się nagle przeraźliwy trzask pękającej gałęzi, ale on chyba tego nie słyszy.

— Między nami musi być inaczej. Brakuje mi tego, co było.

Nie mam pojęcia, o czym on mówi, na wszelki wypadek jednak kiwam głową — to najłatwiejsze w mojej sytuacji — tylko dokąd nas to doprowadzi? Tego niestety też nie wiem. Opieram się mocniej o ścianę, próbując skupić spojrzenie na tańczącym płomyku świecy.

Ręce skrępowane mam w nadgarstkach kilkoma warstwami taśmy, ale nogi zostawił mi wolne. Pomału podciągam kolana i opieram na nich łokcie. Boję się. Bardzo się boję. Czego on chce? Dostrzegam w nim teraz niepewność. Jakby nie wiedział, co zrobić.

— To, co istotne, nigdy się nie zmienia.

— Co? — O czym on mówi?

— Wszystko się tu zmieniło: dom, ogród, ta kuchnia — uzupełnia z głębokim westchnieniem. — Wszystko wygląda inaczej, ale to, co najważniejsze, pozostało takie jak dawniej. Ty. Ja. Przecież wiesz. — Uśmiecha się lekko i twarz mu trochę łagodnieje; odwraca głowę i zaczyna wpatrywać się w ciemność.

Gdy Sophie i ja byliśmy małymi dziećmi, nasz ogród wydawał mi się ogromny — zaczynał się tuż przy domu, a kończył gdzieś hen daleko. Były w nim klomby, rabaty i wysokie zielone żywopłoty. W odpowiednich porach roku na rozpiętych w różnych miejscach kratownicach kwitły pnące róże i pachnące słodko kapryfolium. Część ogrodu przecinał strumień. Rozpięte nad nim dwa drewniane mostki prowadziły na błotnisty skrawek ziemi, gdzie kiedyś rozciągał się sad, z którego przetrwały tylko dwa stare drzewa. Za czasów naszego dzieciństwa ogrodnik palił tam śmieci; stała tam również szopa na narzędzia. Zmieszane z błotem popioły wydzielały paskudny zapach. Przekroczywszy strumień, trzeba było zatykać nos i bardzo ostrożnie stąpać po grząskim gruncie.

Z okien domu widać było tylko niewielki fragment ogrodu. Nawet z mojej sypialni na piętrze nie sposób było dostrzec wielu miejsc, zasłaniały je bowiem drzewa i krzewy. Właśnie z tego powodu, jak również dlatego, że w domu nie bardzo mieliśmy co robić, większość wolnego czasu spędzaliśmy w ogrodzie; stał się naszą wyłączną własnością. Nikt nam w tym nie przeszkadzał. Ojciec był dla nas postacią tak mglistą i widywaną tak rzadko, że w życiu moim i Sophie nie odgrywał właściwie żadnej roli. Nasza mama zajmowała cały parter domu i prawie nie opuszczała swego terytorium. Jeśli w ogóle się poruszała, to zwykle pomiędzy salonem a kuchnią — w zupełnie niepojętych dla nas celach. Regularność, z jaką odbywała te wędrówki, i mechaniczna precyzja jej ruchów przypominały automat. Było to trochę straszne, z drugiej jednak strony dziwnie uspokajające. Wiedząc, gdzie w danej chwili będzie nasza matka, mogliśmy w taki sposób regulować własne ruchy, aby unikać z nią spotkań. Miałem w tym czasie pięć lat, a Sophie siedem.

Pewnego razu poszliśmy nad strumień.

— Z tego będą żaby — powiedziała Sophie, patrząc w wodę.

— Co?

— Spójrz. Z tego wyklują się żaby. Słyszałeś o kijankach, prawda, Mattie?

— Tak.

— To jest skrzek — dotknęła wystającej z wody kulki — czyli żabie jajeczka, z których wyklują się kijanki, a później te kijanki zamienią się w żaby. Dziwne, co?

— Nie wiem. A ty, Sophie, skąd wiesz to wszystko o żabach?

— Przeczytałam w książce. No powiedz, czy to nie dziwne? Te malutkie kropeczki staną się kiedyś żabami. — Podniosła się z ziemi, jakby nagle znudziła ją konwersacja. — Mógłbyś nabrać trochę do słoika i zanieść do szkoły.

Nasz ogrodnik był bardzo wysokim i bardzo chudym mężczyzną o głęboko osadzonych oczach. I podobnie jak moja matka poruszał się we własny ustalony sposób. Przez większość dnia zajmował się pielęgnowaniem tego fragmentu ogrodu, który przylegał do domu — rabatek obok podjazdu i samych brzegów trawnika. Utrzymanie porządku w całym ogrodzie nie było, jak sądzę, zadaniem niewykonalnym, lecz ten chudy milczący mężczyzna w grubej zielonej kapocie i grubych brązowych spodniach musiał być bardzo leniwy. Im dalej od domu, tym jaskrawiej rzucały się w oczy zaniedbania, spustoszenia i rozkład. Tego dnia, gdy oboje z Sophie przyglądaliśmy się przyszłym żabom, na trawie leżał jeszcze szron. Parę dni wcześniej nawet wodę w bruzdach i kałuże w sadzie pokrywały obwódki chrzęszczącego lodu.

Wiosna w tym roku zwlekała z nadejściem. Bardzo długo trzymały mrozy, chociaż śnieg wcale nie padał. W mojej klasie zrobiło się tak zimno, że trzeba ją było dogrzewać za pomocą olbrzymiego grzejnika na olej, pokrytego strupami łuszczącej się brudnobeżowej farby. Wśród przypiętych do ścian rysunków i tabliczek z literami alfabetu wydawał się czymś niebezpiecznym, jakby czaiło się w nim jakieś zło. Przyniosłem do szkoły trochę żabiego skrzeku, tak jak radziła mi Sophie. Umieściliśmy go ostrożnie w plastikowym akwarium w klasowym kąciku przyrodniczym. Prawie ze wszystkich jajeczek wykluły nam się kijanki, które później przez kilka tygodni mogliśmy oglądać w rozmaitych stadiach rozwoju, dopóki nie zmieniły się w maleńkie żabki — i trzeba je było wypuścić. Zanim się to jednak stało, pani Colley, której podlegały młodsze klasy, przyszła do nas kiedyś podczas lekcji i pochwaliła za te kijanki.

— Skąd je macie? — spytała.

— Matthew przyniósł skrzek, prawda, Matthew? — odrzekła pani Jeffries.

— Skrzek to są żabie jajeczka — wyjaśniłem — które zamieniają się w kijanki, a potem z tych kijanek robią się żaby. I tak w kółko.

— Doskonale — ucieszyła się pani Colley. — Jak to odkryłeś?

— Sophie mi powiedziała. Przeczytała o tym w książce.

— Doskonale, kochanie — powtórzyła z roztargnieniem pani Colley.

Przez pewien czas brzegi strumienia wyglądały jak nakrapiane od mnóstwa dwucentymetrowych żabek, które potem nagle zniknęły. Ogrodnik rozpoczął wiosenne porządki: zgrabił zeszłoroczne liście i uschłe gałęzie, ułożył z nich wielki stos w rogu sadu i podpalił. Było zimno, w dodatku zaczęło padać, więc sterta nie chciała się palić. Ogrodnik poszedł do swojej budy, skąd wrócił po chwili z szarą od kurzu bańką ropy. Kiedy ją wylał na liście, sterta zajęła się ogniem. Spodziewałem się wybuchu i wielkich płomieni, ale nie, ognisko paliło się całkiem spokojnie, tylko bardzo cuchnęło. Kiedy w końcu zgasło, ogrodnik znów ruszył do szopy i wtedy zobaczył, że mu się przyglądam. Coś drgnęło mu w twarzy, jakby nagle ogarnęła go ciekawość, a potem odwrócił się i odszedł. Rzuciłem się do ucieczki poprzez martwy ogród, szukając po drodze patyczków potrzebnych na lekcję rachunków.

Za murem ogrodu, przy jego najdalszym krańcu, ciągnęły się pola. Nie nasze. Należały do farmera, którego domu nie było widać, bo stał za wzniesieniem. Za murem rosły pojedyncze drzewa, które później stopniowo gęstniały na zboczu niezbyt wysokiego wzgórza. Trzymając się wytyczonego przez te drzewa szlaku, szło się wąską miedzą, gdzie w lecie ćwierkały świerszcze, których całe roje podrywały się nagle spod nóg, łaskocząc człowieka w kostki. Tuż nad linią horyzontu drzewa tworzyły gęstą, acz niezbyt szeroką kępę, za którą grunt nagle opadał, przechodząc w opuszczony kamieniołom. W pokruszonych skałach leżących pod jego ścianami tkwiły małe okrągłe muszelki, a tu i ówdzie widniały jakieś odciśnięte wzory. Było to miejsce, którego nikt nie odwiedzał poza mną i Sophie i które stało się naszą własnością — podobnie jak ogród. Kiedy robiło się ciepło, przychodziliśmy tu bardzo często.

Myślałem o tym wszystkim, siedząc w szkole. Skośne smugi marcowego słońca przecinały klasę jak ostrza.

— No dobrze, dzieci, możecie zamknąć książki i przebrać się w dresy. Idziemy na boisko — oznajmiła pani Jeffries. — Susan, pamiętasz, o co cię prosiłam? Nazbierałaś dla mnie patyczków? Dziękuję. Matthew, jeśli znajdziesz swoją czytankę, możesz tu siedzieć aż do podwieczorku.

Uszczęśliwiona reszta klasy — upiekła się lekcja rachunków — ruszyła kłusem na boisko.

Bezładna, otępiająca wrzawa, wśród której żyje większość małych dzieci, mnie omijała przez całe dzieciństwo. Nikt o tym nie mówił, jednak mnóstwo drobiazgów świadczyło wyraźnie, że istnieje trudno uchwytny, lecz przecież dostrzegalny dystans dzielący mnie od rówieśników. Najczęściej spotyka to dzieci obdarzone wybitnym intelektem, lub taką samą tępotą, czy choćby większymi zdolnościami — bądź odwrotnie — w określonych dziedzinach, takich jak sport, rysunki czy muzyka. Ze mną było inaczej. Mattie Howard nie należał do żadnej z tych kategorii. Wiedziałem po prostu, że chociaż w klasie jestem dość lubiany — mimo że nie mogę uczestniczyć w grach i zabawach — to gdy tylko wybiegnę po lekcjach za bramę, wszelkie moje związki ze szkołą przestają istnieć. Nie działo się tak za sprawą moją czy moich kolegów; myślę, że zadecydowali o tym dorośli. Rodzice dzieci w tym wieku tworzą wspólne reguły postępowania, a nasza matka była outsiderką; grono rodzicielskie naszej szkoły niemal jednogłośnie wyłączyło ją ze swego kręgu. Tak więc gdy inne dzieci szły odwiedzić przyjaciół lub wziąć udział w czyimś urodzinowym przyjęciu, Sophie i ja żegnaliśmy je okrzykiem „do widzenia!" i ruszaliśmy razem do domu. Nie sprawiało mi to przykrości — uważałem po prostu, że tak musi być. Od domu dzielił nas kawałek drogi, więc gdy nie trzeba było się spieszyć, mogliśmy szczegółowo omówić wszystko, co które z nas zrobiło w ciągu dnia, i zaplanować zajęcia na wieczór czy weekend. Moje „dokonania" wyglądały skromnie — tak jak mogą wyglądać sukcesy pięciolatka — ale Sophie, och, Sophie uczyła się tylu zadziwiających rzeczy! Opowiadała mi o nich w drodze do domu, przeplatając te relacje pytaniami i domysłami, które jej nasuwał ten czy inny temat. O wszystkim miała własne zdanie, a liczyła sobie ledwie siedem lat. Ale ja i to uważałem za rzecz normalną.

Pewnego wieczoru, kiedy umyty, z wyczyszczonymi zębami ułożyłem się już do spania, przyszła do mego pokoju.

— Mattie? — zaczęła, przysiadając na brzegu łóżka.

— Hę?

Zmarszczyła czoło.

— Co wiesz o niemowlakach?

— O co ci chodzi?

— Nasza mama będzie miała dziecko.

— Naprawdę? Kiedy?

— Nie wiem dokładnie, ale chyba jeszcze nieprędko.

— Skąd wiesz o dziecku?

— Ona mi powiedziała.

Zainteresowało mnie to, więc usiadłem.

— Jak będzie mieć na imię?

— Nie wiem. Przecież jeszcze się nie urodziło. No więc? Co o tym myślisz?

Nie zrozumiałem, o co mnie pyta.

— O czym?

Westchnęła niecierpliwie.

— W naszej rodzinie zjawi się ktoś nowy, rozumiesz? Ktoś, kogo nie znamy. Młodszy od nas.

— Aha.

— Pytam, czy ci się to podoba. Chcesz mieć drugą siostrę lub brata?

Zamyśliłem się nad tym.

— Nie wiem, Sophie...

— Kłopot z tobą polega na tym, że ty nigdy nic nie wiesz — powiedziała czule. — Zawsze trzeba za ciebie myśleć.

— Chyba chcę — zadecydowałem. — Tak, nawet się cieszę.

Sophie zamilkła.

— To dobrze, Matti... — odezwała się po dłuższej chwili. — Chyba będziemy mogli bawić się z tym dzieckiem, kiedy się już urodzi. No wiesz, wozić je w wózku i tak dalej.

— Byłoby fajnie.

— No to w porządku. A teraz kładź się i śpij. I nie zapomnij się poinhalować.

— Pa, pa! — zawołałem za nią. Usłyszałem rzuconą szeptem odpowiedź, a potem stuknęły drzwi jej sypialni. Poczucie, że jest tak blisko, ledwie o parę kroków, działało na mnie uspokajająco.

A jednak... Po raz pierwszy od wielu tygodni tej nocy znów miałem koszmar. Ten sam co zwykle. Do pokoju wsunęła się chyłkiem skulona, szeleszcząca postać. Ol'Grady. Posuwał się bokiem, trzymając się ściany. Księżyc oświetlał jego długie ręce i to puste miejsce zamiast twarzy. Coś niósł, obudziłem się jednak, zanim zdążyłem zobaczyć, co to takiego. Chciałem krzyknąć i nie mogłem — głos uwiązł mi w gardle. Upłynęło dużo czasu, nim udało mi się znowu zasnąć.

Podłoga skrzypi, gdy nieznacznie zmieniam pozycję. Twarda, pokryta gipsem ściana uwiera mnie w kręgosłup. Ściany pomalowane są na biało, tu i ówdzie widać ciemne plamy. Wilgoć. Matthew parę chwil temu podniósł się z podłogi i zaczyna spacerować przede mną po kuchni, przemierzając całą jej długość. Z tego, co mówił ostatnio, wiem, że myśli o swoich koszmarach. Wiem też, co teraz czuje, ale co mu mogę powiedzieć? Twarz boli mnie nadal. Cały czas mam świadomość, że wszystko, co powiem, może się okazać ryzykowne. Myślę jednak zarazem, że powinnam go jakoś zachęcić do zwierzeń. Niech mówi — im dłużej, tym lepiej. Spróbuję z tych strzępów chaotycznych wspomnień wyłowić jakiś sens, zrozumieć, co się tu dzieje.

— Pamiętasz — pytam — kiedy się to zaczęło? Te sny?

Zaskoczony szuka mnie wzrokiem.

— Nie. Zawsze je miałem. To znaczy ten jeden. Ja... mam je nadal. Czasami.

— Wiem — mówię cicho. Nie zwraca na to uwagi.

— Nigdy się nie dowiedziałem, jak go uśmierciłaś — dodaje.

Zalewa mnie fala lęku.

— Kogo?

— Ol'Grady'ego. Musiałaś go wykończyć bardzo dawno, kiedy byłem jeszcze za mały, żeby to dokładnie zapamiętać. Jedyny ślad to te sny. — Śmieje się cicho. — Pamiętam, jak mi pokazywałaś te rzeczy... no to, co po nim zostało, zastanawiam się tylko od dłuższego czasu, jak to zrobiłaś. Mogłaś mieć wtedy zaledwie pięć lat. — Patrzy na mnie wyczekująco.

— Naprawdę nie wiem.

— Och! — W jego głosie brzmi rozczarowanie.

Koncentruję całą uwagę na tępym bólu pulsującym nad stłuczoną kością policzkową. Matthew po pewnej chwili odwraca się znów ode mnie.

Burza nie daje za wygraną — odgłos wyładowań na krótko przycicha, a potem znowu się wzmaga. Wydaje mi się, że lata upłynęły od chwili, kiedy wlókł mnie do tego pustego domu. Szliśmy przez frontowy ogród miotany szaleńczą wichurą. Porastająca go wysoka trawa siekła nas po twarzach, strugi deszczu zalewały oczy. Nawet wspomnienie tej ulewy wydaje mi się teraz tak odległe, jakby działo się to w innym życiu. Teraz już tylko te odgłosy nie pozwalają zapomnieć o upartym szaleństwie żywiołu. Raz po raz w szparach zabitego deskami okna zapala się białe światło błyskawicy — gdzieś w lasy za domem strzelił piorun. Okropnie swędzi mnie bark, ale przez te związane ręce nie mogę się nawet podrapać. Mogę tylko ocierać się grzbietem o ścianę. Widzi to i mówi:

— Przykro mi, Sophie, ale znam cię zbyt dobrze. Pamiętasz?

— Sądzę, że robisz to, co musisz — odpowiadam, wzruszając ramionami.

— To prawda! — Kiwa głową z nagłym ożywieniem. — Więc rozumiesz!

Mrugam powiekami, ale milczę. Te słowa nic dla mnie nie znaczą, ale jego reakcja jest niepokojąca.

Jakąś częścią świadomości zdaję sobie sprawę, że mój dziwny spokój, który w pewnym momencie zastąpił falę początkowej paniki, jest chyba nienaturalny, że to pewnie skutek wyczerpania. Nieważne. Bez względu na to, z czego się bierze, daje mi pewną przewagę, którą staram się wykorzystać. Kiedy Matthew mówi — chwilami jakby do siebie — słucham go bardzo uważnie. Kiedy w tym, co mówi, nie widzę żadnego sensu, próbuję zapamiętać jego słowa — być może później ułożą się w jakąś zrozumiałą całość. Kiedy wiem, o czym mówi, zyskuję kolejny szczegół wzbogacający mój obraz jego psychiki. Tylko tyle mogę teraz zrobić, obawiam się jednak, że to nie wystarczy.

Przebywałem z Sophie częściej niż ktokolwiek inny spośród dorosłych czy dzieci i tak przywykłem do jej zachowań, że choć komuś obcemu niektóre z nich mogły wydawać się dziwne, a już z pewnością nad wiek dojrzałe, mnie nigdy nie przyszło to na myśl. Uważałem po prostu, że jest tak, i koniec. Było więc dla mnie rzeczą naturalną, że Sophie mówi inaczej, kiedy jesteśmy sami, a inaczej w szkole czy przy dorosłych. Że zależnie od tego, z kim rozmawia, posługuje się różnym słownictwem. Czasami tylko zaczynałem się na nią zżymać: dlaczego przy ludziach wydaje się taka głupia? Czemuż to nagle nie wie czegoś, co mnie potrafiła wyjaśnić już dobre parę lat temu? Sprawiała też nieraz wrażenie, jakby trudno jej było znaleźć właściwe słowo, a ja wiedziałem przecież, że udaje. Trochę mnie to denerwowało, próbowałem się więc dowiedzieć, dlaczego się tak zachowuje. Zawsze mówiła, że to tylko taka zabawa.

— Wcale niezabawna ta zabawa — mruknąłem pewnego razu.

— Bo nie musi być zabawna. Nie o to chodzi, Mattie. To się nazywa mydlenie oczu, rozumiesz? Udajesz, że jesteś niezgułą, żeby ci nie kazano zmywać naczyń.

To mnie zaintrygowało.

— Mydlenie oczu? Ale jak to się dzieje?

— Hm, dam ci przykład. Co robisz, kiedy pani Jeffries zadaje wam jakieś pytanie, a ty znasz odpowiedź?

— Podnoszę rękę.

— I odpowiadasz, tak?

— Tak.

— Niedobrze. Bo będzie cię teraz wciąż pytać. Kto w waszej klasie jest najbystrzejszy?

— Robert. Zawsze pierwszy kończy zadanie i dostaje najwięcej gwiazdek.

— No tak, ale przypuszczam, że pani Jeffries pyta go częściej niż ciebie.

— Czasami. I daje mu więcej ćwiczeń pisemnych, bo kończy pierwszy — odrzekłem, bardzo dumny z tego, że zaczynam rozumieć jej wywód.

— No właśnie. Lepiej więc udawać, że czegoś nie wiesz. Nie za każdym razem oczywiście, po prostu od czasu do czasu. Nie warto zwracać na siebie uwagi. To znaczy zbyt dużej uwagi. Najlepiej, gdy jesteś średni. Nie musisz się wtedy przemęczać, a wszyscy i tak cię uważają za niezłego ucznia. Nie jesteś najlepszy, ale nie ostatni, kapujesz?

— Tak! — wykrzyknąłem. — Och, Sophie, jakie to sprytne!

— Po prostu rozsądne. Nauczyciele robią się okropni, jeśli jesteś w czymś bardzo dobry. Znasz tę dziewczynę z piątej klasy, no, tę prymuskę z matmy? Nie wychodzi nawet na przerwę, tylko ślęczy nad zadaniami. Bo wszyscy nauczyciele stoją jej nad głową i wciąż tylko głędzą o stypendium do następnej szkoły. Że koniecznie powinna je zdobyć. Mówię ci, celujący uczeń ma tylko kupę kłopotów.

— Ty też jesteś dobra z matmy, prawda Sophie?

— Tak, nieźle sobie radzę. Jestem dobra prawie ze wszystkich przedmiotów. Przejrzałam książki do trzeciej klasy i nie widzę tam nic trudnego.

— Szczęściara. Chciałbym być dobry we wszystkim. Nie musiałbym wtedy nic robić.

— Oj, Mattie — westchnęła, przytulając mnie mocno do siebie — przecież ci tłumaczę, jak to jest. Gdybyś był dobry we wszystkim, musiałbyś pracować pięć razy ciężej niż teraz...

Wydawało mi się to niemądre, więc doszedłem do wniosku, że Sophie żartuje — czasami jej żarty były trochę dziwne — i zapomniałem o tym. Dopiero po wielu latach, kiedy byłem już w stanie spojrzeć na swe dzieciństwo z pewną dozą obiektywizmu, ogarnęło mnie zdumienie. Uświadomiłem sobie, jak wyrafinowane oszustwo uprawiała moja starsza siostra, by przypadkiem nie wyszło na jaw, jaka „jest dobra we wszystkim". Była przecież ledwie siedmiolatką, a potrafiła dojrzalej i bardziej wnikliwie ocenić rozmiary czyjejś inteligencji — jak również jej ograniczenia — niż wielu ludzi dorosłych. Świetnie też zdawała sobie sprawę z własnej indywidualności, tak wybitnej, że doprawdy zdumiewającej, zwłaszcza w porównaniu z innymi dziećmi w jej wieku.

Bliskość słońca oślepia — i tak było ze mną. Nie dostrzegałem tego wszystkiego, czasami tylko docierał do mnie jakiś okruch prawdy. Przed egzaminem do następnej szkoły — Sophie miała wtedy dwanaście lat — musiała zgodnie z obowiązującą praktyką poddać się testowi na inteligencję. Z jakichś powodów test ten niepokoił ją znacznie bardziej niż perspektywa innych egzaminów. Pewnie dlatego, że jeszcze nigdy tego nie robiła i nie wie, czego się spodziewać, myślałem. Kilka tygodni przed terminem zakupiła cały stos książek z domowymi testami IQ i zaczęła je pilnie studiować. Wykonała też wszystkie sprawdziany zawarte w tych książkach, notując na marginesach swoje odpowiedzi, a w tabelach uzyskane punkty. Wiele dzieci — przynajmniej tych zdolniejszych i bardziej przewidujących — postępuje w podobny sposób, aby się zorientować, co je czeka. Uczą się przez to udzielać właściwych odpowiedzi, dzięki czemu potrafią później poprawić swoje wyniki o pięć, a czasami nawet dziesięć punktów. Oficjalny rezultat Sophie wynosił niespełna 125, co oznaczało, że jest bystra, nie wyróżnia się jednak wybitną inteligencją. W porównaniu ze średnią krajową był to całkiem przyzwoity wynik, promujący ją do pierwszych dziesięciu procent egzaminowanych dzieci, nie na tyle jednak wysoki, aby mogła się znaleźć wśród pięciu procent najlepszych. Biorąc pod uwagę ten wynik, jak również oceny z innych egzaminów, komisja uznała Sophie za wystarczająco solidną kandydatkę do nowej szkoły, gdzie też ją powitano z otwartymi rękami.

Miałem wtedy dziesięć lat. Kiedy Sophie wyrzuciła niepotrzebne już książki z testami, przejrzałem je z ciekawości i oto, co się okazało: pracowała nad tym, żeby uzyskać wynik w granicach 125 punktów. Kosztowało ją to sześć czy siedem prób. Trzy ostatnie oscylowały pomiędzy liczbami 120 a 130, ale w pierwszym teście, tym prawdziwym, kiedy jeszcze nie zaczęła „poprawiać" swoich odpowiedzi, osiągnęła ponad 180. W tym miejscu kończyła się tabela.

To jednak działo się później.

Tamta spóźniona wiosna nareszcie nadeszła, dając znać o sobie słońcem na szkolnym boisku i całą gamą kolorów na rabatkach i parapetach. Znaleziony przez nas żabi skrzek był pierwszą oznaką odradzającego się życia; teraz wszystko dookoła pulsowało życiem, jakby cała natura pragnęła odrobić na gwałt zaległości. Drzewa na wzgórzu za domem tryskały świeżą zielenią, łagodnie ciepłe powietrze niosło z sobą upajający aromat młodych liści i nabrzmiałych od soku malutkich kwiatowych pączków, rozwijających się obok w alejce. To, że oboje z Sophie chcemy spędzać więcej czasu na powietrzu, było teraz rzeczą zrozumiałą, a nawet rozsądną, korzystaliśmy więc z tego, ile tylko się dało. Patrząc wstecz, często mam wrażenie, że większość dzieciństwa przeżyłem pod gołym niebem.

Z nadejściem wiosny ożywił się nawet nasz ogrodnik. Coraz częściej opuszczał teraz odludne rejony swej szopy, aby krzątać się po ogrodzie. Uzbrojony w różne narzędzia, poruszał się jak gdyby po dokładnie wytyczonej trasie, wiodącej od dziko splątanych zarośli ku ozdobnym krzewom i młodym drzewkom. Przyglądałem mu się ukradkiem, kiedy tylko mogłem — był obiektem mojej fascynacji. Żaden dorosły nie robił na mnie takiego wrażenia. Przypominał postacie z „Alicji w Krainie Czarów", którą czytała mi Sophie. W jego wędrówce przez ogród nie umiałem odkryć żadnego zamysłu, jakby powód, dla którego założył sobie akurat taką kolejność, dawno wyleciał mu z głowy. Może właśnie dlatego z taką ciekawością śledziłem wszystko, co robił. Kiedy za pomocą dwóch kawałków desek zgarnął na jedno miejsce pozostałe jeszcze kupki starych liści, a potem załadował je na taczkę, aby spalić to wszystko za strumieniem, najbliższe okolice domu zaczęły już wyglądać schludnie; peryferie jednak pozostały zapuszczone i dzikie jak zwykle. Moja matka, która rzadko wychodziła z domu, nie miała o tym pojęcia.

Pewnego dnia, gdy Sophie odrabiała lekcje, a ja klęcząc nad strumieniem śledziłem malutkie rybki przemykające się w wodzie jak srebrzyste strzałki, spostrzegłem, że ogrodnik idzie w moją stronę. Stąpał niezdecydowanie, jakby nie był zupełnie pewien swych intencji, i w końcu przystanął o parę kroków ode mnie. Przez dłuższą chwilę patrzyliśmy na siebie bez słowa. Jego ciemna sylwetka, rysująca się ostro na tle szarego nieba, wydawała się jeszcze wyższa, a chuda twarz jeszcze chudsza i bardziej jastrzębia. Wciąż milcząc, sięgnął do którejś z przepaścistych kieszeni starej brązowej kurtki, wyjął coś stamtąd — to coś miało wielkość męskiej pięści — i nie patrząc mi w oczy, wyciągnął rękę w moją stronę.

Z dreszczem podniecenia ostrożnie wziąłem od niego tę rzecz i och! zaparło mi dech. Ropucha! Była chłodna w dotyku i jeszcze senna po zimie.

— Dziękuję! — wytchnąłem, szczerze uradowany.

Szarpnął głową w górę — był to chyba ukłon na opak — i poczłapał brzegiem strumienia, zostawiając za sobą regularne dołki w grząskim gruncie. Zostałem z ropuchą w ręku, studiując jej śmieszny pyszczek i bajeczne oczy. Sprawiały wrażenie twardych kryształków, jakby ktoś je wykonał z kawałeczków stłuczonego szkła w pięknym, przejrzyście złotym kolorze. Wydawało się, że nad czymś duma; co chwila otwierała, a potem powoli zamykała pyszczek, delikatnie drapiąc mnie łapką po kciuku. Wyglądało na to, że nigdzie jej się nie spieszy, że chce zostać ze mną. Po chwili obsiusiała mi rękę. Zachwycony pognałem do domu, żeby pokazać ją siostrze.

W przeciwieństwie do innych dziewczyn Sophie nie miała uprzedzeń wobec żab i ropuch. Obejrzała moją z uznaniem.

— Śliczna. Gdzie ją znalazłeś?

— W ogrodzie, nad strumieniem.

— Potrzebny jej domek. Poszukaj jakiegoś pudełka. Trzeba włożyć tam trochę ziemi i trawy, żeby się mogła zagrzebać. Ropuchy to lubią.

— A ja lubię ropuchy — oznajmiłem. — I wiem, że mają różne kolory. Ta jest brązowa...

— Skoro lubisz ropuchy — przerwała mi Sophie — przeczytam ci coś ciekawego. Możemy zacząć już dziś wieczorem. W tej książce jest mnóstwo świetnych historyjek również o innych zwierzętach.

— Dobrze. Pójdę teraz poszukać domku.

Matka siedziała w salonie. Przez półotwarte drzwi zobaczyłem, że przy jej fotelu pali się lampa, a ona czyta jakiś tygodnik. Zapukałem.

— Wejdź — powiedziała.

Zdjąłem buty i w samych skarpetkach wkroczyłem na dywan, czując pod stopami miłe ciepło strzyżonej wełny.

— Mamusiu, czy mogę dostać jakieś pudełko, żeby zrobić domek?

Przyjrzała mi się uważnie.

— Domkami bawią się tylko dziewczynki.

Byłem zbyt podekscytowany, aby zastanowić się nad odpowiedzią.

— Och, ale to nie dom dla lalek.

Po ciszy, która nagle zapadła po tych słowach, zorientowałem się od razu, że musiałem popełnić jakiś błąd, tylko w żaden sposób nie mogłem domyślić się jaki.

— Nie sprzeczaj się ze mną — usłyszałem i raptem ogarnął mnie strach. Przez moment wydawało mi się, że rusza na mnie ten skulony, szeleszczący kształt z mego snu. Wzdrygnąłem się cały. — Słyszysz, Matthew?

— Tak, mamusiu. Przepraszam. — Odwróciłem się, żeby wyjść; w kuchni są przecież pudełka, pomyślałem, mogę wziąć sobie któreś, nikt nie zauważy. Było już jednak za późno.

— Co tam masz? — zapytała matka.

— N... nic — wymamrotałem.

— Co? Mów wyraźnie, na litość boską! Pytam, co trzymasz w ręku.

— To ropucha. — Wyciągnąłem rękę ze zwierzątkiem, żeby je mogła zobaczyć.

Znowu zapadła cisza. Matka w milczeniu obserwowała ropuchę.

— Wynieś ją na dwór — powiedziała wreszcie. — Masz się jej pozbyć.

Musiałem mieć minę, jakbym nie rozumiał, co się do mnie mówi, bo dodała już innym tonem:

— Ona źle by się czuła w domu i pewnie szybko by zdechła, co dla wszystkich byłoby bardzo nieprzyjemne. Zanieś ją do ogrodu i wypuść.

Po tych słowach na powrót zapadła się w fotel, przywracając ów prawie nieuchwytny dystans, jaki zawsze ją od nas dzielił. Wiedziałem, co to oznacza: sprawa jest zamknięta. Kiwnąłem głową i wyszedłem, zabierając stojące za drzwiami buty.

— O czym wtedy myślałeś? — pytam.

— Nie pamiętam. Chyba o niczym. Nie znienawidziłem matki, jeśli o to ci chodzi. W jej zachowaniu nie widziałem nic nadzwyczajnego. Zawsze była taka. Jeśli coś się ciągle powtarza, człowiek się do tego przyzwyczaja.

— I uważa, że tak musi być?

Wzdraga się lekko.

— Tak — rzuca ostro, wpatrując się we mnie zwężonymi oczami, lecz po sekundzie twarz mu się zmienia, napięcie znika. — Nienawiść do matki pojawiła się znacznie później z powodu... z wielu powodów.

Wbijam oczy w podłogę — tak jest bezpieczniej — i milczę.

ROZDZIAŁ DRUGI

Dzień był pogodny, przejrzyste powietrze miało w sobie świeżość późnej wiosny, dookoła rozbrzmiewał śpiew ptaków. Wspinaliśmy się na wzgórze wzdłuż stromej kamiennej ściany wznoszącej się po prawej stronie. Skrajem pola biegła tutaj wydeptana ścieżka, w której tkwiły gładkie, spłaszczone kamienie, wielkie jak talerze albo nawet koła od wozu. Sophie bez trudu pokonywała tę trasę, rozpościerając raz po raz ramiona, jakby balansowała na linie. Chwilami odwracała się do mnie, żeby mi coś pokazać. Od czasu do czasu zrywała też kwiatki rosnące kępkami u podnóża ściany, z których z wolna powstawał kolorowy bukiet.

Mnie szło trochę gorzej — dotarłem na szczyt bez tchu, lecz widok „naszego" kamieniołomu i okrytych zielenią drzew u jego brzegu wprawił mnie w radosne podniecenie. W zimie nie mogliśmy tu przychodzić — było za chłodno i za daleko — więc na kilka miesięcy musieliśmy znacznie ograniczyć ruchy. Pozostawał nam jedynie ogród, parę uliczek przy domu i wioska. Już sama wymuszona bliskość matki była dość krępująca, aby tęsknić za wiosną i latem, ale jeszcze bardziej doskwierało nam poczucie uwięzienia. Jakbyśmy siedzieli w klatce. Gdy więc w połowie tygodnia Sophie zapowiedziała sobotnią wyprawę na wzgórze, nie mogłem się tego doczekać.

Płot otaczający cały obszar kamieniołomu był bardzo stary. Zbudowano go z drewnianych sztachet łączonych listwami, lecz gdy drewno zaczęło próchnieć i rozpadać się ze starości, przepleciono gdzieniegdzie sztachety cienką siatką drucianą o szerokich okach, u góry natomiast rozpięto gruby drut kolczasty. Sądząc jednak po licznych lukach, ludzie wykonujący te zabezpieczenia musieli robić to bez przekonania. Odkąd sięgałem pamięcią, nikt też nie odnawiał wyblakłych znaków ostrzegawczych ani nie stawiał nowych. W tak kiepskim ogrodzeniu nietrudno było znaleźć dziurę tej wielkości, aby bez większych kłopotów przepchnąć się przez nią do środka. Sam kamieniołom był z trzech stron dość płytki; bardziej stroma była tylko czwarta ściana, w której wykuto klatki szybowe. Skręcając stopy na boki, kilkoma susami pokonaliśmy osypisko i stojąc na dnie kopalni, zaczęliśmy lustrować teren.

— Tam dalej były skały — stwierdziłem, rozejrzawszy się po otoczeniu — a teraz ich nie ma.

— Nic dziwnego — odrzekła Sophie. — W czasie mrozów skały zamarzają. Kamień od tego pęka i kruszeje.

Nie wzbudziło to mego zainteresowania — pilno mi było zająć się czym innym.

— Chodźmy poszukać muszelek.

— Później. Przynieś wpierw torbę, jeżeli jeszcze tam jest.

Z rozkosznym dreszczykiem emocji ruszyłem w stronę klatek, pokonując wyciągniętym kłusem szeroką, dzielącą mnie od nich przestrzeń, usianą odłamkami zmurszałych skał. Z poszukiwaniem tej torby wiązał się dla mnie zawsze pewien element ryzyka, co oczywiście było bardzo ekscytujące. Aby ją odnaleźć i wyjąć ze schowka, trzeba się było wgramolić na rozchwianą skałę u podnóża tej pochyłej ściany i sięgnąć do otworu najbliższej klatki. Tak naprawdę bardziej przypominały jaskinie. Były to wydrążone w ścianie wielkie dziury, ciągnące się poziomo w głąb i zabezpieczone od zewnątrz drzwiczkami z potężnych żelaznych prętów — żeby tam nikt nie wchodził. Na dnie tuż przy wejściu — dalej nie dało się zajrzeć — leżały strasznie stare, tajemnicze puszki, tak grubo pokryte rdzą, że nie sposób było ustalić ich wieku ani pochodzenia. Zionęło stamtąd wilgocią, ale jeszcze bardziej czymś zupełnie innym. Co mogło kryć się w tym mroku? Torba była na miejscu; chwyciłem ją szybko i z szaleńczo bijącym sercem pognałem z powrotem do Sophie.

— Jest!

Triumfalnie postawiłem torbę na znalezionym wcześniej płaskim kawałku skały, który mógł nam posłużyć za niski prymitywny stolik. Sophie wyjęła z niej młotek.

— Teraz możesz poszukać skałek — powiedziała, wkładając mi go do ręki. — Wybieraj tylko te, w których widać muszle.

— Dobrze! — Zacząłem szperać pośród rumowiska.

W odzyskanej torbie znajdowała się także duża puszka po biszkoptach, w której Sophie trzymała swoje „księgi", jak je nazywałem, choć naprawdę były to zeszyty. Kiedy ja, przykucnięty na piętach, pracowicie przewracałem skałki, ona skrobała coś w tych zeszytach — czasami tylko parę linijek, kiedy indziej nawet kilka stron. Nie było to prawdziwe pismo. Na tyle umiałem już czytać i pisać, aby się zorientować, że to jakieś dziwaczne bazgroły, a nie prawdziwe litery i słowa. Ale Sophie robiła tyle dziwnych rzeczy... A w tych księgach bazgrała od dawna, od naszej pierwszej wyprawy.

— Po co to robisz? — spytałem pewnego razu.

— To coś w rodzaju pamiętnika.

— I co tam zapisujesz?

— Och, mnóstwo rzeczy. Przecież wiesz, do czego służy pamiętnik. Zapisujesz w nim wszystko, co ci się zdarzyło w danym dniu, kogo widziałeś, co robiłeś... To tak jakbyś pisał list, tylko że go nie wysyłasz.

— No to po co go pisać?

Uśmiechnęła się na to.

— Dla siebie, rozumiesz?

Nie, nie rozumiałem ani nawet nie starałem się zrozumieć, bo nie było to dla mnie interesujące. W naszej torbie znajdowało się przecież tyle ciekawych rzeczy, jak choćby ten zabawny młotek z jednym końcem tępym, a drugim wydłużonym i cienkim jak dłuto, do odłupywania i rozłupywania skałek, jak cała kolekcja różnej wielkości dłutek, którymi można się było posłużyć, tam gdzie sam młotek nie wystarczał, jak stare śrubokręty do usuwania resztek kamienia z delikatnych muszli. Właśnie te muszle budziły we mnie największą ciekawość — głównie dla nich chciałem tu przychodzić. Najczęściej znajdowałem okrągłe lub łukowate muszelki wielkości paznokcia na kciuku Sophie, ale trafiały się także, chociaż bardzo rzadko, muszle spiralne i okazy w kształcie medalionu; te były większe i dużo ładniejsze od zwykłych. Strasznie intrygowały mnie te muszle: dlaczego tak głęboko tkwią w skale? Skąd się tam wzięły? To skorupki różnych morskich stworzeń, wytłumaczyła mi Sophie, bo tu, gdzie jesteśmy, było kiedyś morze. Myślałem, że to bajka, ale tak mi się spodobała — była tak niezwykła! — że z miejsca w nią uwierzyłem. Dla pięcioletniego dziecka nie istnieje wyraźna granica między rzeczywistością a fikcją. Zacząłem szukać skamieniałych ryb, lecz mimo usilnych starań nigdy ich nie znalazłem.

Siedząc na dnie kamieniołomu, mieliśmy nad sobą kopułę jasnego nieba obramowaną gałęziami drzew, lecz poza tym otaczała nas zewsząd niegościnna pustka. Gdyby nie te klatki z jednej strony i kępki wątłych chwastów z drugiej, można by było pomyśleć, że jesteśmy na innej planecie. Tylko my dwoje — Sophie i ja.

Dziś już rozumiem, jak fenomenalnym umysłem natura obdarzyła moją starszą siostrę, i tylko ta świadomość broni mnie przed politowaniem dla samego siebie, ilekroć wspominam swe wczesne dzieciństwo. Sophie nigdy mnie nie okłamała. Innych owszem, i to tak przekonująco i sprytnie, że nikt jej ani razu na tym nie przyłapał, ale mnie nigdy i w niczym. Kiedy już podrosłem i nabyłem trochę wiedzy — dzięki lekturze książek i kontaktom z innymi ludźmi — uświadomiłem sobie, że większość jej opowiastek, które ja uważałem za baśnie — takich jak ta o dnie morza na szczycie naszego wzgórza — to nie żadna fikcja, lecz fakty. Sophie zawsze mówiła mi prawdę. Niestety, dopiero o wiele później zacząłem rozumieć, że jeśli przeważająca część jakiejś całości jest prawdą, to jest nią pewnie i reszta. Tak więc dopiero po latach, pewnego chmurnego dnia, gdy opustoszały kamieniołom tonął w zimnej mżawce, a niebo nad głową było puste i szare jak skała, wtedy dopiero poszedłem do klatek, aby dowiedzieć się prawdy.

Przybrał teraz tę samą pozycję co ja: siedzi wpatrzony w podłogę, ręce ma zaciśnięte. Oddycha ciężko — tak jak ja jakiś czas temu. Po chwili podnosi głowę.

— Za mało ci ufałem — stwierdza krótko.

— Kiedy?

— Zawsze. We wszystkim. Może gdybym więcej wiedział, gdybym bardziej ci wierzył...

— Nie byłoby nas teraz tutaj? — wchodzę mu w słowo, choć nie jestem pewna, czy to bezpieczne.

Kiwa głową potakująco.

— Może bylibyśmy, ale nie tak... Nie w takiej sytuacji.

— Tylko to chciałbyś zmienić? To jedno?

Spogląda na mnie z jakimś dziwnym respektem. Och, tego się nie spodziewałam.

— Nie, nie tylko.

— Co jeszcze?

Twarz znów mu twardnieje.

— Nie naciskaj mnie, dobrze?

Spuszczam oczy.

— Przepraszam.

Zaczynam się zastanawiać, od jak dawna nosił się z zamiarem tej konfrontacji z przeszłością. Choć już częściowo rozumiem, dlaczego mnie tu uwięził, chwilami nadal trudno mi uwierzyć, że to się dzieje naprawdę. Że siedzimy w tej kuchni, roztrząsając błahe wydarzenia sprzed prawie dwudziestu lat. Burza nie ustaje. Filujący płomyczek świecy przypomina ruchliwy język jaszczurki. W jego świetle dostrzegam w kątach całe sterty ogarków. Och, musiał od bardzo dawna przygotowywać się na ten wieczór.

— Sophie?

Podnoszę głowę z mimowolnym drgnięciem.

— A ty co byś zmieniła?

Na usta ciśnie mi się uśmiech: czyż to nie oczywiste? Ale nie, taka odpowiedź nie wchodzi w rachubę. Wyczuwając, że to pewnie kolejny test, próbuję się skupić.

— Ja... Nie wiem — mówię niepewnie. Na myśl, że mogę oblać ten egzamin, ogarnia mnie strach.

— Och, dajże spokój! — parska z irytacją. — Stać cię na więcej.

— Mogłabym powiedzieć ci więcej... ale po co? — Starannie artykułuję każde słowo, obserwując zarazem jego reakcję: czy znów się nie zdenerwuje? Na razie nie. — Wydaje mi się... że to niepotrzebne. I tak już chyba wiesz wszystko.

— Wiem, co się stało, ale nie wiem d l a c z e g o. Dlaczego to zrobiłaś?

— Co?

Na jego twarzy pojawia się nagle zakłopotanie.

— Och, no, to wszystko — mówi niejasno i odwraca oczy.

Ja nic nie mówię. Czuję, że zbliżyłam się do czegoś bardzo niebezpiecznego.

Moim ulubionym miejscem był wielki ostrokrzew. Rósł dość daleko od domu, w tych mniej wypielęgnowanych regionach ogrodu i bardziej przypominał drzewo niż krzew. Jego obwisłe gałęzie zakorzeniły się w gruncie i tak pod pokrywą najeżonego kolcami listowia powstała zamknięta stożkowata przestrzeń — w kształcie indiańskiego tipi. Spiczasty czubek tego stożka sięgał najniższej partii gałęzi wyrastających z potężnego pnia. Gałęzie z jednej strony były trochę rzadsze, o tyle, że dzieci naszego wzrostu i tuszy mogły się wślizgnąć do środka. Wejście to, przesłonięte zaniedbanym ligustrowym żywopłotem, było prawie niewidoczne, toteż owa zielona kryjówka zapewniała nam lepsze odosobnienie niż pozostałe partie ogrodu. Tam wprawdzie też nas nikt nie nachodził, zawsze jednak istniała taka możliwość.

Sophie znalazła w szopie stary namiot, którym przy mojej pomocy uszczelniła od środka całe wnętrze chatki, tak że to nasze tipi stało się nieprzemakalne nawet podczas silniejszego deszczu. Na ziemi rozłożyliśmy brezent. Po tych zabiegach zrobiło się trochę za ciemno, musieliśmy więc zadbać o oświetlenie. Posłużyły do tego kolorowe świeczki. Realizacja całego projektu zajęła nam pełne dwa tygodnie lata. Pracowaliśmy we wszystkie popołudnia, ale rezultat wart był tych wysiłków. Strasznie chciałem tam przenocować, co niestety okazało się niewykonalne, ale i bez tego każda wyprawa w głąb wielkiego krzaka dostarczała mi niezwykłych wrażeń. Już w chwili gdy wpełzłem pomiędzy kolczaste gałęzie, witał mnie przenikliwy zapach butwiejących płócien, a kiedy tajną komnatkę wypełniła ciepła woń świeczek, można było sobie wyobrażać, że jest się w jakimś czarodziejskim miejscu, może nawet w całkiem innym świecie.

Siedzieliśmy oparci plecami o pień w samym środku naszego małego królestwa, sięgając stopami jego krańców. Z cegieł znalezionych za wzgórzem, obok stodoły farmera, a potem pracowicie znoszonych przez wiele dni, powstały postumenty dla świeczek, ustawione w równych odstępach na całym obwodzie wnętrza. Każdą z tych świeczek zabezpieczała od góry ogniotrwała płytka. Sophie zadbała o wszystko. Była zbyt rozsądna, by nas narażać na takie niebezpieczeństwo jak pożar.

Zazwyczaj chodziliśmy tam razem, któregoś dnia jednak Sophie wybrała się do biblioteki, siedziałem więc sam w naszej chatce, podśpiewując sobie dla zabicia czasu. Wróciła chyba po godzinie w bardzo złym humorze, przynosząc z sobą trzy książki: „Kubusia Puchatka", „Wstęp do biologii człowieka" oraz zbiór komicznych wierszyków z kolorowymi obrazkami przedstawiającymi postacie ze znanych kreskówek.

— Szału można dostać — sarknęła, szamocząc się z klapą przy wejściu. Książki rzuciła na ziemię.

— Dlaczego? Popatrz, sam zapaliłem wszystkie świece.

— Przez tę bibliotekę. Głupie stare krówsko.

— Kto?

— Ta kobieta, no, ta kierowniczka. Wolno mi wypożyczyć tylko trzy tytuły i jeszcze nie mogę dostać takich, które mnie interesują. Muszę brać dwie książki dla dzieci, udając, że to dla mnie, a przy każdej innej oszukiwać, że pożyczam ją dla rodziców.

— Dlaczego musisz tak robić?

— Bo dziwnie by wyglądało, gdybym co tydzień brała tylko książki dla rodziców, a znów gdybym spróbowała wziąć dla siebie coś dla dorosłych, ta kobieta pomyślałaby zaraz, że chcę pooglądać obrazki. No wiesz... Obrazki nie dla dzieci. W tej książce na przykład są cycki i takie różne... Dlatego muszę się bawić w ten idiotyczny cyrk: „Bardzo przepraszam, ale mój tatuś prosił, żeby przynieść mu coś pod tytułem... zaraz, jak to się nazywa? Aha, «Wstęp do biologii człowieka» Boyera i Davisona". I trzepotać przy tym rzęsami jak głupia. Do diabła! Mam tego dosyć.

— Mogę zobaczyć tę? — podniosłem „Kubusia Puchatka".

— Jasne. Jest bardzo fajna, spodoba ci się. Wieczorem przeczytam ci kawałek i te wierszyki też.

— Mamy w klasie jakiegoś Kubusia Puchatka. Na obrazku. Wisi na ścianie.

Sophie otworzyła swoją książkę, opierając ją o kolana. Zaintrygowany wzmianką o cyckach i reszcie, zerknąłem jej chyłkiem przez ramię, ale zobaczyłem tam tylko człowieka pokrytego kawałkami mięsa. Bardzo mnie to rozczarowało, powróciłem więc do swojej książki.

Czytaliśmy chwilę, a potem z „Kubusiem Puchatkiem" pod pachą ruszyliśmy na kolację. Dopóki bez spóźnień stawialiśmy się na posiłki, matka nie kwestionowała naszych długich nieobecności. Nie wiem nawet, czy zdawała sobie sprawę, że przeważnie nie ma nas w domu. Niewiele miała przy nas roboty. To Sophie pilnowała, żebym umył zęby i o właściwej porze szedł spać. Jeśli zbudził mnie koszmar, najczęściej przynosiła mi coś do picia i układała do snu. Nawet kiedy zgasiwszy światło szła już do siebie, krzepiła mnie świadomość, że jej pokój jest tak bliziutko. Moja matka była pewnie przekonana, że wszystkie dzieci na świecie są tak ciche jak my — i tak mało wymagające.

Książka o Kubusiu Puchatku okazała się bardzo wesoła, a Sophie tak zabawnie udawała głosy różnych zwierząt, że śmiałem się do rozpuku. Oboje bawiliśmy się świetnie. Z uśmiechem położyłem się i do rana spałem jak zabity. Bez żadnych koszmarów.

Uśmiecha się lekko.

— Nasz ostrokrzew odrósł. Obejrzałem go sobie. Myślę, że jego pień nie obumarł, nie wygląda już jednak tak jak kiedyś. Jeszcze jedna rzecz, która uległa zmianie.

— Zmian nie powstrzymasz. To niemożliwe.

Groźnie marszczy brwi.

— Nigdy tego nie chciałem. Nie udawaj głupiej. To ty je chciałaś powstrzymać.

— Ja?

— Cały czas. Wtedy sobie tego nie uświadamiałem... Później dopiero zacząłem rozumieć, w czym rzecz.

— Jesteś pewien, że tak właśnie było?

— Tak. — Milknie na chwilę i spogląda na mnie z jakąś osobliwą ciekawością. — Chciałaś wszystko utrzymać w niezmienionym stanie. Dziwne, bo przecież pod innymi względami byłaś taka inteligentna. I zawsze opanowana. Wszystko działo się tak, jak chciałaś. I zawsze jakby samo z siebie, jakbyś nawet o tym nie myślała. — Znów na moment milknie. — Może tak właśnie uśmierciłaś Ol'Grady'ego. Ot tak, mimochodem. Nigdy nie uznawałaś ogólnie przyjętych zasad. Gdy ich nie mogłaś ominąć, po prostu je łamałaś.

Czekam. Co jeszcze powie?

— Wiesz, Sophie, nigdy nie rozumiałem, czego ty chcesz. Nie wiedziałem, jak to jest patrzeć na świat i ludzi twoimi oczami.

— Dlaczego nic nie mówiłeś?

— Och, na litość boską, byłem małym dzieckiem! Ja inaczej postrzegałem świat. Skąd mogłem wiedzieć, jaki on jest dla ciebie?

— I to wszystko?

Na jego twarzy znów pojawia się ten dziwny wyraz.

— Kochałem cię, Sophie. Chciałem być taki jak ty, brać udział we wszystkich twoich poczynaniach. A ty mi nie pozwoliłaś.

Notuję te słowa w pamięci. Odkładam je sobie na później — może na coś mi się przydadzą.

Latem tego roku ciąża mojej matki zaczęła być widoczna. Jej zaokrąglony i dziwnie napięty brzuch przypomniał mi o tym, co mówiła Sophie: mama będzie miała dziecko. W moich oczach wyglądało to tak, jakby rosło jej w brzuchu coś bardzo podobnego do kuli żabiego skrzeku.

Dni także rosły — stały się ciepłe, a wieczory długie. Mniej więcej w tym czasie zdarzył się jeden z owych drobnych incydentów formujących mój dziecięcy wizerunek Sophie. Dalsze jej losy również. Cała sprawa zaczęła się pewnego ranka na boisku szkolnym podczas pierwszej przerwy i skończyła w tym samym dniu — pozornie bez większych reperkusji. Po prostu „wypożyczyło" mnie sobie dwóch dziewięciolatków, którzy zdążyli już okryć się wątpliwą sławą szkolnych terrorystów, ze szczególnym upodobaniem znęcających się nad słabszymi. Musiałem wyjść z tej opresji mocno poturbowany, bo łzy ciekły mi z oczu. Mówię „musiałem", bo nie pamiętam dokładnie, co mi zrobili, ale było to pewnie coś więcej niż parę szturchańców i wyzwisk. Nie wiem też, dlaczego ci dwaj wybrali na ofiarę właśnie mnie. Z pewnością nie z jakiegoś szczególnego powodu. Nie sądzę również, aby zaplanowali ten atak; myślę, że po prostu przyszła na mnie kolej. Wpadłem im w oko i tyle. Dzieci w wieku szkolnym mają na ogół wrodzoną zdolność szybkiego przechodzenia do porządku nad takimi wydarzeniami, z wyjątkiem tych, które z jakichś powodów wyróżniają się z tłumu i przez to częściej niż inne padają ofiarą agresji. Jestem pewien, że i ten incydent zostałby przez wszystkich rychło zapomniany, gdyby nie Sophie, która już z daleka spostrzegła, że płaczę. Postanowiła widocznie wybadać, co się stało, ruszyła więc ku mnie spacerowym krokiem w asyście swoich koleżanek, pokpiwając sobie z żartobliwą rezygnacją z wiecznych nieszczęść młodszego brata. Gdy jednak po chwili odeszliśmy na bok, gdzie nikt nas nie mógł usłyszeć, spytała już trochę poważniej:

— Ej, Mattie, co ci się stało? Upadłeś? Idź do pani Evans.

Z lekką urazą — przewracałem się często, ale czy ktoś widział, żebym wtedy płakał? — opowiedziałem jej, co mnie spotkało.

— Naprawdę? — rzuciła bez większego zainteresowania. — Kto ci dołożył?

Myślę, że gdybym miał wtedy o rok czy dwa lata więcej, ta jej obojętność wydałaby mi się trochę podejrzana, na razie byłem jednak na to zbyt naiwny. Powiedziałem oczywiście, kto mnie pobił.

— Od dawna to trwa? Już cię kiedyś zbili? — rzuciła tak samo obojętnie.

— Mnie nie, ale innych wciąż leją.

Poklepała mnie po ręku.

— No, no, nie przejmuj się tym tak bardzo. Czujesz się już lepiej?

Kiwnąłem głową, głośno pociągając nosem.

— No to w porządku. Zmykaj.

Sophie dołączyła do swych koleżanek, a ja drepcząc w stronę szkoły usłyszałem jeszcze, jak mówi do nich lekkim tonem: „Matthew dostał wycisk od Hollisa i Gregory'ego". Rozległ się nerwowy chichot. „Nieźle mu wkopali, co?" — rzuciła któraś z nutą uznania. „Ci dwaj to dranie" — stwierdziła jakaś inna. Przyznałem jej rację.

Poszedłem na lekcję. Pani Jeffries kazała nam odłożyć przybory do rachunków i zaczęła opowiadać fajną historyjkę. W ogóle zrobiło się fajnie. Z obrazków na ścianie uśmiechali się do nas Kubuś Puchatek i jego przyjaciel Tygrysek. Gorący blask słońca kładł się łatkami po całej klasie, tak że barwne plastikowe pudła nabierały pięknych kolorów, a w orzechowym fornirze pianina zapalały się ogniste błyski. Był piątek, zbliżał się weekend. Myślałem o drzewach nad kamieniołomem, które przybrały już teraz głęboki odcień zieleni, i o tym, że ogrodnik uruchomi pewnie spryskiwacze. Lubiłem przyglądać się malutkim tęczom tworzącym się nad trawnikami w obłokach srebrzystej mgiełki. Nadszedł lunch, skończyła się przerwa na jedzenie i gdy już mieliśmy zacząć popołudniowe zajęcia, do klasy weszła pani Colley. Jej rumiana zazwyczaj twarz była dziś znacznie bledsza. Pomyślałem, że chyba źle się czuje, w każdym razie tak wyglądała.

— Pracujcie dalej, dzieci — powiedziała, podchodząc do pani Jeffries.

Przez długą chwilę między dwiema paniami trwała przyciszona konwersacja. Pochyliłem się nad zadaniem, ale jakoś trudno mi było się skupić.

— Matthew?

Gwałtownie podniosłem głowę.

— Słucham?

— Pójdziesz teraz z panią Colley. Nie, nie składaj swoich rzeczy, zrobisz to później.

Zastanawiając się, co przeskrobałem — nic nie przychodziło mi na myśl — wsunąłem krzesło pod biurko i poszedłem za panią Colley. Zaprowadziła mnie do swojej klasy, gdzie było zupełnie pusto.

— Usiądź, Matthew.

Usiadłem na twardym plastikowym krześle. Pani Colley przyjrzała mi się uważnie. Musiałem wyglądać na bardzo zdenerwowanego, bo powiedziała:

— Nie bój się, kochanie, nic nie zrobiłeś. Chciałam tylko z tobą porozmawiać.

Oho, pomyślałem, nie dam się na to nabrać. Pani Colley rzadko rozmawiała z dziećmi, a już na pewno nie zabierała ich do swojej klasy. Milczałem więc wyczekująco.

— Powiedz mi, Matthew, co stało się dzisiaj rano.

Zamrugałem oczami.

— Kiedy?

Pani Colley lekko pochyliła głowę, jakby chciała dać do zrozumienia, że sprawa jest bardzo poważna.

— Podczas zabawy na boisku. Czy coś się wtedy wydarzyło?

— Och... — Teraz zrozumiałem, o co chodzi. Sophie musiała się komuś wygadać. — Nie, nic.

— Mnie możesz powiedzieć, kochanie. To naprawdę ważne.

— Nic się nie stało. Naprawdę.

— Hmm... Ale płakałeś?

Przybrałem postawę obronną.

— Nie. To znaczy trochę.

— No tak. — Pani Colley powiedziała to do siebie. — Chodźmy. — To już skierowane było do mnie.

Myślałem, że odprowadzi mnie do pani Jeffries, tymczasem poszliśmy w całkiem inną stronę, tam gdzie uczyły się starsze klasy i gdzie prawie nigdy nie chodziłem. W pustych korytarzach — bo wszyscy byli na lekcjach — słychać było stłumiony szmer głosów dobiegający zza licznych drzwi. Pani Colley zatrzymała się dopiero przed gabinetem dyrektora.

— Twoja siostra to silna dziewczyna — powiedziała po krótkim wahaniu. Potwierdziłem to skinieniem głowy. — No cóż, trochę ucierpiała, ale to nic groźnego, wkrótce wszystko będzie w porządku, rozumiesz?

— Tak. A co się stało?

Spróbowała się uśmiechnąć, ale jej to nie wyszło, więc dała spokój.

— Chodźmy — zadecydowała, otwierając drzwi.

W gabinecie zobaczyłem wpierw dwoje dorosłych, dyrektora i jakąś panią, której nigdy przedtem nie widziałem, a później dopiero Sophie siedzącą w jednym z wielkich, pokrytych skórą foteli. Zauważyłem na jej policzku świeży paskudny siniec. Później się okazało, że takie same ma chyba wszędzie i na dodatek wyszczerbiony ząb. Pan Fergus był trochę bledszy niż zwykle, podobnie jak pani Colley. Spojrzał na nią pytająco, a ona kiwnęła głową.

— Witaj, Matthew. To jest panna Patrick — powiedział, wskazując tę drugą osobę. — Twoja siostra, jak widzisz, odniosła pewne obrażenia — słowom tym towarzyszył wymuszony uśmiech. — Panna Patrick odwiezie was teraz do domu. Dzwoniłem już do waszej matki, aby ją zawiadomić, że dzisiaj wrócicie wcześniej.

Mówi jak człowiek nieobecny duchem, jakby nie pamiętał, że tu jestem. Przyzwyczaiłam się już do tego. Obserwuję go tylko, trzymając związane ręce na kolanach.

— Byłaś bardzo sprytna. Powiedziałaś dokładnie tyle, ile trzeba, ani słówka więcej i każde z odpowiednią dozą wahania. Och, zaledwie parę szczegółów. Gdzie i w jaki sposób dotykali cię ci dwaj. Co ci powiedział ten jeden. O Chryste! Musiałaś napędzić śmiertelnego stracha dyrektorowi i nauczycielkom. Nie, nie siniakami, siniaki to pestka w porównaniu z tym, co powiedziałaś! A skutek? Po weekendzie wszyscy udają, że nic się nie stało. Z boiska zniknęła dwójka łobuzów i tyle. Siniaki też wkrótce znikną, a ząb? Kto by się przejmował takim zębem, przecież to dopiero mleczak. W dodatku są też korzyści. Wiedziałaś, że jeśli teraz zachowasz się trochę dziwacznie, nikt nie weźmie ci tego za złe. Wszyscy nauczyciele pokiwają tylko głowami: „Sophie Howard? No cóż, to zupełnie zrozumiałe. Biedactwo przeżyło szok". — Uśmiecha się niewesoło. — Nie tak łatwo wyszczerbić sobie ząb. Musiałaś być z siebie dumna.

Spoglądam na swoje ręce: tak mocno zacisnęłam je na kolanach, że aż pobielały mi kostki.

ROZDZIAŁ TRZECI

W lecie nasz ogród był najpiękniejszy. Lubiliśmy spędzać tu zwłaszcza wieczory, pełne słodkich kwiatowych woni, z niebem zmieniającym barwy, z błękitnej po głębokie odcienie turkusu, w miarę jak noc, wędrując cicho ze wschodu, powoli ogarniała świat. W takie wieczory siadaliśmy pod drzewem i Sophie czytała mi książki lub opowiadała moje ulubione bajki. Trochę rzadziej, co nie znaczy, że z mniejszą przyjemnością, gawędziliśmy sobie o różnych sprawach. Ojciec nadal bawił gdzieś daleko. Między nieczęstymi wizytami w domu prowadził jakieś własne, nie znane nam życie. Miałem niejasne wrażenie, że chyba wciąż podróżuje. Doszedłem również do wniosku — w rzadkim u mnie przebłysku olśnienia — że to pewnie podczas którejś z jego sporadycznych wizyt musiała się zacząć cała ta sprawa z dzieckiem. Moja matka, wciśnięta w opięte letnie sukienki, tkwiła teraz bez przerwy w salonie, z wyrazem twarzy człowieka czekającego na śmierć. Salon pachniał nagrzanym drewnem i zakurzoną tapicerką i chociaż nikt by tu nie dostrzegł odrobiny kurzu, ta woń, rzecz dziwna, wraz z upływem letnich tygodni stawała się coraz silniejsza. My dwoje tym skrzętniej omijaliśmy salon. Nie myśleliśmy o tym, że rodzice nas zaniedbują. Matka zawsze była dla nas postacią dość mglistą, pozbawioną wyraźnych konturów jak duch, a ciągła nieobecność ojca stała się w naszym pojęciu jego nieodłączną cechą, czymś, co zrosło się z nim tak samo, jak sznurek jaskrawych koralików z panią Jeffries. Nie, nie czuliśmy się wcale zaniedbani czy opuszczeni, przeciwnie, pod wieloma względami byliśmy niezwykle szczęśliwi.

Ojca w pewnym stopniu rozumiałem, ale matka zamknięta w swoich czterech ścianach była dla mnie zjawiskiem tak paradoksalnym, że nawet po wielu latach nie byłem w stanie zbudować sensownego obrazu jej osobowości. Jej zwyczaje i zachowania w niczym nie przypominały naszych; była czymś, co nie poddaje się żadnym analizom ani nawet bliższemu poznaniu. Odkąd zamknęła się na tyłach domu, w butwiejącym powoli salonie, stała się też niewidzialna. Byłem z tego zadowolony, bo gdy przedtem pojawiała się czasem w którejś z pozostałych części domu, sama jej obecność wywoływała u mnie dziwne rozdrażnienie, a nawet niepokój. Uważałem, że cały ten dom z wyjątkiem salonu stanowi nasze terytorium — moje i Sophie — i dla niej nie ma tam miejsca. Próbując później ustalić, kiedy dokładnie nasza matka została zepchnięta do salonu, uprzytomniłem sobie z zaskoczeniem, że prawie nic o niej nie wiem. Była dla mnie osobą obcą, przybyszem z innej planety. Rzadko miewałem z nią kontakt. Gdy chcieliśmy na przykład spędzić dzień poza domem, zawsze tylko Sophie zwracała się do niej z tą prośbą, jeśli w ogóle uznała za stosowne zawracać sobie tym głowę. W towarzystwie Sophie nie myślałem nigdy o matce — istniała gdzieś, owszem, ale bardzo daleko.

Często rozmawialiśmy wtedy o dziecku. Sophie rysowała przy tym plemniki i jajeczka, co z początku kojarzyło mi się z kijankami i żabim skrzekiem. Zdążyła się już dowiedzieć wszystkiego co trzeba o noworodkach i ich zwyczajach, zarzuciła więc wyprawy do biblioteki. Starała się teraz bardzo usilnie zarówno poszerzyć moje horyzonty, jak i zademonstrować swoją wiedzę. Byłem uszczęśliwiony, że poświęca mi tyle uwagi.

— Co byś wolał — spytała — chłopca czy dziewczynkę?

— Czy ja wiem? Chyba chłopca.

— Byłby twoim bratem.

Jakoś to do mnie nie docierało. Mój dziecięcy umysł wciąż jeszcze nie potrafił wytworzyć asocjacji łączących to nowe dziecko ze mną i z Sophie; nie był też w stanie przyjąć do wiadomości, że nasz dwuosobowy wszechświat ma się powiększyć o trzecią osobę.

— Sophie?

— Tak?

— Po co są piersi? — spytałem z wahaniem.

— Żeby karmić dziecko. Jest w nich mleko, jak u krowy.

Obraz, który w tym momencie stanął mi przed oczami, był bardzo plastyczny, ale też trochę odrażający. Mimo woli lekko się wzdrygnąłem.

— Zimno ci?

— Nie. — Na chwilę pogrążyłem się w myślach. — Piersi służą tylko do karmienia?

Sophie zerknęła na mnie jakoś dziwnie.

— No nie, nie tylko. Lubią je też mężczyźni.

— Czemu? Z powodu tego mleka?

Roześmiała się głośno.

— Nie. Przypuszczam, że z powodu ich wyglądu. — Czyjego wyglądu: piersi czy mężczyzn? Nie zdążyłem zapytać. — To bardzo dziwne — mówiła dalej Sophie. — Nie wiem dokładnie, dlaczego mężczyźni lubią piersi. Książki do biologii też o tym nie mówią. Ale chyba zaczynam rozumieć, o co chodzi. Przynajmniej częściowo — zakończyła, uśmiechając się do własnych myśli.

— Uważam, że wiesz bardzo dużo — przyznałem lojalnie.

— Chyba tak.

Przyjrzałem jej się uważnie — trochę inaczej niż zwykle. Patrzyła w niebo, tam gdzie czubki drzew zdawały się z sobą stykać. Miała na sobie biało-niebieską sukienkę i białe podkolanówki, a włosy związane w koński ogon. Przód jej sukienki ozdobiony był białymi plecionkami.

— Sophie?

— Co?

— A dlaczego ty nie masz piersi?

— Jestem za młoda. Piersi rosną później. Całe ciało się wtedy zmienia.

— A czy my możemy mieć dzieci?

— Nie, Mattie, jesteśmy jeszcze za mali. Żeby mieć dziecko, trzeba być dużo starszym. Dlaczego o to pytasz?

— Nie wiem. — Zdążyłem już zapomnieć, od czego zaczęła się ta rozmowa i czego właściwie chciałem się dowiedzieć. — Możesz mi poczytać?

Na sekundę twarz jej się zmieniła — przemknął przez nią wyraz rozdrażnienia.

— Oczywiście — westchnęła. — Co ci mam przeczytać?

Bębniąc piętami w miękką bryłę darni, zacząłem się zastanawiać.

— Chciałbym... chciałbym „Żabiego księcia".

— Znowu?

— Znowu.

Przez chwilę w milczeniu mierzy mnie wzrokiem.

— Wiesz, ty naprawdę nic się nie zmieniłaś — odzywa się wreszcie.

— Jak to? Chcesz powiedzieć, że jestem taka sama jak wtedy, kiedy miałam siedem lat?

— Nie, oczywiście, że nie. Mówiąc, że pewne rzeczy nigdy się nie zmieniają, miałem na myśli nie to, co widać, tylko ich istotę, a u ludzi wnętrze. — Znowu uśmiecha się lekko. — Wiem, co teraz myślisz: że nie jestem w stanie zajrzeć ci do głowy, więc skąd mogę wiedzieć, jaka jesteś. Tak było kiedyś, ale już nie jest. Znam cię aż nazbyt dobrze.

Rozważam to sobie i im dłużej myślę, tym bardziej w to wątpię. Nie, Matthew, chyba nie masz racji.

— Nasze dzieciństwo... Dobre to były czasy, nie uważasz?

— To chyba zależy od punktu widzenia? — odpowiadam ostrożnie.

Kiwa głową z wyraźnym zadowoleniem.

— Oczywiście. Z twojego i mojego punktu widzenia były dobre, ale Hollis i Gregory raczej nie mogliby tego powiedzieć — rzuca z uśmiechem. — Ani nasza mama, skoro już o tym mowa. — Och, wcale nie o tym myślałam, odpowiadam mu w duchu. — Ale wtedy — kontynuuje

Matthew — nie przywiązywałem do tego wagi. Prawdę mówiąc, w ogóle o tym nie myślałem.

— Cóż, byłeś tylko dzieckiem.

— Tak.

W lecie nasz ostrokrzew bardzo zgęstniał, więc chociaż na dworze było jeszcze widno, w chatce już po południu zaczynał zapadać półmrok; mnóstwo liści i brezent rozpięty przez Sophie nie przepuszczały ukośnych promieni słońca. Wpełzłem do środka, odnalazłem leżące przy wejściu duże pudełko zapałek, które zwędziliśmy z kuchni, i zacząłem zapalać świece. Swąd topiącej się stearyny i wypalonych zapałek tak mocno zakręcił mi w nosie, że musiałem na chwilę wstrzymać oddech. Usiadłem potem oparty plecami o pień, rozglądając się dookoła w poszukiwaniu czegoś ciekawego, czegoś, czym mógłbym się zająć. Na brezentowej podłodze leżały rozrzucone książki i kredki, zagryzmolone papiery, kilka długopisów Sophie i parę moich zabawek.

W książkach Sophie trafiały się czasem obrazki z gołymi ludźmi, ale jakoś przestały mnie interesować. Leniwie wyciągnąłem rękę i na chybił trafił wziąłem z najbliższej sterty którąś z kolorowych książeczek dla dzieci. Okazało się, że już ją czytałem, a wszystkie obrazki znam prawie na pamięć. Już chciałem się podnieść i poszukać innego zajęcia, kiedy wpadło mi w oko kilka czystych kartek papieru pomiędzy stronicami jakiejś dużej księgi. Świetnie! Narysuję coś na tym papierze. Zadowolony z pomysłu położyłem księgę na kolanach i zacząłem zbierać rozrzucone kredki. Książka otworzyła się nagle i zobaczyłem tak dziwny obrazek, że z początku nie wiedziałem, co to właściwie jest. Na pewno było to dziecko leżące na boku, ale jakoś dziwnie zwinięte w kłębek, a co jeszcze dziwniejsze, można było pomyśleć, że jego ciało jest częścią czegoś większego. Obwiodłem palcem kontur tego ciała i spojrzałem na podpis. Niektóre słowa były mi znane z opowiadań Sophie o porodzie i ciąży. Na przykład „wagina", przez którą dziecko miało wydostać się z brzucha. Obróciłem książkę w taki sposób, żeby tę waginę ustawić jak trzeba, czyli na dół — i przyjrzałem się rysunkowi. Dziecko leżało teraz do góry nogami. Zabawne. Zacząłem chichotać, przekonany, że ktoś to źle narysował. Dziecko w brzuchu matki nie może przecież tak leżeć.

Przekartkowałem całą książkę, ale nic więcej nie mogłem zrozumieć. Słowa były za długie, litery za małe, a nieliczne rysunki nic mi nie mówiły. Były to chyba diagramy, jak nazywała je Sophie, i tylko ona umiała je czytać. Dla mnie były za trudne. Mnie nawet ten śmieszny obrazek sprawił spory kłopot, a zrozumiałem go w końcu tylko dzięki temu, że Sophie narysowała mi kiedyś podobny, mówiąc, że tak wygląda dziecko, które jeszcze się nie urodziło.

Usłyszałem, że właśnie szamocze się z klapą i po chwili wpełzła do komnatki.

— Cześć, Mattie.

— Cześć. Długo cię nie było. Ja już zapaliłem świece.

— Zawsze to robisz — odrzekła z uśmiechem, zerkając mi przy tym przez ramię. — Co tam masz? Cargreavesa? Jest trochę nudny. Ty czytasz tę książkę? Potrafisz?

— Nie bardzo — wyznałem uczciwie — ale jest w niej śmieszny obrazek. Spójrz na to dziecko: leży do góry nogami. Ktoś je źle narysował.

— Och nie! Właśnie tak powinno być. Dziecko przed porodem ustawia się głową na dół. Bo najpierw wychodzi głowa, wiesz? O, tędy.

— Naprawdę?

— Uhm, sprytne, co?

— Chyba tak.

— Jutro sobota. Chcesz iść do kamieniołomu?

Uradowany zatrzasnąłem książkę.

— Tak! Będziemy szukać skamielin?

— Jasne. Słyszałam w radiu, że zanosi się na straszny upał. Możemy wziąć coś na lunch i urządzić tam sobie piknik.

— Mama nam pozwoli?

— Tak — krótko odparła Sophie. To mi wystarczyło. Wiedziałem, że będzie, jak mówi.

— Nazbieram mnóstwo muszelek! — oznajmiłem z entuzjazmem. — Ostatnim razem znalazłem przecież tysiące. Naprawdę! — wykrzyknąłem, widząc uniesioną kpiąco brew Sophie.

— Niech ci będzie, może i znalazłeś. Chodźmy zobaczyć, czy działają jakieś spryskiwacze. Zaraz się ugotuję.

Jedyne okno mojej malutkiej sypialni wychodziło na ogród rozpościerający się na tyłach domu. Leżąc w łóżku, widziałem niebo i pewnej nocy zobaczyłem spadającą gwiazdę: biała lśniąca linia ukośnie przecięła róg okna i znikła. Trwało to może sekundę, lecz wywarło na mnie tak wielkie wrażenie, że jeszcze do dzisiaj mam przed oczami ten obraz. Kiedy wspomniałem o tym Sophie, powiedziała mi, że taka spadająca gwiazda to płonący kawałek skały. I znów podobnie jak to było z opowieścią o morzu na szczycie naszego wzgórza, wyjaśnienie to brzmiało zupełnie jak bajka, zaliczyłem je zatem do tej samej kategorii fascynujących zmyśleń, w które bardzo chce się wierzyć, kiedy jest się dzieckiem.

Tej nocy wydarzyło się coś jeszcze.

Poczułem nagle na twarzy jakiś straszny ciężar i gardło zacisnęło mi się na amen. Światło widoczne w szparach obok drzwi na moment przygasło, jakby ktoś skradał się po korytarzu. Ogarnęła mnie zgroza. Nie mogłem oderwać od klamki szeroko otwartych oczu. Ręce z całej siły zacisnąłem na pościeli. Wiedząc, kto nadchodzi, próbowałem zawołać Sophie, lecz ze zdławionego gardła wydobyło mi się tylko urywane sapanie i świsty. Zobaczyłem, że klamka opada — drzwi się uchyliły. Tylko odrobinę, dość jednak, aby ten straszny ktoś mógł chyłkiem wślizgnąć się do środka.

Tak mocno wcisnąłem się w wezgłowie łóżka, że drewno zaczęło skrzypieć. Straszna zjawa, pełznąc powoli pod ścianą, mamrotała coś szeptem do siebie. W świetle księżyca raz po raz błyskała jej pusta twarz i długie, zwisające aż do ziemi ręce. Coś szeleściło i popiskiwało. Rozpaczliwie próbowałem krzyknąć — nic z tego, nie mogłem wydać z siebie głosu.

Gdy Ol'Grady zbliżył się do łóżka, jego mamrotanie stało się zrozumiałe; cichym, monotonnym szeptem powtarzał w kółko wciąż te same słowa: „Byłeś niegrzeczny, Matthew. Jesteś niedobrym chłopcem". Wyciągnął ręce...

I w tym momencie się obudziłem. W głowie waliły mi młoty. Udało mi się wreszcie wydać jakiś dźwięk, po którym ucisk w gardle i klatce piersiowej odrobinę zelżał. Zaczerpnąwszy trochę powietrza, spróbowałem zapalić nocną lampkę, ale w rękach nadal tak kurczowo ściskałem prześcieradło, że nie byłem w stanie go puścić. W tym momencie ktoś otworzył drzwi. Wrzasnąłem z przerażenia.

— Ciiicho... — usłyszałem głos Sophie. — Co się stało, Mattie? Źle się czujesz?

Wybuchnąłem płaczem.

Kołysała mnie w ramionach, dopóki nie uspokoiłem się na tyle, żeby zrozumieć, co mówi. Słysząc mój rzężący, urywany oddech, kazała mi najpierw użyć inhalatora. Leżał obok, na nocnej szafce, nie mogłem jednak poruszyć rękami, musiała więc sama przyłożyć mi go do ust. Odgarnąwszy mi z czoła pozlepiane włosy, obrzuciła mnie krytycznym spojrzeniem.

— Wyglądasz okropnie. Nie zmoczyłeś przypadkiem łóżka?

— Chyba nie.

— Masz — podała mi chusteczkę — wysiąkaj nos. — Zrobiłem, co kazała. — No, teraz lepiej. Chcesz się czegoś napić?

Przestałem pociągać nosem.

— Mogłabyś mi wygnieść pomarańczę?

— Masz umyte zęby — zaczęła, ale poddała się widząc moją zawiedzioną minę. — No dobrze — powiedziała z bardzo rzadką u niej łagodnością. — Będziesz musiał chwilkę poczekać. Nie bój się, Mattie. Zostawię otwarte drzwi.

— I nie gaś światła — poprosiłem.

— Dobrze. Zaraz wrócę.

Dla mnie to „zaraz" trwało całe wieki, no ale w końcu wróciła, przynosząc szklankę świeżutkiego soku.

— Dodałam parę kostek lodu.

— Dziękuję! — Piastując w ręku oszronioną szklankę, powolutku sączyłem chłodny napój, rozkoszując się każdym łyczkiem. Kiedy budziłem się w nocy, Sophie zwykle dawała mi wodę.

— Jak się czujesz?

— Już trochę lepiej.

— Miałeś zły sen?

— Tak. — Moja lewa ręka zacisnęła się znów kurczowo. Sama z siebie. Dopiero gdy na nią spojrzałem, rozprostowała się z wolna i jakby niechętnie. Pomyślałem, że ciało zaczyna mi się buntować i ogarnęło mnie dziwne poczucie winy.

— Co ci się śniło?

— Przyszedł po mnie — wykrztusiłem z trudem, ale po tych słowach dalsze popłynęły już jak potok. — Otworzył drzwi i zaczął się skradać do łóżka. Chyłkiem, przy samej ścianie. Już wyciągnął ręce...

— Co?! — spytała Sophie takim tonem, że momentalnie zamilkłem i spojrzałem na nią niepewnie.

— Co powiedziałeś? — powtórzyła.

— Że przyszedł po mnie.

— Nie, nie to. Mówiłeś, że szedł przy ścianie?

— No tak — szepnąłem drżącym głosem. — Zawsze tak robi. On zawsze trzyma się ściany.

Sophie popatrzyła na mnie jakoś dziwnie... Wydawało mi się, że wwierca się we mnie spojrzeniem. Czułem, że rozważa moje słowa, jakby miała podjąć jakąś decyzję. A jej wyraz twarzy... Nigdy u niej takiego nie widziałem. Czy to gniew? Ale przecież Sophie nigdy się na mnie nie gniewała. Zrobiłem coś złego? Nie miałem pojęcia, co to może być.

— Nie bój się, Mattie, ty nie zrobiłeś nic złego — usłyszałem jej głos. Całkiem jakby znała moje myśli. Przytuliła mnie mocniej. — To nie twoja wina... — urwała nagle i zapatrzyła się w jakieś nieistniejące miejsce. — Posłuchaj, Mattie — podjęła po dłuższej chwili — zapytam cię teraz o coś, a ty się dobrze zastanów, nim odpowiesz. Zgoda?

Kiwnąłem głową.

— Powiedz mi, czy już kiedyś widziałeś tego kogoś czy coś... no wiesz, mówię o tym, co ci się śniło.

— O, mnóstwo razy. Wciąż mi się śni.

Z sykiem wypuściła powietrze.

— Nie wiedziałam. Nigdy mi o tym nie opowiadałeś.

— Bałem się. Nie chciałem, żeby znów mi się przyśnił, bo tak jest, kiedy tylko zacznę o nim myśleć.

— Zaczekaj, Mattie, chcę cię jeszcze o coś spytać, a ty spróbuj sobie przypomnieć, dobrze?... Ten ktoś... czy on... czy widziałeś go może gdzie indziej? To znaczy... nie tylko we śnie?

— Nie — odrzekłem po dłuższym namyśle. — Nie wydaje mi się, żebym go gdzieś widział. On mi się tylko śni.

— Dobrze, w porządku. Ale w takim razie skąd się to wzięło, do diabła?

Pytanie nie było skierowane do mnie, mimo to powiedziałem:

— Nie wiem. Wiem tylko, że nie ma twarzy.

— A ma jakieś imię?

— Uhm, nazywa się Ol'Grady. Mogę dostać jeszcze trochę soku?

Sophie patrzyła znów gdzieś przeze mnie.

— Ile tylko chcesz, Mattie. Zaraz ci przyniosę. Czujesz się już dobrze?

— Chyba tak.

— Nie mogę w to uwierzyć — mruknęła. Czułem, że znowu mówi do siebie, siedziałem więc cicho. Odezwała się do mnie dopiero po pewnej chwili. — Chciałeś jeszcze soku? — spytała takim tonem, jakby wróciła z dalekiej podróży.

— Tak, proszę.

— Dobrze. Jak wrócę, poprawię ci łóżko. O, do diabła, Mattie, ależ narobiłeś bałaganu. Albo wiesz co? Lepiej śpij dzisiaj u mnie.

— Mogę? — wykrzyknąłem, nie posiadając się ze szczęścia. Senne mary momentalnie znikły.

— A co tam! Ten jeden raz możesz. Poczekaj chwilkę, pójdę po sok. A ty się poinhaluj, dobrze?

— Dobrze — obiecałem uroczyście.

Gdy Sophie ruszyła do wyjścia, mrucząc coś pod nosem, udało mi się złowić kilka słów: „Nie, Mattie, to nie Ol'Grady, on się nazywał Ol'Greedy".

Tej nocy, przytulony do jej ciepłych pleców, zasnąłem spokojnie. Oboje spaliśmy smacznie aż do rana. Później przez dłuższy czas nie przyśnił mi się żaden koszmar.

— Wiem, że w tym momencie Ol'Grady był martwy od dwóch czy trzech lat. Znałem go tylko ze snów. I dopiero później, gdy zacząłem się nad tym zastanawiać, wszystko zrozumiałem.

— Co?

— Że musiał przychodzić też do ciebie, i to pewnie dłużej, bo jesteś ode mnie starsza. Ja zawsze się budziłem, zanim mnie pochwycił, ale ty, Sophie, musisz go pamiętać, pamiętać naprawdę, nie tylko jako senną marę. — Patrzy na mnie ostro. — Powiedz, co było dalej? Co się działo, kiedy już cię dopadł?

Nie mam pojęcia, co powiedzieć, jak to potraktować. Widzę z nagłą konsternacją, że całą twarz ma usianą lśniącymi kropelkami potu. Na szczęście nie zauważył, że milczę.

— Próbowałem to sobie wyobrazić — mówi dalej. — Och, od dzieciństwa wciąż wyobrażałem sobie różne rzeczy. Im byłem starszy, tym moje fantazje stawały się bardziej przerażające. Mówi się, że najgorsze są dziecięce lęki, ale nie, wcale tak nie jest. Dopiero gdy zaczynają nabierać twarzy, ogarnia nas prawdziwa groza. — Milknie na moment. — Kiedy zrozumiałem — podejmuje z wahaniem — przez co ty musiałaś przechodzić... trudno mi było uwierzyć, że mogłaś to wszystko wytrzymać.

— Co sobie wyobrażałeś?

Chyba w ogóle tego nie usłyszał.

— Nigdy o nim nie mówiłaś. Tak, wiem, raz ci się zdarzyło powiedzieć parę słów... pokazywałaś mi wtedy tę rzecz, która po nim została, ale to co innego. Nie mówiłaś o sobie, o tym, że go znasz.

Z trudem przełykam ślinę.

— Myślisz, że na tym polega problem?

Mruga oczami jak człowiek ·vyrwany ze snu.

— Pamiętasz tę sobotnią wyprawę do kopalni? — pyta innym tonem. Nawet głos trochę mu się zmienił. — Wtedy nadeszło już prawdziwe lato.

Świeczka zaczyna skwierczeć, lecz po chwili pali się znowu równym, choć wątłym płomykiem. Wiatr nadal łomocze o ściany i dach, a korytarze na piętrze odpowiadają mu echem.

Słońce świeciło oślepiająco, rozgrzane powietrze drgało, choć pora była dość wczesna. Brzegi kamieniołomu skryły się pod gęstwą wybujałych chwastów, wśród których kwitły polne kwiaty, różowe i purpurowe, kołysząc się lekko w łagodnych podmuchach wiatru. Nogi tym razem niosły mnie pewnie i szybko, jak chyba nigdy dotąd, i kiedy znalazłem się na czubku wzgórza, całkowicie panowałem nad oddechem. Byłem z tego dumny! Sophie szła za mną, dźwigając wielki piknikowy koszyk.

— Jesteśmy na szczycie! — oznajmiłem z zadowoleniem.

— Dobrze, dobrze. Poszukajmy jakiejś drogi przez te chaszcze. Uważaj, Mattie, nie stocz się z osypiska. Przydeptuj te chwasty i patrz, gdzie jest krawędź.

Czując się jak odkrywca w egzotycznej dżungli, przygniotłem kijkiem kępę zielska, po czym ciężko postawiłem na nim stopę. Rozpierała mnie radość — ale zabawa! Po mniej więcej pięciu minutach udało nam się wykarczować ścieżkę do brzegu niecki. Rozpościerające się w dole dno kamieniołomu wydawało się w słońcu prawie białe, tylko z jednej strony, tam gdzie były klatki, skały tonęły w cieniu rzucanym przez wysoką ścianę i jej nawisłe obrzeże. Niespokojnie przełknąłem ślinę. Przez ten kontrast światła i cienia klatki wyglądały jeszcze bardziej złowieszczo niż zwykle. Jakby chciały połknąć wszystko dookoła.

Po zejściu na dno oczyściliśmy z większych kamieni wybrane miejsce i tam rozbiliśmy obóz. Myśląc już tylko o muszlach, znalazłem wśród gruzów bardzo fajny odłamek skały, który mógł mi posłużyć za kowadło, i z pomocą Sophie przywlokłem go do obozu. Na innych starannie wybranych kamieniach zaczęliśmy rozkładać zawinięte w folię pakieciki z lunchem przygotowanym przez Sophie. Na kilku paczuszkach widniały białe nalepki.

— Możesz je sobie przeczytać — powiedziała Sophie z uśmiechem od ucha do ucha. — Napisałam na nich, co jest w środku.

Zgodziłem się raczej niechętnie, bo czytanie w tej chwili, kiedy miałem tyle do roboty, wydawało mi się dosyć nudne. Gdy jednak spojrzałem na pierwszą nalepkę, raz, a potem drugi, zacząłem się krztusić ze śmiechu.

— Tu jest napisane... ojej, nie mogę!... Tu jest napisane...

— No co? — W oczach Sophie zabłysły przewrotne iskierki.

— Psie gówno! — wypaliłem, płacząc ze śmiechu. — Napisałaś „psie gówno"!

— Odwiń i zobacz — powiedziała grobowym głosem.

Niecierpliwie rozerwałem folię: w środku leżały jakieś pomarszczone brązowe kawałki. Znów naszedł mnie atak śmiechu. Gdy wreszcie zdołałem na chwilę go stłumić, sapnąłem:

— Co... Co to takiego?

— Ty mi powiedz. Czytałeś przecież etykietkę.

Oho, zbyt dobrze ją znałem! Ten tajemniczy uśmieszek też.

— Powiedz mi, powiedz! — zacząłem nalegać, chichocząc wciąż jak szalony.

— Dobrze, tylko się uspokój — odrzekła, szczerząc zęby. — Jeszcze mi pękniesz ze śmiechu.

— Co to jest? Wygląda jak to, co napisałaś.

— Suszone banany — oświadczyła dumnie. — Są bardzo smaczne. Na pewno je polubisz.

— Banany? Skąd je masz? Sama je ususzyłaś?

— Kupiłam w sklepie ze zdrową żywnością. Mówię ci, są pyszne. Ktoś z mojej klasy przyniósł je sobie na lunch i dał nam skosztować.

— A w tamtych paczuszkach? Co tam jest?

— Pozwolę ci zobaczyć dopiero o pierwszej. Teraz możesz przeczytać nalepki — dodała, widząc me rozczarowanie.

— Oho, zdechłe karaluchy! A naprawdę?

— Mówiłam ci: musisz poczekać.

Wziąłem się do czytania dalszych etykietek, raz po raz parskając śmiechem, a Sophie udała się po swoje księgi. Kiedy wróciła z torbą, czym prędzej chwyciłem młotek i odszedłem. Wiedziałem, że zajmie się teraz swoim gryzmoleniem. Uważałem to za bezsensowne, ruszyłem więc pomiędzy skruszałe skałki, rozłupując młotkiem co bardziej obiecujące. W ciągu zaledwie paru minut zdążyłem znaleźć kilka zwyczajnych muszelek i tak mnie to pochłonęło, że zapomniałem o całym świecie. Słońce tymczasem wędrowało coraz wyżej. Gdyby nas mogło zobaczyć, byłoby pewnie zdumione: dwoje małych dzieci bawiących się cicho w tej opuszczonej kopalni stanowiło dosyć niecodzienny widok.

Zjedliśmy później fantastyczny lunch, rzucaliśmy kamieniami do puszek, a potem leżąc w słońcu opowiadaliśmy sobie różne historyjki. Z zachwytem słuchałem cudownych opowiastek Sophie, a ona cierpliwie przyjmowała moje nieporadne próby, nawet gdy gubiłem wątek i koniec nie pasował do początku. Potem znowu zaczęła bazgrać w swojej księdze. Tego dnia zapisała kilkanaście stron. Ja obiegłem cały kamieniołom i choć był to duży wysiłek, sprawił mi wielką przyjemność, tym bardziej że dzięki temu przykry ucisk w klatce piersiowej zniknął jak ręką odjął. W przypływie świetnego humoru obsiusiałem spory kawał ściany kilkoma puszkami pochłoniętych soków, kreśląc zawiłe wzory na rozgrzanej skale.

Późnym popołudniem słońce rozgorzało przepięknym ciemnoczerwonym blaskiem. W tym świetle otwory klatek szybowych wyglądały jak wielkie płonące oczy pod ciemnymi nawisłymi brwiami. Bałem się, a jednak jakaś chora ciekawość ciągnęła mnie tam krok po kroku, aż wreszcie spojrzałem w ziejący przede mną otwór. Doznałem wtedy uczucia, że zaglądam w gardło jakiejś bestii. Stare puszki po piwie i drobne odłamki skał rzucały w głąb otworu krótkie czarne cienie; nakładały się na nie długie kontury żelaznych prętów, ginąc w zalegającym dalej mroku. Nie byłem w stanie dostrzec, gdzie kończy się klatka. Może wcale nie miała końca? Widząc, że Sophie zbiera nasze rzeczy — czas było wracać do domu — chwyciłem kamień i z gwałtownie bijącym sercem cisnąłem nim w otwór, a potem nie czekając, co się dalej stanie, rzuciłem się do ucieczki. W szybie coś tylko cicho szczęknęło, ale ja zatrzymałem się dopiero po drugiej stronie i z tej odległości ostrożnie zerknąłem na klatkę.

W środku nic się nie poruszyło, nic też nie było słychać — żadnego hałasu ani nawet echa. Jakby coś połknęło ten kamień.

— Hej, Mattie — zawołała Sophie — opaliłeś się na czekoladkę!

— Naprawdę?

ROZDZIAŁ CZWARTY

Odwrócił się znów ode mnie i stoi teraz przy oknie z łokciami na parapecie. W ciemnej szybie rysuje się jego odbicie, miejscami lekko zniekształcone — tam gdzie stare szkło ma skazy podobne do drobnych zmarszczek. Kiedy niebo przecina błyskawica, kontury jego czoła i policzków wyostrzają się nagle, a twarz na krótki moment staje się płaskorzeźbą. Od kilku minut milczy, wypatrując czegoś za tym ciemnym, zabitym deskami oknem. Widzę, że jego stopa porusza się niespokojnie, kreśląc w kurzu podłogi wyraźne ślady.

Korzystam z chwili milczenia, by przemyśleć raz jeszcze wszystko od początku, przypomnieć sobie, co się tu dzieje i o co mu chodzi. Mam niejasne poczucie, że umknęło mi coś ważnego, i bardzo mnie to niepokoi. Co to było? Jakieś słowo czy skojarzenie? Lecz mimo wszelkich wysiłków nie mogę tego uchwycić. Próbuję ignorować to uczucie, ale ono nie daje się odegnać.

Co już wiem? Powoli zaczynam rozumieć przyczyny swej obecnej sytuacji. Tylko że to za mało. Powinnam jeszcze staranniej uważać na wszystko, co mówi Matthew, a potem tak długo analizować każde jego słowo, wstawiając je raz w taki, to znów inny kontekst, dopóki nie nabierze sensu. Po prostu muszę go zrozumieć. Może wtedy potrafię go wzruszyć. To moja jedyna szansa. Nic innego nie mogę zrobić. Przypominam sobie o tym za każdym razem, gdy próbuję poruszyć rękami. Mogę tylko słuchać i od czasu do czasu nawiązywać dialog, aby skłonić go do dalszych zwierzeń. Byle ostrożnie. Nie wolno mi go naciskać.

Jakaś część mego „ja" uśmiecha się drwiąco z moich nadziei. Cóż, mam świadomość, że mogą mnie zawieść, ale tylko to mi pozostało, a przecież muszę c o ś zrobić.

Znów bardzo się boję.

Widać wyraźnie, że w pamięci Matthew istnieją takie obszary wspomnień, na które absolutnie nie chce się zapuszczać. Przynajmniej jeszcze nie teraz. Co gorsza, nie chce słuchać moich wyjaśnień. Przypomina mi o tym siniec na twarzy, który teraz już mniej dolega. Zaczynam niemal żałować, że ten ból nie jest większy — lepiej by mnie chronił przed następnym błędem. Powinnam pamiętać o regułach tej gry.

Ilekroć na krótką chwilę zdarza mi się zapomnieć o strachu, ogarnia mnie zdumienie: jak mogłam myśleć, że dobrze znam Matthew? Przecież ja w ogóle go nie znam.

Przeciąga ręką po twarzy, odgarniając z oczu nieposłuszne włosy, i znów odwraca się do mnie. Zamierza usiąść, rezygnuje z tego jednak w pół ruchu i staje naprzeciw, oparty plecami o ścianę. Przypominam sobie jego słowa: „Kochałem cię, chciałem być taki jak ty, brać udział we wszystkich twoich poczynaniach". Czy to prawda? A może jakieś usprawiedliwienie? Ale jeśli tak — z czego on chce się rozgrzeszyć? Nie sądzę, aby kłamał, wierzę, że jest szczery, ale w takim razie dlaczego tu siedzę?

Spoglądam na niego spod oka: uśmiecha się teraz leciutko. Wydaje się spokojniejszy.

Szóste urodziny były jednym z najszczęśliwszych dni mego życia. Poprzedzający je tydzień rozpoczął się piękną pogodą. Zaczynało dopiero świtać, gdy na niebo wypłynęły prześliczne łososioworóżowe chmurki. Widziałem to na własne oczy, bo obudziłem się bardzo wcześnie — tak jak sobie zaplanowałem. W tym samym tygodniu co moje przypadały także urodziny Sophie, więc w najgłębszym sekrecie przygotowywałem dla niej prezent i specjalną kartkę z życzeniami. Ona robiła to samo. Odkąd sięgam pamięcią, był to nasz stały rytuał. Aż do dnia urodzin — moich i Sophie — udawaliśmy jedno przed drugim, że nie dzieje się nic niezwykłego. Projekt kartki, którą tego roku chciałem jej ofiarować, był bardzo wymyślny, a jego wykonanie zajęło mi mnóstwo czasu. Hojnie przyozdobiłem swe dzieło srebrną folią, zwędzoną ukradkiem z kuchni, dodając jeszcze do tego sreberka z butelek od mleka. Pracowałem nad tym w swoim pokoju, kiedy Sophie i matka jeszcze spały, a na całym świecie panowała niezmącona cisza.

Matka świętowała nasze urodziny na swój własny sposób. Po powrocie ze szkoły szliśmy do salonu, gdzie czekała na nas porcelanowa patera pełna ładnych z wyglądu ciasteczek. Dostawaliśmy też lemoniadę, dzięki której łatwiej nam było przełknąć te ciasteczka — wydawały się zawsze tak suche, jakby upieczono je z kurzu zbieranego przez rok w tym pokoju. Zalatywały zresztą tą samą stęchlizną. Oczywiście były i prezenty. Przez cały okres dzieciństwa matka niezmiennie kupowała nam rzeczy, które wydawały mi się jednakowe, chociaż obiektywnie biorąc, były różne. Dopiero znacznie później zrozumiałem, na czym polegało to ich osobliwe podobieństwo: były drogie i beznadziejnie archaiczne. Takie prezenty otrzymuje się zwykle od dziadków kompletnie pozbawionych wyczucia, czym lubią się bawić ich wnuki. W holu na piętrze stała szafa, do której zaraz po uroczystości chowaliśmy urodzinowe podarki od matki — aby tam spokojnie obrastały kurzem.

Prezent, który postanowiłem ofiarować Sophie, był moim najcenniejszym znaleziskiem. Zanim jednak podjąłem tę decyzję, musiałem stoczyć z sobą burzliwą walkę wewnętrzną, jako że z całej duszy pragnąłem zachować tę rzecz dla siebie. Kiedy pewnego popołudnia natknąłem się na nią w kopalni, już chciałem obwieścić Sophie, jak rzadki trafił mi się skarb, gdy raptem coś mi kazało zamilknąć. Wyłuskanie go ze skały zajęło mi kilka godzin, tak mocno siedział w podłożu, i gdy w końcu z niego wyskoczył, prawie nieuszkodzony — odprysnął tylko kawałeczek, tak że trudno to było dostrzec — zamiast włożyć tę muszlę do torby, gdzie przechowywałem całą swą kolekcję, wsunąłem ją do kieszeni. Tak bardzo różniła się od wszystkich dotychczasowych znalezisk! Była okrągła, spiralnie zwinięta, idealnie uformowana, a wielkością dorównywała mojej dłoni. W porównaniu z setkami tych najpospolitszych było to prawdziwe dzieło sztuki! Choć męczyłem się nad nią ze cztery godziny — musiałem bardzo uważać, żeby mi czasem nie pękła — Sophie zajęta swoją bazgraniną, a potem pławieniem się w słońcu nic nie zauważyła. Następnego dnia zabrałem muszlę do szkoły. Podczas lekcji parę razy zapuszczałem rękę do kieszeni szortów, żeby jej dotknąć, poczuć pod palcami jej niezwykły kształt: przypominała medalion, gładki i przyjemnie ciepły. Kiedy wszyscy wyszli na boisko, a ja zostałem sam w klasie, delikatnie powlokłem muszlę białym szybkoschnącym klejem, od którego nabrała pięknego połysku. Prezent dla Sophie był gotowy.

Kiedy po dwóch dniach otworzyła mój bardzo niezdarny pakiecik, wyraz jej twarzy wynagrodził mi wszystkie wysiłki.

— Fantastyczna! — szepnęła, ściskając mnie z całej siły. — Och, Mattie, i w dodatku tak ślicznie błyszczy! Sam to zrobiłeś?

Uszczęśliwiony pokiwałem głową.

— A kartka? Podoba ci się?

— Ach, jest cudowna! Powieszę ją sobie w sypialni, żeby cały czas na nią patrzeć. Musiałeś, braciszku, tygodniami zbierać te kapsle. — Odsunęła kartkę od oczu na całą długość ramienia, aby się nią pozachwycać. — Jest naprawdę świetna. Nie zrobiłeś jej na lekcji? Nikt ci nie pomagał?

Z dumą pokręciłem głową.

— Nie! Pani Jeffries każe nam malować kredkami takie kartki, a ja chciałem, żeby błyszczała.

— No i udało ci się. Lśni jak prawdziwe srebro. I piszesz o wiele ładniej.

Po następnych dwóch dniach przyszła kolej na mnie. Znów była lemoniada, suche ciasteczka i tradycyjne prezenty: kosztowne, doskonale wykonane i jak zwykle całkiem nietrafione. Matka też jak zwykle siedziała w swoim fotelu, starannie unikając moich oczu; jej miarowo poruszająca się stopa wybijała niesłyszalny rytm na grubym wełnianym dywanie. Natychmiast po odsiedzeniu przepisowych minut uciekliśmy stamtąd do pokoju Sophie, by rozpocząć prawdziwą uroczystość.

Prezent, który od niej dostałem, owinięty był pięknym czerwonym papierem przewiązanym niebieską wstążką. Nie bacząc na kunsztowne opakowanie, niecierpliwie rozerwałem papier. Zobaczyłem w środku niewielką książkę w twardej oprawie, tabliczkę białej czekolady i plakietkę z napisem „Mam sześć lat".

— Czekoladę możesz zjeść zaraz — poinformowała mnie Sophie. — Co do książki... Z początku chciałam ci kupić jedną z opowiastek Kubusia Puchatka pod tytułem „Teraz już mamy sześć lat", ale potem pomyślałam, że możemy ją przecież wypożyczyć z biblioteki. Kupiłam ci inną. Obejrzyj ją sobie i powiedz, co o niej myślisz.

Zdziwiłem się trochę, że mówi takim dziwnym tonem — zupełnie jakby się bała, że nie spodoba mi się jej prezent. Ostrożnie otworzyłem książkę i odczytałem tytuł: „Rejestr kopalnych skamieniałości". Widniał pod nim dopisek złożony trochę mniejszym drukiem: „Z barwnymi ilustracjami". Najbardziej ekscytujące było jednak to, że poniżej tytułu umieszczono fotografię takiej samej muszli, jaką ofiarowałem Sophie! Właśnie tak wyglądała, gdy wypatrzyłem ją w ścianie kopalni.

Westchnąłem z zachwytu.

— Podoba ci się? To muszla wymarłego od wieków stworzenia zwanego amonitem. W tej książce są nazwy wszystkich gatunków muszli znajdujących się w naszej kopalni. Możesz się ich nauczyć, jeśli zechcesz.

— Och, Sophie, miałaś świetny pomysł!

— Podpisałam ją twoim imieniem. Widzisz? Na pierwszej stronie.

Zbliżający się koniec roku szkolnego zapisał mi się w pamięci gorączkową krzątaniną: zwijaliśmy zdjęte ze ścian rysunki, pakowali książki do pudeł, opróżniali biurka, gubiąc przy okazji rozmaite rzeczy — mnie na przykład zginęły gdzieś gumowe botki. Przez dwa dni kolorowa klasa pani Jeffries przypominała nieprzebytą dżunglę, jednak w miarę jak coraz więcej wykonanych przez rok rysunków zabierano do domów, by zawiesić je w sypialniach lub przykleić do drzwi lodówek, chaos powoli zanikał, ustępując miejsca sterylnej, jakże dziwnej pustce. Zrobiło się małe zamieszanie, kiedy wyszło na jaw, że popełniłem przestępstwo, podpisując się atramentem na wewnętrznej stronie swojego pulpitu, a potem po raz drugi, gdy jedna dziewczyna, Chloe Webster, skaleczyła się nożyczkami. Pani Jeffries na szczęście nie chciało się już chyba robić z tego wielkiego halo. W ostatniej zbiórce na boisku uczestniczyły prócz dzieci również tłumy rodziców. Najstarsi uczniowie, kończący już szkołę, zbili się w osobne grupki. Chłopcy bardzo głośno opowiadali sobie dowcipy, starając się prześcignąć jeden drugiego bogactwem soczystych przekleństw i innych brzydkich wyrazów, dziewczyny natomiast chlipały rzewnie, ściskając się z koleżankami, których przecież nigdy nie lubiły i z którymi miały się zobaczyć pewnie zaraz następnego ranka, jako że wszystkie mieszkały we wsi po sąsiedzku. Nastroje karnawałowej fiesty walczyły o lepsze z atmosferą wielkiego pogrzebu, tworząc dziwaczną mieszankę bliską zbiorowej histerii. Nauczyciele z wątłymi uśmieszkami przylepionymi do twarzy kolejno wymykali się do samochodów, odsuwając zapłakane dzieci.

My dwoje, korzystając z ogólnego zamieszania, dyskretnie umknęliśmy za bramę, nie czekając na koniec tej uroczystości. Choć było jeszcze dość wcześnie, słońce świeciło tak mocno, że powietrze gęstniało od żaru, szliśmy więc powoli w stronę domu, obserwując po drodze znajome miejsca. W krajobrazie widać było lato. Drzewa otaczające kamieniołom okryły się ciemną, kojąco chłodną zielenią, z wiejskich żywopłotów tryskały istne kaskady splątanej trawy i dorodnych chwastów. Letnie wakacje rozpościerały się przed nami jak cudowna podróż w nieznane. Już na samą myśl o nich ogarniała nas radość.

Coraz rzadziej widywaliśmy matkę. Wprawdzie każdego lata miała zwyczaj rejterować do swego stęchłego salonu, aby tkwić tam jak w formalinie aż do początków jesieni, tego roku jednak jej ucieczka wydawała się bardziej dramatyczna i bardziej niż zwykle zwracała naszą uwagę. Im wyraźniej pęczniał jej brzuch, tym mniej ją było widać. Dziecku musiało być niewygodnie w jej coraz ciaśniejszych sukniach. Zupełnie jakby chciała je stłamsić, wcisnąć w siebie i wchłonąć, póki jeszcze czas; póki nie stanie się dla niej nieznośną życiową przeszkodą.

Dwie już istniejące były samowystarczalne.

Większość wieczorów spędzaliśmy teraz przy oknie, patrząc na wzgórze i drzewa, wciąż jeszcze widoczne na horyzoncie. Czekając na moment, gdy na niebie zabłysną gwiazdy i księżyc, opowiadaliśmy sobie różne historyjki. Sophie powiedziała mi pewnego razu, że księżyc to taki sam świat jak ziemia, tylko że pusty — bez rzek, oceanów, drzew, no i ludzi. Cały grunt jest biały i nie ma tam w ogóle powietrza. W bajkach, które mi czytała, księżyc zrobiony był z sera. Pewien człowiek myślał, że udało mu się złowić księżyc w stawie, i bardzo się rozczarował, gdy się okazało, że było to tylko odbicie. Mogłem słuchać takich bajek godzinami, dopóki Sophie nie zdecydowała, że pora już iść do łóżka. Parę razy w przypływie dobrego humoru odstąpiła od swoich surowych zasad i urządziliśmy sobie nocną ucztę złożoną z biszkoptów i soku z pomarańcz. Siedzieliśmy w ciemności rozjaśnionej jedynie światełkiem latarki. Było wspaniale.

Matthew przerywa swoją opowieść.

— Jak się czujesz?

Zaskakuje mnie kompletnie tym pytaniem: brzmi bardzo szczerze. Czyżby się o mnie troszczył?

— W porządku. — Udaje mi się powiedzieć to bez zdziwienia.

— To dobrze. — Bierze z parapetu nową świeczkę, zapala ją od ogarka stojącego w samym środku kuchni

i starannie przytwierdza do podłogi kilkoma kroplami stearyny. Robi się jaśniej, cienie pierzchają do kątów, ale tylko na chwilę, gdyż od razu gasi pierwszą świeczkę. — Nie pozwalam im wypalać się do końca — mruczy bardziej do siebie niż do mnie, po czym parska niewesołym śmiechem:
— To źle wróży.

Nie wiem, co to ma znaczyć. W tonie jego głosu uderza mnie coś dziwnego — wydaje się zdezorientowany. Czyżby ta wymiana świeczki wyrwała go z transu?

— Wygodnie ci? — pyta znowu.

— W porządku — powtarzam.

Nagłe uderzenie wiatru wstrząsa deskami w oknie, płomyk świeżo zapalonej świeczki przechyla się w bok i wydłuża w coś na kształt wąskiego strumyczka; drżąca niteczka światła ugina się i przygasa.

Matthew potrząsa głową, jakby chciał się pozbyć jakiejś natrętnej myśli, i po chwili sadowi się naprzeciwko.

— Pragnąłem być taki jak ty — mówi cicho.

Ze szpary pod drzwiami owiewa mnie podmuch zimnego powietrza, od którego dostaję dreszczy.

W drugim tygodniu wakacji przyjechał nasz ojciec. Stół został akurat nakryty do lunchu, gdy nagle pojawił się w drzwiach — jakby ten znany rytuał ściągnął go do domu. Był wysoki, przystojny i jak zwykle pachniał czystością. Pamiętałem ten zapach — był równie ulotny jak on. Przywiózł nam drobne podarki, które czym prędzej zaczęliśmy rozpakowywać. Były to spóźnione prezenty urodzinowe — z Ameryki, gdzie jak nam wyjaśnił, pracuje. Wraz z przyjazdem ojca w domu zrobiło się tłoczno, co jednak nie znaczy, że przeszkadzała mi jego obecność. Nie, nie sprawiała mi żadnej przykrości. Widocznie mimo wszystko pozostał dla mnie stałym elementem rodziny. Nawet gdy go nie było, istniał w jakiś sposób w naszej podświadomości — mojej i Sophie. Jaki był powód obecnej wizyty? Ani on, ani matka o tym nie wspomnieli.

Powód ten ujawnił się po paru dniach.

W środku nocy zbudził mnie nagle odgłos kroków na korytarzu. Serce podeszło mi do gardła, zaraz jednak w holu zabłysło światło i w pokoju zjawiła się Sophie. Z dołu dobiegały jakieś hałasy — czyjeś głosy, kroki, sygnał telefonu.

— Która godzina? — spytałem, wciąż jeszcze zamroczony snem.

— Śpij, Mattie. Dochodzi druga.

— Co się dzieje?

Przysiadła na brzegu łóżka.

— Nic wielkiego. Mama wyjeżdża na jakiś czas. Pakują właśnie jej rzeczy.

— Dlaczego wyjeżdża?

— Nie wiem — Sophie zmarszczyła czoło — myślę, że może...

— Może co?

— Może dziecko chce się urodzić. Ale nie jestem pewna — dodała szybko. — Chyba jeszcze na to za wcześnie. Tak czy inaczej nie ma się czym martwić, prawda?

— Prawda — mruknąłem sennie. — Obudzisz mnie, kiedy dziecko się urodzi?

— Oczywiście. Śpij dobrze, Mattie — powiedziała, poprawiając mi pościel. — Porozmawiamy o tym rano.

Zadowolony skinąłem głową i od razu znowu zasnąłem.

Ranek przyniósł dalsze niespodzianki. Kiedy zbiegłem na dół i otworzyłem lodówkę, żeby wyjąć z niej mleko do płatków, zacząłem sobie przypominać, że w nocy coś się chyba stało, nie byłem jednak pewny, czy mi się to nie przyśniło. Nękany tą wątpliwością, pobiegłem na górę do Sophie. Szorowała akurat zęby w łazience.

— Sophie! Czy mama urodziła dziecko?

Zerknęła na mnie z rozbawieniem.

— Więc jednak pamiętasz! Widząc, jak gnasz na śniadanie, pomyślałam, że pewnie zapomniałeś.

— Powiedz, czy dziecko już się urodziło?!

— Nie wiem. Mamy w każdym razie w domu nie ma. Taty też nie.

— Dokąd pojechał?

Sophie wypłukała usta, wypluła wodę, po czym wręczyła mi moją szczoteczkę.

— Masz. Teraz twoja kolej. Myślę, że pojechał z mamą.

— Jesteśmy zupełnie sami? — wymamrotałem z ustami pełnymi pasty. Rozpierało mnie podniecenie.

— Przymknij się, to ci powiem. Pamiętasz Caitlyn?

— Kogo?

— Naszą kuzynkę. Ona ma się nami opiekować. Słyszałam w nocy, jak tata do niej dzwonił.

Skończyłem myć zęby i wytarłem ręce.

— Katy? Jaka ona jest?

— Poznałeś ją dwa lata temu, nie pamiętasz? No cóż, może sobie przypomnisz, kiedy ją zobaczysz. Jest w porządku. Ale na imię ma Caitlyn, nie Katy. A teraz spływaj, muszę się ubrać.

Pełen radosnego oczekiwania popędziłem znów na dół, gdzie czym prędzej zacząłem grzebać w szafkach w poszukiwaniu płatków i cukru. Jeżeli zdążyłem wpaść rankiem do kuchni przed Sophie, mogłem bez kazań o dziurach w zębach i plombach tajnie dosłodzić sobie płatki dodatkową łyżką cukru. Tym razem mi się udało, zasiadłem więc do jedzenia. Dom tego ranka wydawał się jakiś dziwny... po prostu inny niż zwykle, choć trudno byłoby powiedzieć, na czym polega różnica. Czy sprawiła to nagła nieobecność matki? Może, chociaż po jej wyjeździe łatwo byłoby uwierzyć, zwłaszcza gdyby zamknąć drzwi do salonu, że nigdy tu nie mieszkała. Przestałem o tym myśleć, gdy na trawniku za oknem zaczęły się czubić dwa szpaki. Zagapiłem się na nie — i wtedy ktoś wszedł do kuchni.

— Cześć, Mattie. — W drzwiach stała młoda, rozczochrana kobieta w granatowym szlafroku. Wyglądała na mocno zmęczoną. — Co ty tu robisz tak wcześnie?

— Ty jesteś moją kuzynką? — zapytałem.

— Zgadza się. Czy jest w tym domu jakaś kawa?

Odnalazłem słoiczek z kawą i podałem go tej kobiecie.

— Czy wy, dzieciaki, nigdy się nie męczycie? — jęknęła.
— Powinniście jeszcze spać, przecież jest dopiero wpół do

ósmej. Takie małe bachorki jak wy potrzebują podobno dużo snu.

Zacząłem chichotać. Miała miły głos, ale mówiła jakoś inaczej niż my. Brzmiało to trochę śmiesznie.

— Będziesz z nami mieszkać?

— Owszem, przez jakiś czas. Muszę utrzymać was w karbach, dopóki nie wrócą wasi rodzice. Nie słyszałeś, kiedy przyjechałam? Musiało być koło trzeciej. Myślisz, że to zabawne, kiedy wyrwą cię z łóżka o tej porze? Ja tam nie powiem, żebym była tym zachwycona.

— Ja słyszałam, kiedy przyjechałaś — oznajmiła Sophie, która właśnie weszła do kuchni. — Masz czerwone auto.

— Ano mam. Spostrzegawcza jesteś.

Dziwny głos naszej kuzynki przypomniał mi kogoś ze szkoły.

— Jesteś ze Szkocji?

Caitlyn parsknęła śmiechem.

— Uchowaj Boże! Urodziłam się tutaj tak jak wy, ale przez rok mieszkałam w Nowej Zelandii. Wiecie, gdzie to jest? Ach, mniejsza o to. Tam ludzie mówią inaczej. Kiedy tam byłam, każdy mi mówił, że mam brytyjski akcent, a teraz tutejsi twierdzą, że gadam jak Nowozelandka. Albo Australijka, jeśli nie wiedzą, że akcent australijski jest jeszcze inny. Rozumiecie?

— Tak — skłamałem. — Sophie mi powiedziała, że mamie mogło się urodzić dziecko. Czy to prawda?

— Hm, naprawdę nie wiem. Sophie, moja złota, mogłabyś zrobić mi tost lub coś innego na ząb? Wybacz, że o to proszę, ale nie mam pojęcia, gdzie tu co leży. Nie gniewaj się, złotko.

— Och nie, w porządku — odrzekła Sophie, lecz po wyrazie jej oczu poznałem, że nie mówi tego całkiem szczerze. Bardzo mnie to zdziwiło. Mnie nasza kuzynka wydała się sympatyczna.

— Ale dziecko mogło się już urodzić? — zaatakowałem ją znowu.

— Tak, Mattie, ogólnie rzecz biorąc masz rację — odrzekła z udaną powagą — tylko nie jestem pewna, czy mama zdążyła się już z tym uwinąć. Sądzę raczej, że jeszcze trochę to potrwa. A i później lekarze zechcą ją pewnie zatrzymać na parę dni. Muszą sprawdzić, czy dziecko jest zdrowe, czy dobrze przybiera na wadze i tak dalej. Pospieszyło się trochę z przyjściem na świat, więc w nocy wybuchła nielicha panika. Ale nic się nie bój, wszystko będzie dobrze. Jeszcze troszkę i w domu zjawi się maluszek.

— Ale skąd on się zjawi?

Caitlyn otworzyła usta, nic jednak nie powiedziała.

— Z brzuszka mamy — wyręczyła ją Sophie.

Spojrzawszy na Caitlyn zrozumiałem, że traktuje Sophie jak dorosłą, mnie natomiast nie, czym poczułem się lekko dotknięty.

— To już wiem — oświadczyłem. — Pytałem o co innego: dokąd pojechała mama, żeby urodzić to dziecko? Dlaczego nie ma jej w domu?

— Och, o to ci chodzi! Mama pojechała do szpitala. Są tam wspaniali lekarze, którzy zrobią wszystko, żeby jej pomóc. Tu ich nie ma, prawda? — Rozejrzała się po kuchni i nawet zerknęła pod stół.

— Prawda!

— No widzisz! Mama pobędzie trochę w szpitalu, żeby lekarze mogli się nią zająć.

— Masz tu swój tost — wtrąciła się Sophie. — Trochę się przypalił.

— Nie szkodzi. — Caitlyn ziewnęła szeroko. — Słuchajcie, dzieciaki, moglibyście zająć się sobą przez jakąś godzinkę czy dwie? Chętnie bym się jeszcze zdrzemnęła. Później pomyślimy nad tym, co będziemy robić po lunchu. To jak?

— Pewnie, że możemy — odrzekła Sophie. — Będziemy się bawić w ogrodzie. Jak zechcesz, żebyśmy wrócili, wyjdź przed dom i krzyknij.

— Świetnie. — Caitlyn wyraźnie ulżyło. — Będziecie uważać, prawda? Żadnego wpadania w tygrysie pułapki ani nic takiego, zgoda?

— Zgoda! — zapewniłem ją uroczyście.

— No to do widzenia. Niedługo.

Nasza kuzynka z kubkiem kawy w ręku oddaliła się gdzieś w głąb domu.

— Założę się, że do lunchu jej nie zobaczymy — cierpko zauważyła Sophie.

— Czy ta Caitlyn nie jest za stara na kuzynkę? Kuzynka jednego chłopaka, Thomasa Wrighta, chodzi z nim do jednej klasy.

— Kuzynostwo nie zależy od wieku, tylko od pokrewieństwa — wyjaśniła Sophie. — Siostra mamy jest naszą ciotką, a Caitlyn jej córką.

— Co?

Sophie westchnęła ciężko.

— Chcesz się bawić w ogrodzie czy nie?

— Tak!

— Więc musisz włożyć buty.

— Nie lubię butów.

Sophie miała rację: zobaczyłiśmy Caitlyn dopiero w południe. Do tego czasu bawiliśmy się nad strumieniem. W pobliżu pracował ogrodnik — rozwijał gumowe węże, wykonywał też inne niepojęte dla mnie czynności — ignorował nas jednak, a my jego. Sophie ze wzrokiem utkwionym w wodę pokazywała mi czarne wysmukłe ryby śmigające jak torpedy w chyżym nurcie. Poranne słońce przesiane przez liście dwóch starych jabłoni rysowało na trawie ruchome świetliste wzory. Było bezwietrznie i ciepło. Sophie przez większą część ranka wydawała się pochłonięta własnymi myślami, a gdy Caitlyn zaczęła nas wołać, powiedziała:

— Ty idź, ja muszę jeszcze coś zrobić. Powiedz jej, że zaraz przyjdę.

Zagryzłem wargi, niepewny jej uczuć do Caitlyn. Czyżby nie lubiła naszej kuzynki? Widziałem przecież, że specjalnie przypaliła tost; nic jednak nie mówiąc, posłusznie pobiegłem do domu. Ogród przeistaczał się na moich oczach z dziko rosnącej dżungli w elegancką połać kwiatowych rabat i starannie wystrzyżonych żywopłotów, zupełnie jak w programie o ogrodnictwie, nadawanym przez telewizję, którego część pierwsza mówiła, jak było „przedtem", druga zaś ukazywała „później". Spodziewałem się zobaczyć Caitlyn w drzwiach kuchni, tymczasem ku swemu zdziwieniu zastałem ją na trawniku, ubraną w szorty i białą koszulkę.

— Cześć, Mattie — powiedziała żywo. — Gdzie twoja siostra? Mam dla was ważne nowiny.

— Sophie zaraz przyjdzie — odrzekłem ostrożnie. — Co tu robisz?

Spojrzała na mnie z lekkim zdziwieniem.

— Wyszłam na słońce. Dzień taki piękny, że moglibyśmy zjeść lunch na trawie. Co ty na to?

— Super!

— No to fajnie. Musicie tylko poszukać jedzenia i naczyń, bo wciąż jeszcze nie wiem, gdzie tu trzymacie chleb, masło i tak dalej. Na razie znalazłam biszkopty i trochę soku w lodówce.

— Podoba mi się twój głos, wiesz, Caitlyn? Jest taki zabawny — powiedziałem z dziecięcą szczerością.

Wybuchnęła śmiechem.

— Dziękuję ci, Mattie, uznaję to za komplement. Ja też cię lubię. Ach, jest twoja siostra.

Sophie nadbiegła pędem z bukietem polnych kwiatów w ręku. Wiedziałem, gdzie je zerwała. Pod samym murem było takie miejsce, gdzie ogrodnik nigdy nie zaglądał.

— To dla ciebie — powiedziała, wręczając je Caitlyn, a ja na tyle szybko zerknąłem na naszą kuzynkę, że nie umknął mi jej wyraz twarzy: była zaskoczona i uradowana.

— Och, bardzo ci dziękuję, Sophie! Są śliczne. Mattie, będzie nam potrzebny wazon albo jakiś słoik po dżemie. Macie tu coś takiego? Ale zaraz, najpierw to, co najważniejsze, usiądźcie. Parę minut temu odebrałam telefon ze szpitala. Wasza mama czuje się świetnie. Ma synka, a wy braciszka. Wspaniała nowina, co?

— Tak — bardzo grzecznie powiedziała Sophie z twarzą pozbawioną wszelkiego wyrazu.

— Wasz tata mówi, że wszystko poszło jak z płatka i za parę dni mama wróci do domu. Jest się z czego cieszyć, prawda?

— Prawda. — Na dłuższą chwilę zapadła niezręczna cisza. Przerwała ją Caitlyn, wzruszając lekko ramionami.

— No cóż, zajmijmy się lepiej jedzeniem. Będzie czas cieszyć się dzieckiem, kiedy przyjedzie do domu.

— Pójdę poszukać wazonu — oznajmiłem, podnosząc się z trawy. Byłem zadowolony, że Sophie postanowiła polubić Caitlyn.

Znaleźliśmy jakiś stary obrus i z pomocą Caitlyn rozłożyliśmy go na trawniku.

— Ale fajnie! — wyraziłem głośno swój zachwyt.

— A widzisz! — uśmiechnęła się nasza kuzynka.

Zdążyłem już zauważyć, że często tak mówi — kiedy jest zadowolona. Pośrodku serwety ustawiliśmy słoik z kwiatami, a dookoła biszkopty, kanapki i sok pomarańczowy z lodówki. Mniej go lubiłem od tego z wygniecionej pomarańczy, wydawało mi się jednak, że chyba lepiej pasuje do tej jakże niezwykłej sytuacji. Lunch na trawie! Tego nigdy u nas nie było. Siadając do jedzenia, czułem, że wszystko gotuje się we mnie z emocji.

— Co zamierzacie robić po południu? — zagadnęła nas Caitlyn.

— Pójdziemy chyba na spacer — zadecydowała Sophie.

— Fajnie. Macie coś przeciwko temu, żebym poszła z wami? To znaczy pod warunkiem, że nie będzie łażenia po żadnych górach.

— W porządku — odrzekła Sophie. Poznałem po głosie, że jest zaskoczona. — Ale wiesz, nam mama pozwala tam chodzić.

— Tak, wiem, wolałabym jednak zwyczajną miłą przechadzkę. Mogę też zostać w ogrodzie i trochę się poopalać. To jak? Weźmiecie mnie z sobą? A co tam! Jeśli mnie zmordujecie, zawsze mogę wrócić do domu.

— No to okej — bąknęła Sophie.

Rozumiałem jej konsternację. Nikt przecież nie chodził z nami na spacery, nikt też jeszcze nigdy nie urządził nam lunchu na trawie. Przyszło mi na myśl, że może Caitlyn jest inna niż nasza matka?

64

— Hej, Sophie, nie skończysz już tej kanapki? Jeśli nie, to dajmy ją tamtym ptaszkom. Wygląda na to, że mają na nią ochotę.

— To są szpaki — poinformowałem ją rzeczowo.

— Doprawdy? Jakiś ty mądry. Widzę, że oboje możecie mnie nauczyć wielu rzeczy.

— Jeśli lubisz muszle, to mam książkę o skamielinach — oznajmiłem z dumą. — Dostałem ją od Sophie.

Po lunchu Caitlyn kazała nam pójść na górę i poczekać na nią pół godzinki: musi przygotować się do wyjścia. Kiedy po tym czasie ruszyłem na dół, aby ją zapytać, jak długo jeszcze każe nam czekać, usłyszałem, że rozmawia z kimś przez telefon. Zaintrygowany przystanąłem na schodach, nadstawiając uszu.

— Tak — powiedziała z komicznym westchnieniem — w środku nocy. Nie dzwoniłam, bo nie chciałam cię budzić. — Na chwilę zapadła cisza. — Tak? Och, byłoby cudownie! Moglibyśmy wszyscy wybrać się na cały dzień... Tak, dzieciaki też. Oczywiście, że musimy, ty głuptasie. Przecież po to tu jestem. — Nastąpiła kolejna pauza, po czym Caitlyn zaczęła się śmiać: — Ach, więc to cię tak martwi! Niepotrzebnie. Jestem pewna, że o dziewiątej oboje będą już w łóżkach, a takie szkraby śpią jak zabite.

Podrapałem się w kostkę.

— Tak, wiem — mówiła dalej. — Nie, nie jest tak źle. Tak naprawdę nie był to przedwczesny poród... urodziło się trochę przed terminem, ale to często się zdarza. Przynajmniej tak mi mówiono... Wyobrażasz sobie, że ostatnio byłam tu z wizytą dobre dwa lata temu?... Wiem... Ona jest okropna. — Usłyszałem odgłos świadczący, że Caitlyn postawiła nogę na krześle. — Doprawdy nie mam pojęcia, jak mama mogła z nią wytrzymać... Nie, ich ojca też nie ma... podobno mieszka w hotelu gdzieś koło szpitala. Można by pomyśleć, że... Och nie, oni są w porządku. Mattie to urocze dziecko. Ma dopiero sześć lat. Sophie osiem. Z niej także słodkie stworzenie. Coś mi się zdaje, że tak naprawdę to ona opiekuje się bratem. Jest chyba do tego zmuszona. Tak... Dziś po południu? Właśnie wychodzimy na wycieczkę. Zwiedzić okolicę. Nie, niedaleko. Zamknij się, dobrze? — Caitlyn znów parsknęła śmiechem. — To tylko spacer, a nie jakaś wyprawa na biegun... Nie będę. Mówię ci, że nie będę. Przestań, jesteś okropny. Tak... tak, ja ciebie też. Też cię kocham, głupku. Fajnie, no to do widzenia. Też cię całuję, pa!

Rozległy się dwa odgłosy: trzask odkładanej słuchawki, a potem szurnięcie — Caitlyn zdjęła nogę z krzesła.

— Mattie, Sophie, idziemy! Trzeba zobaczyć, jacy są ci tubylcy! Mam nadzieję, że niezbyt groźni!

— Polubiłeś ją — mówię. Banalna uwaga.

— Namieszała mi w głowie. Chciałem, żeby z nami została. Tak, polubiłem ją.

Słyszę w jego głosie zakłopotanie graniczące z gniewem. Gwałtownym ruchem sięga po ogarek pierwszej świeczki, odrywa go od podłogi, przez chwilę przerzuca z ręki do ręki ten bezkształtny kawałek stearyny, po czym ciska nim w mroczny kąt. Słyszę przez krótki moment, jak toczy się po podłodze, nie spuszczam jednak oczu z twarzy Matthew.

— Gdybyśmy mieli taką matkę... matkę podobną do Caitlyn, możliwe, że wszystko wyglądałoby teraz inaczej.

— Jesteś tego pewien?

— Powiedziałem: „możliwe".

— Powiedz mi, Matthew... Wiem, że ją winisz. Ciekawa jestem tylko, do jakiego stopnia?

— Mamę? Czy ja wiem? Trudno powiedzieć. Możliwe, że wszystko zaczęło się od niej. Lub przez nią. Ale nie wiem. Czasami jestem tego pewny, a kiedy indziej... kiedy indziej zaczynam myśleć, że ona przecież nie miała żadnego wpływu ani na nas, ani na to, co się z nami działo. No, może z początku, ale później już na pewno nie.

— Mówiłam o Caitlyn, nie o matce.

Oczy rozszerzają mu się ze zdumienia. Zaczyna coś mówić i urywa. Kiedy po chwili otwiera znów usta, głos mu aż chrypi od gniewu.

— Co ty pleciesz! Nie igraj sobie ze mną, Sophie. Pamiętasz, co ci powiedziałem? Żadnych więcej gierek. Mamy to już za sobą.

— Przepraszam.

— Nie zapominaj się, dobrze? Caitlyn nie ma z tym nic wspólnego. Była z nami tak krótko, że gdyby nawet chciała, nie zdążyłaby nam zrobić nic złego. Za cóż bym miał ją winić?

Boję się to powiedzieć, ale muszę:

— Pokazała ci, że może być inaczej. To masz jej za złe.

Milknie gwałtownie jak porażony, a ja drętwieję ze strachu. Po paru sekundach widzę już jednak z ulgą, że warto było podjąć to ryzyko. Moje słowa najwyraźniej zrobiły swoje. Matthew opiera się lekko o ścianę i prawie niedostrzegalnie kiwa głową.

— To bardzo trafna uwaga. — Na jego twarzy już po raz drugi pojawia się dziwny wyraz: uznania, a nawet podziwu. Opuszczam głowę, starając się ukryć nie tylko ulgę, lecz i uczucie triumfu. Tym razem mi się udało.

ROZDZIAŁ PIĄTY

Przewodniczką wycieczki została Sophie. Gdy znaleźliśmy się na ścieżce biegnącej ku szczytowi wzgórza, pomyślałem, że idziemy do kopalni, ale nie; Sophie doprowadziła nas tylko do miejsca, gdzie w kamiennej ścianie widniała szczelina, przez którą kazała nam przejść na pole, i tutaj zmieniła kierunek. Przecinając na ukos to pole, przypomniałem sobie, że już tutaj byłem: chodziliśmy tędy kraść cegły do naszej kryjówki. Caitlyn nadążała za nami bez trudu, doszedłem więc do wniosku, że musiała sobie zażartować, mówiąc o słabej kondycji. Wyglądało na to, że mogłaby iść cały dzień i jeszcze by się nie zmęczyła.

— Często tu przychodzicie? — spytała.

— Czasami — odrzekła Sophie. — Nie bardzo tu jest co robić. Wolimy się bawić w ogrodzie.

— Doprawdy? I co tam robicie?

— Och, mnóstwo rzeczy. — Sophie najwyraźniej nie chciała się wdawać w szczegóły, bo szybko zmieniła temat. — Spójrz, widać stąd naszą szkołę.

— Ten mały czerwony budyneczek? Wygląda bardzo przyjemnie.

— A ty chodzisz do szkoły?

W odpowiedzi na moje pytanie Caitlyn roześmiała się na całe gardło.

— Skądże! Za bardzo urosłam, już by mnie tam nie przyjęli! Żartuję. Mówiąc serio, skończyłam już szkołę.

— Ile masz lat?

— Oj, panie Matthew, czy nikt ci nie mówił, że nie pyta się kobiet o wiek? — Po tych słowach mrugnęła do mnie okiem. — Pozwalam ci jednak zgadnąć.

— Hm... No nie wiem.

— Spróbuj strzelić.

Dochodziliśmy już właśnie do przeciwległego rogu pola, za którym rósł mały zagajnik; paręset metrów dalej zaczynał się duży las, ogrodzony podobnie jak nasz kamieniołom.

— Czterdzieści? — zaryzykowałem.

— Och, Mattie, ależ z ciebie ziółko! — oburzyła się Caitlyn. Sophie zaczęła chichotać. — Aż taka stara nie jestem. Mam dwadzieścia trzy lata i wiedz, że wyglądam o wiele młodziej. A ty robisz ze mnie stare babsko!

— Dwadzieścia trzy lata to też strasznie dużo — stwierdziłem z całkowitym przekonaniem. — Ja mam sześć.

— Wiem. — Caitlyn najwyraźniej uznała sprawę za zamkniętą, bo zwróciła się teraz do Sophie, wskazując ręką ten duży las: — Tam idziemy, pani przewodniczko?

— Uhm, to bardzo ładne miejsce. Jest tam wielkie zwalone drzewo całe porośnięte mchem. A gdy staniesz na skraju lasu, zobaczysz stamtąd całą wieś.

— Wasz dom również?

— Nie. Odwróć się, to zobaczysz, że zasłania go wzgórze.

— Rzeczywiście. Szkoda, że go nie widać. Ale ty, Sophie, znasz tu chyba każdy skrawek gruntu. Całkiem jakbyś była pilotką wycieczek. Czekaj, a może ty jesteś skautką?

— Kilka moich koleżanek należy do skautów...

— No proszę! A ty nie? Dlaczego? Poznajesz w ten sposób całą gromadę dzieciaków. Hm, co prawda trzeba sypiać w namiotach, w których zazwyczaj źle pachnie...

— Mnie by się to chyba nie podobało. — Zdziwiłem się, słysząc głos Sophie: brzmiał ciszej niż zwykle i jakby niepewnie. Zaraz jednak wykrzyknęła już swoim normalnym tonem: — Patrzcie, jesteśmy prawie na miejscu!

— No i widzisz, Mattie, ona znów ma rację. Jak to jest być bratem osoby, która się nigdy nie myli? Musi to być trudna sytuacja. Nie gniewaj się, Sophie, żartowałam. No to co? Posiedzimy trochę na tym drzewie?

Następnego ranka obudziłem się z jakże cudownym uczuciem, że czeka mnie coś miłego. Po prostu czułem to przez skórę. Dzień był przepiękny. Świeciło słońce, lekki wiatr niósł zapach dojrzałych zbóż i czystej wody. Caitlyn znów spała aż do jedenastej. My w tym czasie udaliśmy się do wioski z listą zakupów sporządzoną przez naszą kuzynkę. Sophie błyskawicznie uwinęła się ze sprawunkami. Obrzuciwszy półki wzrokiem doświadczonej gospodyni, wzięła bochenek chleba, kawałek sera, butlę soku pomarańczowego, paczkę kawy — tej, którą najbardziej lubiła Caitlyn — i mnóstwo innych produktów. Pamiętam, że była tego cała góra — bo to ja dźwigałem metalowy koszyk. Caitlyn dała nam tyle pieniędzy, że dużo ich jeszcze zostało, a jej lista kończyła się dopiskiem: „Uwaga! Resztę wydajcie, na co wam się podoba".

— Czy ona naprawdę pozwala nam to wydać? — spytałem z niedowierzaniem.

Moja siostra nie miała takich wątpliwości.

— Myślę, że tak. Co chciałbyś kupić?

— Tu nic — odrzekłem, rozejrzawszy się szybko po minimarkecie.

— Więc chodźmy gdzie indziej. Poniesiesz torbę?

— Tak.

W saloniku prasowym na rogu uliczki kupiłem sobie książkę-kolorowankę z obrazkami z piosenek i baśni ludowych i do tego kilka ołówkowych kredek. Sophie nic nie kupiła; przeliczywszy starannie swoją część pieniędzy, schowała je do kieszeni. W drodze do domu opowiadała mi historyjki związane z obrazkami w zakupionej książce. Jeden z nich był na przykład ilustracją pieśni o Cyganach pod tytułem „Raggle Taggle Gypsies". Treść miała bardzo smutną, ale melodię przepiękną. Słuchałem jak urzeczony, gdy Sophie zaczęła ją nucić.

Nie spieszyło nam się zbytnio, więc gdy dotarliśmy wreszcie do domu, Caitlyn już była na nogach: obok zlewu stał kubek po kawie i talerzyk z okruchami tostów. Z łazienki dobiegał głośny szum wody.

— Jesteśmy! — krzyknąłem.

Szum ustał; zaraz potem u szczytu schodów ukazała się nasza kuzynka.

— Cześć, krzykaczu! A gdzie twoja siostra?

— W kuchni. Co dziś robimy?

— Poczekaj chwilkę, to zobaczysz. — Caitlyn zbiegła ze schodów i poszliśmy razem do kuchni. — Och, kupiliście przyzwoitą kawę! Świetnie! A to co? Kolorowe ołówki? Ojej, od lat już takich nie widziałam! Pozwolisz mi trochę porysować?

— Jeśli chcesz... — odrzekłem lekko spłoszony.

— To fajnie! Dzień dobry, Sophie. O, jaka śliczna sukienka! — Moja siostra otworzyła usta, ale je zaraz zamknęła. Wyglądała na oszołomioną. — Na dziś zaplanowałam nam inne atrakcje... to znaczy inne niż wczoraj — trajkotała dalej Caitlyn. — Która to godzina?

— Już po jedenastej.

— No i dobrze. Jeszcze całkiem wcześnie, prawda? — Parsknęliśmy śmiechem. — A co do rozrywek... Pomyślałam sobie, że warto by się wyrwać z tej starej chałupy, no i zorganizowałam mały wypad w teren. Przy okazji poznacie mojego chłopaka. Na imię ma Nick i jest ekstra. Przystojny, wesoły i w ogóle! Lepiej bądźcie dla niego mili, bo jak nie, to przysięgam, poobcinam wam uszy! Okej?

Uroczyście kiwnęliśmy głowami.

— No to załatwione. Nick zaraz tu będzie i zawiezie nas w pewne miejsce. Umówiliśmy się, że to on będzie kierowcą; ja wolę gadać sobie z wami bez uważania na drogę. Aha, jeszcze jedno. Wiecie, jak to jest pomiędzy chłopakiem a dziewczyną, którzy się bardzo lubią? I jak trzeba się zachowywać, kiedy jedzie się z nimi na wycieczkę?

— Nie! Powiedz nam! — wykrzyknąłem.

— Po pierwsze, nie zwracać uwagi, jeśli się zaczną migdalić. Wiecie, co to znaczy „migdalić"? No, na przykład głaskać się albo całować. Macie wtedy patrzeć w inną stronę i ani mru-mru! Żadnych chichotów ani pisków, zrozumiano?

— Taak! — krzyknęliśmy chórem, a ja wyszczerzyłem zęby do Sophie.

— Po drugie, musicie udawać, że to ja zrobiłam zakupy, i powtarzać przy każdej okazji, że świetnie się wami opiekuję i że w ogóle jestem fantastyczna. Dotarło?

— Tak!

— No to już chyba wszystko.

— Pojedziemy twoim samochodem? Tym czerwonym? — Obejrzałem go sobie, kiedy szliśmy do sklepu, i bardzo mi się spodobał.

— Nick też ma samochód.

— Jakiego koloru?

— Ciemnozielony. Aha, rozumiem, nie podoba ci się. No cóż, będziemy musieli zapytać Nicka, czy zgodzi się jechać czerwonym.

— Och, Mattie, czasami jesteś jeszcze taki głupiutki! — powiedziała Sophie, lecz w jej głosie brzmiała sama czułość.

Po jakichś dziesięciu minutach przed dom zajechał zielony samochód. Sophie kazała mi iść na górę, mówiąc głośno, że mam schować kredki, którymi Caitlyn i ja zaczęliśmy już się bawić, malując ten sam obrazek.

— Dajmy im parę minut na to migdalenie — szepnęła do mnie już w holu.

Caitlyn mówiła prawdę: Nick był rzeczywiście bardzo sympatyczny. Całkiem jak nasza kuzynka. Pasowali do siebie.

— Witajcie — zwrócił się do nas z uśmiechem. Uśmiech miał też bardzo miły. — Powiedziano mi właśnie, że mamy jechać tym czerwonym pudłem. Proszę bardzo! Ty jesteś Mattie, tak?

— Uhm. Jak się masz?

— A to musi być Sophie. Witaj.

— Cześć, miło mi cię poznać. — Widziałem, że Sophie strasznie się stara oswoić z tym nieznajomym, podobnie jak przedtem z Caitlyn. Nikt inny chybaby nie spostrzegł, ile ją to kosztuje wysiłku, ale ja dobrze ją znałem.

Caitlyn pojawiła się w holu z dwiema wielkimi torbami.

— Mamy tu jedzenie na lunch i wszystkie potrzebne rzeczy — oznajmiła wesoło.

— Zakupy zrobiła Caitlyn — czym prędzej wtrąciła się Sophie. — I w dodatku jest tak inteligentna!

— Nie złapiecie mnie na taki bajer — roześmiał się Nick, chwytając opasłe torby. — Ona wszystkim każe tak mówić. A wiecie dlaczego? Żeby mi się spodobać!

— Pamiętasz, jak pokazywałaś Caitlyn to zwalone drzewo? — pyta mnie Matthew i nie czekając na odpowiedź, mówi dalej: — Uważałem, że to bardzo dziwne. Tak kompletnie do ciebie niepodobne.

— W tym czasie wszystko się zmieniło, prawda?

Powoli kiwa głową.

— Tak, rzeczywiście, ale ja... już później... zdołałem prawie sobie wmówić, że nic z tego nie zdarzyło się naprawdę. Że uroiłem to sobie albo mi się przyśniło. Bo to było jak sen...

— Chciałbyś, żeby to trwało?

— Nie wiem, choć zastanawiałem się nad tym wiele razy. Bylibyśmy wtedy zupełnie innymi ludźmi.

— Czy nie wyszłoby nam to na dobre? — Zerkam na swoje związane ręce. Widzi to oczywiście.

— Kto to może wiedzieć. Mówisz tak, jakby Caitlyn mogła nas ustrzec przed wszystkim. To zbyt proste. — Bierze głęboki oddech. — Nie chcę o tym mówić.

— Dobrze, nie ma sprawy.

Kiedy zapada milczenie, pojawia się znowu to niepokojące uczucie, że umknęło mi coś ważnego. Nie chodzi o sytuację, w której się znajduję, lecz o coś, co wiąże się z nią w jakiś sposób... Mam to gdzieś na skraju świadomości. Co to może być, na litość boską? Wskutek doznanego szoku niedokładnie pamiętam wydarzenia ostatnich sześciu godzin, czuję jednak, że to nie ten obszar, że odpowiedź leży gdzie indziej. Czuję, że mam ją w zasięgu ręki, muszę tylko sobie przypomnieć... Cóż za męczące uczucie! Zaczyna ogarniać mnie złość. Nie powinnam o tym myśleć, muszę się skupić. Uważać na to, co mówi Matthew. Potrząsam głową, aby pozbyć się tej obsesji — i skaleczony policzek zaczyna znów boleć. No i bardzo dobrze. Powinnam pamiętać, z kim mam do czynienia.

Widzę, że Matthew porusza się lekko, zmieniając nieco pozycję.

— Czasami myślę, że byłoby lepiej, gdybyśmy nie znali Caitlyn.

— Wolałbyś nie mieć żadnego wyboru?

— Wybór? O czym ty mówisz? Myśmy go nigdy nie mieli. Nigdy i w niczym. Byliśmy małymi dziećmi. Nie mieliśmy nawet najmniejszego wpływu na to, co się z nami działo. A jednak... wolałbym nie wiedzieć...

Rozumiem, czego by wolał nie wiedzieć. To akurat rozumiem doskonale.

Jazda główną drogą na miejsce wybrane przez Caitlyn trwała około godziny, a gdy Nick zaparkował wóz na poboczu, wędrowaliśmy jeszcze dziesięć minut. Wtedy dopiero zobaczyliśmy szeroki i bystry strumień, o brzegach porośniętych kępami trawy. Wodę miał tak przejrzystą, że widać było całe jego dno pokryte malutkimi jak żwir kamykami. Tu rozłożyliśmy koce, butelki z lemoniadą i sokiem powędrowały do wody, a Sophie i ja zaczęliśmy buszować wśród traw i zarośli. Wszędzie dookoła unosiły się chmary motyli. Żar lał się z nieba, ale nam to nie przeszkadzało. W każdej chwili można było wleźć do strumienia i pochlapać się w chłodnej wodzie. Oprócz nas nie było tu nikogo, a rzadkie odgłosy przejeżdżających szosą samochodów wydawały się takie dalekie! Można było pomyśleć, że jesteśmy tu pierwszymi ludźmi.

Po wiejskim lunchu złożonym z chleba, sera i pikli wypiliśmy mnóstwo rozkosznie chłodnej lemoniady, a potem leniwie zalegli na słońcu. Po chwili sennego milczenia zaczęliśmy żartować, opowiadać sobie kawały i bajki. Bardzo się ucieszyłem, widząc, że Sophie wyzbywa się stopniowo nieśmiałości i zakłopotania, które obserwowałem u niej od dwóch dni i które trochę mnie niepokoiły. Gdy wreszcie i ona włączyła się do rozmowy, spostrzegłem, że dwoje dorosłych spogląda na nią z podziwem. Zamiast znanych baśni opowiedziała nam kilka starożytnych mitów o dawnych bogach, herosach i stworzeniach ze świata umarłych, zwanego wtedy Hadesem. Opowiadała tak pięknie, że nie tylko ja słuchałem z zapartym tchem. Nie pamiętam już, jak to się stało, że na koniec zaczęliśmy znowu opowiadać dowcipy, wiem tylko, że potem Caitlyn, Nick i Sophie ucięli sobie małą drzemkę. Mnie nie chciało się spać. Wziąłem zegarek Sophie i ruszyłem przed siebie brzegiem strumienia: chciałem się przekonać, jak daleko zajdę w pół godziny.

Kiedy wróciłem z wędrówki, sprzęt piknikowy był już spakowany, a cała trójka pękała ze śmiechu — z jakiegoś kawału, który niestety mi umknął. W drogę powrotną wyruszyliśmy późnym popołudniem; słońce świeciło nadal, tylko jego promienie przybrały bardziej oranżowy odcień. W kieszeniach miałem pełno kamyków, a w głowie pełno pomysłów. I chyba tyle samo pytań.

Zaledwie weszliśmy do domu, zadzwonił telefon. Caitlyn czym prędzej podbiegła do aparatu.

— Tak? Przy telefonie. Tak, to prawda. Jak ona się czuje?

Zaniosłem kamyki do swego pokoju i gdy zszedłem na dół, żeby pomóc Sophie ułożyć resztki prowiantu w lodówce, konwersacja wciąż jeszcze trwała. Nick stał obok Cait'yn. Po chwili oboje przyszli do kuchni.

— Dzwonił wasz tata — powiedziała z ożywieniem Caitlyn. — Mamusia czuje się tak dobrze, że jutro już wraca do domu.

Spostrzegłem, że Sophie rozszerzają się oczy, a potem... potem twarz jej straciła wszelki wyraz. Wyglądało to tak, jakby nagle ktoś zatrzasnął drzwi.

— A dziecko? — spytałem. — Czy mama przywiezie dziecko?

— Tak, Mattie.

— Ma już imię?

Caitlyn wzruszyła ramionami.

— Nie pytałam. Wkrótce się pewnie dowiecie.

— Ich matka naprawdę czuje się tak dobrze? — zagadnął ją Nick.

— Z tego, co słyszałam, świetnie. — Caitlyn zniżyła głos do szeptu: — Musi być silna jak muł. — Niedługo poznacie braciszka — powiedziała już normalnym głosem. — To chyba dobra nowina, co?

— Uhm — przytaknąłem — a ty, Caitlyn, zostaniesz z nami?

— Ach, no wiesz, Mattie... — zająknęła się nasza kuzynka —...chyba nie będę mogła. A jeśli nawet, to już nie na długo — dodała z powątpiewaniem. — Ale mamy jeszcze trochę czasu i wiesz co? Powinniśmy go dobrze wykorzystać. Chcę was o coś prosić — podjęła po krótkiej pauzie. — Mamusia będzie pewnie bardzo zmęczona, więc bądźcie wyrozumiali i starajcie się jej pomagać, dobrze? Trzeba jej przynosić śniadanie do łóżka, podawać dużo herbaty, po prostu się nią opiekować, rozumiecie?

— Tak — mruknąłem niepewnie, bo naszły mnie wątpliwości.

Caitlyn też chyba ubyło pewności siebie — wydawała się trochę zagubiona — nie trwało to jednak długo.

— Skoro tak — rzuciła z szerokim uśmiechem — to nie traćmy czasu! Chodźcie, zabawimy się w chowanego! Ja szukam. Gdzie wolicie: w domu czy w ogrodzie?

Tej nocy dość długo nie mogłem zasnąć. Leżałem wpatrzony w letnie niebo, rozmyślając o minionym dniu. Był taki miły! To cudowne popołudnie przy strumieniu, ołówkowe kredki, czerwony samochód... Już przewróciłem się na bok, gdy przypomniałem sobie, że było przecież coś jeszcze: książka do kolorowania. Zostawiłem ją w holu razem z kredkami. Iść po nią? Mógłbym przed spaniem obejrzeć sobie obrazki... Drzwi do pokoju Caitlyn były szeroko otwarte, a ona rozmawiała ze swoim chłopakiem. Nie chciałem podsłuchiwać, ale mówili tak głośno...

— Jak myślisz, nie za bardzo się dzisiaj spiekłam? Wczoraj też długo byłam na słońcu. Oj, uważaj, bo zlezie mi skóra! Nie chcę wyglądać jak krewetka, przestań, do licha!

— Nic ci nie będzie — zaśmiał się Nick. — Idziesz pod prysznic?

— Pewnie. Mam w butach połowę ziemi z wrzosowiska. Ale najpierw mi powiedz, co o tym myślisz.

— O czym?

— Przecież wiesz: o tym domu i tej rodzinie.

Na chwilę zapadła cisza.

— Szczerze? Czy ja wiem? Ale chyba nie jest tak źle, jak mówiłaś. A te dzieci wydają mi się bardzo miłe.

— Mnie też. Ten malutki Mattie... Och, gdyby mi pozwolili, od razu bym wzięła go z sobą, przynajmniej na jakiś czas. Ale Sophie... W niej jest coś dziwnego. Wydaje mi się, że ona wie znacznie więcej, niż chce pokazać, nie sądzisz?

Nick nie od razu odpowiedział — pewnie się namyślał.

— Nie — odrzekł w końcu. — Już ci mówiłem, że mnie się wydaje normalna. To bardzo bystra dziewczynka.

— Aż za bardzo. Wie dużo więcej niż ja. A te jej opowiadania! Cholernie dobre, moim skromnym zdaniem. Och, sama już nie wiem, co myśleć! Może jestem przewrażliwiona? Pewnie jeszcze nie wyszłam z szoku. Ty też byś go dostał, gdyby w środku nocy ktoś wywlókł cię z łóżka i kazał jechać na takie odludzie. Przecież to istna pustelnia.

Wziąłem książkę i z szerokim uśmiechem na ustach wróciłem cichutko na górę: Caitlyn mnie lubi! A później, leżąc już w łóżku, próbowałem sobie wyobrazić, jak by to było mieszkać gdzie indziej? Wyjechać z kimś takim jak Caitlyn i nigdy nie wrócić do tego domu...

Następnego ranka wróciła matka i wszystko się nagle skończyło. Tak szybko! Przywiózł ją ojciec. W białym plastikowym nosidełku leżało malutkie dziecko szczelnie owinięte kocykami.

Po raz pierwszy, odkąd ją pamiętam, matka okazała nam dwojgu pewne zainteresowanie. Kazała przyjść do kuchni i postawiwszy nosidło na krześle, pozwoliła obejrzeć dziecko. Miało ciemną, obrzmiałą buzię, a do ust przyciśnięte dwie malutkie piąstki. Jakby zamierzało rozkrzyczeć się zaraz ze złości.

— To jest wasz brat — powiedziała matka. — Teraz śpi.

Milczeliśmy oboje z Sophie, niepewni, jak się zachować.

— Czyż nie jest rozkoszny? — zawołała Caitlyn, która właśnie weszła do kuchni. — Tylko spójrzcie, śpi jak ptaszek w gniazdku!

Matka posłała jej ostre spojrzenie.

— Czy Matthew i Sophie zachowywali się przyzwoicie?

— Och, byli wprost idealni — beztrosko odrzekła Caitlyn. — Chodź tutaj, Nick, i popatrz na tego malucha! Jest cudowny.

Wydawała się wesoła i ożywiona, gdy jednak przyjrzałem jej się uważniej, odniosłem nagle wrażenie, że udaje, że stara się mówić to, co wypada, a nie to, co myśli.

— Dzień dobry pani. — Nick dosyć niezręcznie ukłonił się matce. Ojciec był gdzieś w głębi domu, zajęty porządkowaniem jakichś rzeczy.

— Jak ma na imię to dziecko? — zapytałem.

— No właśnie! Wybraliście już imię? — poparła mnie Caitlyn.

— Tak — powiedziała matka. Wcale nie wydawała się zmęczona. Wyglądała tak samo jak zwykle. — Postanowiliśmy dać mu na imię „David".

— Bardzo ładnie. Cześć, Davey! — Dziecko poruszyło się niespokojnie i wydało z siebie cichy pisk.

— Nie powinnam cię już dłużej zatrzymywać, Caitlyn — sucho powiedziała matka. — Przepraszam, że sprawiłam ci tyle kłopotów. — Mówiąc to, wcisnęła jej w rękę jakąś zamkniętą kopertę. — Byłabym ci bardzo wdzięczna, gdybyś zechciała to przyjąć.

— O nie, daj spokój! Jesteśmy przecież rodziną! A poza tym świetnie się tutaj bawiłam, prawda, dzieci? Wszystko robiliśmy wspólnie, a ile przy tym było śmiechu! Ci dwoje to szczere złoto! Naprawdę bardzo żałuję, że nie widujemy się częściej. Pozwoliłabyś im mnie odwiedzić? Dla mnie to żaden kłopot. Naprawdę.

— To bardzo miło z twojej strony.

Spostrzegłem, że Sophie zastygła w oczekiwaniu na dalsze słowa naszej matki. Nie padły.

— Byłoby cudownie! — zawołała Caitlyn, lecz w jej tonie, tak jak przedtem w reakcji Sophie, wyczułem wyraźny zawód: zrozumiała, że prośba została odrzucona. Czułem, że jest jej przykro. Położyła kopertę na stole i dała znak ręką Nickowi: — Lepiej już jedźmy. — A potem nagle pocałowała mnie w czubek nosa. — Bywaj, Mattie. Uważaj na siebie, słyszysz? I pomaluj za mnie te obrazki.

— Do widzenia, Caitlyn. — Chyba nigdy w życiu nie było mi tak strasznie smutno.

Caitlyn ucałowała Sophie.

— Do widzenia, kochanie. Bardzo podobało mi się to drzewo, które mi pokazałaś. Ty też uważaj na siebie.

— Do widzenia — odrzekła Sophie, tak starannie wymawiając każde słowo, jakby nie ufała własnemu głosowi. — Dziękujemy ci za opiekę.

— Idźcie już sobie — powiedziała matka, wskazując nam gestem drzwi.

Już zza okna usłyszałem, jak mówi coś jeszcze do Caitlyn. Coś o tych obrazkach. Nie słyszałem dokładnie, o co chodzi; wpadło mi w ucho tylko parę słów:

— Pozwól przynajmniej, że zwrócę ci za te kredki...

Ranek był smutny, nad ogrodem wisiały szare chmury. Na trawniku, tam gdzie jedliśmy lunch, leżał zapomniany kapsel od butelki... Sophie z pośpiechem szła naprzód, zmierzając do naszej kryjówki.

— Zaczekaj na mnie! — krzyknąłem, ale ona udała, że nie słyszy.

Tak niezręcznie przedarłem się za nią przez gęstwę splątanych gałęzi, że ich ostre kolce zostawiły czerwone pręgi na moich ramionach i łydkach. Sophie siedziała przy pniu, oddychając jak po długim biegu.

— Sophie! Co ci jest?

Widząc, jak nerwowo mnie w palcach leżący na ziemi brezent, zrozumiałem, że stało się coś bardzo złego. Ale co? Moja siostra otworzyła usta, jednak zamiast odpowiedzi wyrwał się z nich tylko jakiś zduszony dźwięk podobny do suchego szlochu. I jakby ten odgłos przełamał w niej wszystkie tamy, zaczęła krzyczeć, waląc pięściami w ziemię:

— Ty suko! Och, ty cholerna dziwko!

Łzy strumieniem płynęły jej po twarzy, a ona wykrzykiwała coraz gorsze rzeczy. Poznawałem tylko po tonie, że to jakieś straszne plugastwa, bo nigdy nie słyszałem takich wyrazów i nie miałem pojęcia, co znaczą. Przerażony siedziałem bez słowa, nie wiedząc, co robić. Po chwili głos Sophie osłabł i w końcu ucichła. Wciąż jeszcze oddychała z trudem, chwytając powietrze jak ryba na piasku, lecz jej twarz odzyskała już normalny wyraz.

Chyba dopiero teraz mnie spostrzegła i to sprawiło, że odbiegła ją cała gwałtowność i furia. Wyciągnęła ręce i zamknęła mnie w ciasnym uścisku. Z twarzą przytuloną do jej kojąco ciepłego ramienia usłyszałem, jak szepcze:

— Już dobrze, nie martw się, Mattie, wszystko będzie dobrze.

Odwzajemniłem jej uścisk, ale nadal byłem przerażony. Nic nie rozumiałem — ani tego, co się z nią dzieje, ani czym nie powinienem się martwić. Wiedziałem tylko, że coś jest nie tak, i bałem się o nią, o Sophie. Po chwili odsunęła się trochę i popatrzyła mi w twarz.

— Hej, nie rób takiej miny — powiedziała z tym swoim lekko przekornym uśmieszkiem. — Wyglądasz jak przerażony zając. Nie bój się, wszystko będzie dobrze. Obiecuję ci to! Obiecuję, że się tobą zajmę! Możesz mi wierzyć!

Miałem dopiero sześć lat; myślałem, że mówi to do mnie.

ROZDZIAŁ SZÓSTY

Patrzymy na siebie przedzieleni całą szerokością kuchni. Oczy Matthew obwiedzione głębokim cieniem wyglądają jak czarne dziury. Światło świeczki tak zmienia rzeźbę jego twarzy, że mam przed sobą jej dziwacznie odwrócony obraz — jakbym widziała negatyw. Efekt jest niesamowity. Trudno mi przez to ocenić, co myśli, a zaczynam sobie uświadamiać, że powinnam dokonać oceny jego stanu i jego intencji. Coraz mocniej odczuwam potrzebę takiej oceny. Ale żeby to zrobić, muszę przyjrzeć się faktom.

Ten pierwszy jest przygnębiający: Matthew mnie przeraża. W takim stanie jeszcze nigdy go nie oglądałam. Nigdy nawet przez myśl mi nie przeszło, że stać go na to, co zrobił. Wpadłam w pułapkę, bo zadziałał metodą zaskoczenia. Nikt o tym nie wie, jestem sama, zdana na własne siły. Niespójne fragmenty jego opowieści powoli zaczynają się ze sobą łączyć, tworząc bardziej zrozumiałą całość. Chaotyczne wspomnienia ustępują miejsca już prawie normalnej relacji, zgodnej z chronologią zdarzeń. Wciąż jednak nie wiem, po co to robi i dokąd zmierza. Pewna jestem tylko jednego: to, co się stanie w tej kuchni, będzie konsekwencją czegoś, co zdarzyło się wiele lat temu.

Faktem jest również, że chociaż w relacjach Matthew widać teraz pewną konsekwencję, to w naszej rozmowie nadal dominuje absurdalna logika snu. Niestety, nie jest to sen. Brutalnie przypomina mi o tym huk gromów, odgłosy wichury i deszczu i te nagłe przeciągi miotające płomykiem świeczki. Parę chwil temu wiatr zerwał dachówkę, która z trzaskiem rozbiła się o coś twardego. Kilka razy nastawał złudny spokój — słychać było tylko bębnienie ulewy o dach — lecz po paru minutach żywioł wznawiał atak ze wzmożoną siłą. Nie pamiętam drugiej tak burzliwej nocy.

Jak mogłam tak łatwo dać się podejść Matthew — ta myśl powraca jak refren, chociaż próbuję z nią walczyć. Powtarzam sobie, że nie ma sensu żałować czegoś, czego nie można już zmienić, że powinnam się skupić na swym położeniu, zamiast snuć jałowe spekulacje, rozważając, co by było gdyby. Mimo to są chwile, gdy nie umiem oprzeć się myśli, że mogłam tego uniknąć! Nie dopuścić do sytuacji, w której sprawy przybrały tak fatalny obrót. Musiał być jakiś sposób. Nie, to złudzenia, nie miałam szans. Matthew zbyt dobrze ukrywał swoje sekrety. Teraz dopiero uchylił rąbka tajemnicy. Czy to dobrze czy źle, że pozwolił mi je z sobą dzielić?

Tak czy inaczej ja też mam teraz pewien sekret. Na razie niewielki, ale mogę dowiedzieć się więcej. Zaczynam poznawać cię, Matthew. Po raz pierwszy odsłoniłeś swe prawdziwe wnętrze i choć jeszcze nie wiem, kiedy i w jaki sposób uda mi się wykorzystać swe odkrycia, czuję, że ta wiedza to jedyna broń, jaką teraz mam do dyspozycji. Broń, którą cię mogę pokonać. Wiem, że to moja jedyna szansa, i postaram się jej nie zmarnować. Wciąż jeszcze mam trochę czasu.

Życie potoczyło się znowu prawie tak samo jak dawniej. Mówię „prawie", bo zaszły jednak pewne zmiany. Nasz ojciec częściej teraz bywał w domu. Matka, która podczas ubiegłych paru miesięcy właściwie zniknęła nam z oczu, powróciła znów do dawnych praktyk: podjęła od nowa swe mechaniczne wędrówki, i to nie tylko z salonu do kuchni, lecz i po całym parterze. Zmiany objęły też piętro. Z pokoiku w końcu korytarza usunięto półki z książkami, a ich miejsce zajęło zniesione ze strychu łóżeczko. Rozwrzeszczany niemowlak, który czasem na tyle przestawał się wściekać, że zaczynał przypominać normalne dziecko, stał się nagle elementem codziennego życia. Przechodząc korytarzem obok jego białego pokoiku z niebieskimi zasłonkami w oknie — w tym samym odcieniu co kocyki — słyszeliśmy nieraz jego piski i wrzaski. Nasz lekarz rodzinny, potężny mężczyzna o suchych i zimnych dłoniach, który w naszej malutkiej i sennej wiosce nie miał pewnie nic lepszego do roboty, wpadł któregoś ranka z wizytą, popatrzył na dziecko i stwierdził, że mały jest zdrów jak ryba.

Dom z pięciorgiem mieszkańców stał się klaustrofobicznie ciasny, uciekaliśmy więc z niego jak najdalej — najczęściej do kamieniołomu.

W ogrodzie pojawiły się pierwsze osy; zaczęły penetrować drzewa owocowe i roić się z brzękiem wokół wszystkich rynien. Emocje związane z dzieckiem zdążyły już opaść, a ja przywykłem do myśli, że mam brata, choć jego obecność nie okazała się wcale tak zabawna, jak sobie wyobrażałem. Już choćby dlatego, że nie było wózka. Było jedynie nosidło, do którego matka wkładała czasami dziecko, by postawić je w słońcu na skraju trawnika. Już samo to było czymś niezwykłym; ogród na tyłach domu stanowił dotąd nasze terytorium, na które matka nigdy się nie zapuszczała.

Myślałem, że kiedy ukończę sześć lat, będzie całkiem inaczej niż wtedy, gdy miałem ich pięć, a tymczasem niewiele się zmieniło. Bawiłem się w te same gry, bałem tych samych rzeczy, lubiłem te same bajki. Myliłem się oczywiście. Proces mego rozwoju postępował naprzód i widać to było gołym okiem, tyle że ja później dopiero potrafiłem to dostrzec i ocenić — stosując przy tym rzecz jasna zupełnie inne kryteria.

Pamiętam naszą wyprawę na ryby. Za wzgórzem był staw, który jakoś szczególnie upodobały sobie cierniki. Pamiętam, że panował wtedy straszny upał, a słońce było tak ostre, że nawet przez liście prażyło mnie w plecy, ale kto by się tym przejmował. Chciałem dobrze przywiązać robaka do sznurka i to było najważniejsze. Tutejsze cierniki musiały być mało wymagające, bo żyły wśród starych butelek, kawałków jakiegoś żelastwa i mnóstwa zardzewiałych puszek. Te niewielkie rybki były tak żarłoczne, że gdy już chwyciły przynętę, za nic nie chciały jej puścić, nietrudno więc było wyciągnąć je z wody.

Wróciliśmy do domu zmęczeni, ale szczęśliwi. Matka przygotowała kolację, którą zjedliśmy w głuchym milczeniu. Nie staraliśmy się już od dawna zainteresować jej sobą ani tym, co robimy. Przed pójściem do łóżka Sophie opowiedziała mi bajkę o głupcu, który zdobył rękę księżniczki, ofiarowując jej w prezencie zdechłą wronę i trochę mułu. Tak mnie to ubawiło, że śmiałem się jeszcze przez sen.

W środku nocy jednak nawiedził mnie znów mój koszmar. Zaczął się jak zwykle szelestem na korytarzu, ale potem spostrzegłem, że mój pokój jest jakiś inny. Niebieskie zasłony wydawały się ciemniejsze na tle białych ścian, a dookoła siebie zobaczyłem pręty. Po chwili coś zasłoniło jasną szczelinę pod drzwiami — i Ol'Grady wkradł się do pokoju.

Sparaliżowany strachem, leżałem bez ruchu. Nie mogłem nawet odetchnąć. A straszna postać bez twarzy sunęła ku mnie pod ścianą, mamrocząc niezrozumiałym szeptem słowa jakiejś groźby. I nagle odżyły mi one w pamięci: „Jeśli będziesz niegrzeczny, Matthew, przyjdzie po ciebie Ol'Grady".

Wydałem zdławiony okrzyk — i nagle się obudziłem.

Musiałem narobić hałasu, bo gdy niezdarnie sięgnąłem po leżący obok inhalator, w korytarzu błysnęło światło i w drzwiach pojawiła się Sophie.

— Co z tobą, Mattie? — spytała szeptem, klękając przy łóżku. — Znów ci się przyśnił ten sen?

Mogłem w tym momencie tylko kiwnąć głową. Dopiero gdy wstrzyknąłem sobie w gardło drugą porcję sprayu, bolesne napięcie w piersiach zaczęło z wolna ustępować, tak że w końcu odzyskałem oddech.

— Już dobrze — mruknęła Sophie, odgarniając mi włosy z twarzy.

— Sophie, ja się boję. Tam... tam były pręty...

Natychmiast zrozumiała, o czym mówię.

— Dookoła ciebie?

— Tak.

— Cholera! Posłuchaj, Mattie, Ol'Greedy'ego już nie ma. On nie żyje, rozumiesz? To tylko zły sen. — Popatrzyła mi w oczy, jakby chciała mnie zmusić, żebym jej uwierzył, lecz widząc, że to na nic, znowu zaklęła przez zęby: — A niech to szlag! — Widziałem wyraźnie, że zmaga się z jakąś decyzją. — Lepiej się czujesz? — spytała po chwili.

— Tak. To chyba tylko zły sen.

Z uśmiechem potarmosiła mi włosy.

— Nie „chyba", ale „na pewno". Tak, Mattie. Ol'Greedy od dawna jest martwy. Chcesz zobaczyć?

Wytrzeszczyłem oczy: zobaczyć?

— Włóż jakieś spodnie i buty. I kurtkę. Na dworze jest chłodno.

— Wychodzimy z domu? — spytałem zdumiony. — W środku nocy?

— Nie szkodzi. Nic się nie martw, będę przy tobie. A teraz się ubierz.

— Dobrze. — Targały mną sprzeczne uczucia, ale nie mogłem przecież zrezygnować z takiej przygody. Choć nie miałem pojęcia, co zamyśla Sophie, już sama ta nocna wyprawa budziła we mnie tyle emocji, że chwilowo zagłuszyły strach. Sophie tymczasem poszła do swego pokoju, skąd wróciła w spodniach i kurtce, spod której wystawała bluza od piżamy. Gdy zacząłem niezdarnie wiązać sznurowadła, szybko i sprawnie zrobiła to sama. Byłem zaskoczony: co jej się stało? Zawsze pozwalała mi się z tym męczyć.

— Zrobione. Gotowy do wyjścia?

— Dokąd idziemy? — Moja ciekawość sięgnęła zenitu.

— Powiem ci po drodze, teraz bądź cicho. Chyba nie chcesz obudzić dziecka?

— Nie — wyszeptałem.

Zeszliśmy na dół do pustej i cichej kuchni. Sophie ostrożnie odryglowała drzwi i dała mi znak: idziemy. Choć na wygwieżdżonym niebie świecił księżyc, pod krzakami leżały cienie — głębokie i czarne jak smoła.

— Tak ciemno...

— Nic się nie bój, mam latarkę. Tędy. — Prowadząc mnie w stronę strumienia, zaczęła półgłosem mówić o Ol'Gradym. — Wiem, że to trudno zrozumieć, ale spróbuj. Ol'Greedy nie istnieje. Jest nieprawdziwy, tak samo jak bajki, rozumiesz?

— Rozumiem — bąknąłem bez przekonania.

— Ktoś go po prostu wymyślił, żeby straszyć dzieci. On jest... To tylko takie straszydło.

— Mam książkę o straszydle.

— Wiem. I chcę ci powiedzieć, że jeśli nawet ktoś straszył cię kiedyś Ol'Greedym, to więcej już tego nie zrobi. Uważaj, tu jest trochę ślisko.

Gdy przeszliśmy mostek, poprowadziła mnie dalej przez sad. Kilka stojących tu szop, których wcale się nie bałem, kiedy było widno, wyglądało teraz jakoś złowrogo. Sophie włączyła latarkę i cienie podskoczyły w górę jak czarne języki ognia. Na wszelki wypadek wziąłem ją za rękę.

Zaśmiała się cicho.

— Nie ma się czego bać. Ale trochę tu niesamowicie, co?

— Tak — powiedziałem słabym głosem.

— To nic, jestem przy tobie.

Przy ostatniej szopie stojącej przy samym murze Sophie wyjęła z kieszeni pęk kluczy i przyświecając sobie latarką zaczęła otwierać kłódkę.

— Nie będziesz się bał, co, Mattie? Pamiętaj, musisz być dzielny.

Gdy otworzyła drzwi szopy, przez moment nic się nie działo i nagle... nagle ze środka wysunęło się długie ramię. Serce stanęło mi najpierw ze strachu, a potem podeszło do gardła. Drzwi tymczasem otworzyły się na oścież i na ich tylnej stronie zobaczyłem skórę Ol'Grady'ego!

— Widzisz? — zaśmiała się Sophie, kierując na nią światło latarki.

Spojrzałem uważniej. To nie była skóra, tylko jakiś płaszcz.

— Chodźmy do środka.

Wciąż jeszcze sztywny ze strachu, poszedłem za nią do szopy. Starannie zamknęła drzwi i umieściwszy latarkę na półce, usiadła na brzegu jakiegoś wielkiego bębna. Przez chwilę trwało milczenie.

— No i co to jest? — spytała po paru minutach. — Przyjrzałeś się dobrze?

— To... to jest płaszcz — szepnąłem.

— Ale ty pomyślałeś, że to coś innego, prawda?

— Nno tak... Bo strasznie wygląda.

— A cóż strasznego może być w płaszczu? Ten jest po prostu tylko trochę inny, bo to specjalny płaszcz przeciwdeszczowy. Sztormiak. Tak nazywają go ludzie, którzy pływają na kutrach. Jest bardzo długi, widzisz? Żeby woda nie moczyła kolan.

Po tym całkiem przyziemnym opisie skóra Ol'Grady'ego utraciła trochę swojej grozy. Przestałem kurczowo ściskać rękę Sophie, choć nadal nie chciałem jej puścić.

— To po prostu płaszcz — powtórzyła. — Jeśli go włożysz normalnie, będzie wyglądał jak zwykły deszczowiec. Tutaj ma kaptur, widzisz?

— Mhm.

— Poczekaj chwileczkę. — Zdjęła płaszcz z kołka i trzymając w ręku, podniosła go z wolna do góry. — Na mnie jest znacznie za długi. Wyglądałabym w nim jak karlica. — Zachichotałem nerwowo. — Może ty byś chciał go przymierzyć?

— Sam nie wiem... — Wciąż jeszcze trochę się bałem, ale ślepa panika już mnie opuściła. Powoli wyciągnąłem rękę i dotknąłem płaszcza. Materiał był gruby i gładki.

— No, spróbuj! Nic ci się nie stanie — zaczęła zachęcać mnie Sophie, a kiedy kiwnąłem głową, pomogła mi włożyć płaszcz. Był tak długi, że wlókł się za mną po ziemi. — No i widzisz? To tylko płaszcz.

— Tylko płaszcz! — powtórzyłem, śmiejąc się z ulgą. — Zwyczajny płaszcz!

— Chciałbyś poudawać Ol'Greedy'ego?

— Pewnie. Ale jak?

— Zdejmij go. A teraz włożymy go tyłem do przodu. Prawda, że teraz nie wygląda już wcale jak płaszcz? A jeśli na głowę naciągniesz kaptur, będzie się wydawało, że nie masz twarzy. Spróbujesz?

Wciąż trochę nerwowo nałożyłem kaptur. Zrobiło mi się duszno, poczułem też jakby lekki zapach potu. Poprawiając kaptur, znalazłem w nim małe pęknięcie, przez które można było patrzeć.

— Wiesz, jak teraz wyglądasz, Mattie? Okropnie. Zupełnie jak duch. Musisz tylko jeszcze pojęczeć.

— Hu, huu! — jęknąłem cicho.

— Głośniej! Tak to cię nikt nie usłyszy.

Wydałem z siebie ponure wycie.

— Teraz dużo lepiej. Teraz już z ciebie prawdziwy duch.

— Naprawdę?

— O tak, można się ciebie przerazić.

Pomachałem rękami.

— Naprawdę jestem taki straszny?

— Jeszcze jak! A teraz wyobraź sobie, że tak ubrany wchodzisz do pokoju dziecka, które chcesz przestraszyć. Nie powinno widzieć zapięcia, więc idziesz z plecami przy ścianie, rozumiesz?

— Jak będziesz niegrzeczny, Matthew, przyjdzie po ciebie Ol'Grady — zahuczałem grobowym głosem, po czym zdjąłem kaptur. — Więc Ol'Grady nie jest prawdziwy?

— Pewnie, że nie. To tylko ten stary płaszcz. Głupie, co?

— Całkiem głupie. — Zamilkłem na chwilę, bo nagle coś przyszło mi na myśl. — A te pręty...

— Te, które widziałeś we śnie?

— Tak. To mogły być pręty od łóżeczka. Takiego jak teraz ma dziecko.

— Masz rację, Mattie. Myślę, że ktoś cię straszył, kiedy byłeś jeszcze malutki.

— Ale to było bardzo dawno temu, a teraz Ol'Grady'ego nie ma. — Po tych słowach ziewnąłem szeroko. — Teraz już chyba rozumiem.

— Chcesz wrócić do łóżka?

— Tak. — Ziewnąłem po raz drugi i zdjąłem płaszcz. — Powieś Ol'Grady'ego.

Gdy wyszliśmy z szopy, zaczynało świtać. Poświeciłem Sophie, żeby łatwiej jej było trafić kluczem w kłódkę, a potem szybkim marszem ruszyliśmy do domu. Było zimno.

— Lepiej ci teraz? — spytała Sophie, kiedy leżałem już w łóżku.

— Tak.

— To dobrze. Jesteś bardzo dzielny.

Zarumieniłem się z zadowolenia.

Sophie cichutko zamknęła drzwi. Usłyszałem jeszcze lekki odgłos kroków, delikatne szczęknięcie klamki — i zasnąłem.

Nerwowo pociera jedną rękę o drugą, w jego głosie wyczuwam napięcie. Zamieram pod swoją ścianą, starając się żadnym słowem czy gestem nie zdradzić tego, co myślę.

— Mogłaś mieć wtedy najwyżej pięć lat. Coś ty zrobiła, Sophie? W jakiż to sposób wykończyłaś Ol'Grady'ego? — Milknie na chwilę, po czym zaczyna się śmiać, gorzko i nieprzyjemnie. — Zawsze miałem wrażenie, że ona się ciebie boi. Że to, co do ciebie czuje, bliskie jest nienawiści, ale strach pęta jej ruchy... Która z was była ofiarą? Możesz mi to powiedzieć? Owszem, z początku byłaś nią ty, role się jednak zmieniły, i to cholernie szybko. Ol'Grady nagle przestał istnieć, a z matki pozostał cień. Pusta muszla. Prawda, że i wtedy miała w sobie jeszcze dość trucizny, ale w porównaniu z tym, co było dawniej, musiał to być drobiazg. Ty pamiętasz ją z tamtych czasów, prawda, Sophie? No więc jak to się stało?

— Nie wiem, o czym mówisz. — Chyba jednak wiem, a przynajmniej zaczynam się domyślać.

— O tym, że poradziłaś sobie z Ol'Gradym, a ją wepchnęłaś do tego stęchłego salonu. Z koszmarami niestety nie poszło ci już tak gładko. Ich nie zdołałaś powstrzymać. Było już za późno. Pozostały wspomnienia, a z tym trudno walczyć. Wspomnienia to wytwór umysłu, a nie żywi ludzie. One się tak łatwo nie poddają. Musiałaś być wściekła, kiedy nie udało ci się ich pokonać. Uznałaś to za porażkę, a ty nie lubisz przegrywać.

— Bo nie lubię tracić kontroli nad sytuacją?

— Właśnie.

Uśmiecham się lekko do siebie.

— Poczułaś się urażona. Rozumiem to, Sophie. Wiem, jak się wtedy czułaś.

Ile on wtedy rozumiał? — przychodzi mi nagle na myśl. Ile naprawdę wiedział? Och, Matthew, czy rzeczywiście byłeś tak naiwny, że nie miałeś pojęcia, kim jest prawdziwy Ol'Grady? A może po prostu chciałeś uchodzić za niewinne dziecko? A jeśli tak było naprawdę? Na samą tę myśl czuję ciarki. Cóż, trudno tu o pewność, znam przecież tylko jego wersję, ale ta ostatnia kwestia... Czyż nie było to półwyznanie...?

— Poszedłem do kamieniołomu — rzuca po pauzie. Nie widzę związku między tą wypowiedzią a poprzednią, czekam więc na jakiś ciąg dalszy. Nic z tego. Matthew podnosi się z podłogi, wolnym krokiem przemierza kuchnię, a potem zaczyna znowu wypatrywać czegoś za oknem. Błyskawice są teraz rzadsze, a w ciemnej szybie nie widzę wyrazu jego twarzy. Czego on szuka? I nagle już wiem: patrzy w stronę kamieniołomu. Za oknem panuje względna cisza, jeśli nie liczyć szumu ulewy niosącego się echem po domu. W starych ścianach coś skrzypi i szemrze. Przez tę chwilę, gdy Matthew stoi bez ruchu przy oknie, mam wrażenie, że jestem tu sama. Zaczyna dławić mnie w gardle. Jeszcze moment i wybuchnę płaczem. Mam na to taką ochotę! Opuścić głowę i zapomnieć, gdzie jestem! Nie. To byłby błąd. Muszę wziąć się w garść.

— Co tam widzisz? — pytam.

Wydaje się zaskoczony dźwiękiem mego głosu.

— Niewiele — odpowiada, rozglądając się dookoła. — Za mocno leje... — Urywa z roztargnieniem i znów patrzy w okno. Stoi tak jeszcze przez chwilę i wreszcie decyduje się wrócić na miejsce. Gdy powoli siada na podłodze, na ścianie wyrasta jego długi, chybotliwy cień, a mnie przychodzi na myśl Ol'Grady. Wyobrażam sobie, jak skrada się pod ścianą malutkiej sypialni, gdzie w łóżeczku z białymi prętami leży mały przerażony chłopiec.

*

Lato dobiegało końca. Czasami od farmy niósł się zapach ognisk.

To stało się w nocy. Zbudziła mnie Sophie, szarpiąc gwałtownie za ramię. Słychać było warkot samochodów, trzask zamykanych drzwi, czyjeś głosy. Przed domem stał biały ambulans. Na dole było pełno ludzi, a wśród nich doktor Roberts. Weszliśmy do kuchni, gdy tłumaczył matce, co to jest śmierć łóżeczkowa. Że może się to zdarzyć w każdej chwili całkiem bez powodu i że nie mogła nic zrobić. Ojca nie było w domu. Matka siedziała przy stole nieruchoma jak posąg. Jej splecione ręce pasowały do tego obrazu — były białe i martwe jak rzeźba. Wymknęliśmy się z kuchni, aby usiąść na schodach.

— Więc dziecko nie żyje?

— Tak — odrzekła Sophie.

— Och!

Z dołu nadal słychać było głosy, a potem zaskrzypiał żwir na podjeździe — przyjechał kolejny samochód.

— Czy mama jest zdenerwowana?

— Nie wiem.

— Doktor Roberts powiedział, że nie można było nic zrobić.

— Tak, słyszałam.

Trzasnęły jakieś drzwi, jacyś ludzie biegali po domu. Nie zwracali na nas uwagi, więc siedzieliśmy cicho na schodach i tak nam minęła ta noc.

ROZDZIAŁ SIÓDMY

Desperacko próbuję wypełnić czymś ciszę.

— Jak się wtedy czułeś? — pytam wreszcie.

— Już nie pamiętam. — Jego głos brzmi szorstko, nieprzyjemnie. — Od tego czasu wiele się zdarzyło, nie uważasz? Myślisz, że takie to łatwe przekopać się przez to wszystko?

— A nie mógłbyś... jednak spróbować?

Wzdycha niecierpliwie.

— Nie wiem, co wtedy czułem. Pewnie coś w rodzaju zawodu. Nic szczególnego. Ale tak samo było ze wszystkimi. Wszyscy wydawali się obojętni.

— Może po prostu ukrywali swoje uczucia?

— Skąd mogę wiedzieć. Byłoby to bardziej... ludzkie, prawda? Cóż, może tak było.

Jego oczy błyskawicznie obiegają kuchnię — jakby czegoś szukał.

— Uczucia — rzuca gorzko. — Gdy na pogrzebie mamy zobaczyłem znów Caitlyn, wydała mi się całkiem inna... znacznie starsza niż przedtem, ale nie tylko. Popatrzyła na mnie i albo mnie nie poznała, albo udała, że nie zna. Towarzyszył jej jakiś mężczyzna. Chyba mąż. — Z irytacją przebiega palcami po włosach. — Nieważne. To, że mnie nie poznała, było mi zupełnie obojętne. Stała się dla mnie przeszłością jak wszystko, co przemknęło przez nasze życie, aby zniknąć z niego bezpowrotnie. Jakie to dziwne. Nie wyglądała na szczęśliwą i to mi sprawiło przyjemność.

— A teraz? Też byś się z tego cieszył?

— Nie sądzę, ale wtedy, cóż... Miałem zaledwie jedenaście lat. Wszystko dookoła waliło się w gruzy. Przecież wiesz. A Caitlyn... Może uważałem, że los ją ukarał, bo sobie na to zasłużyła.

— Za co?

— Och, zamknij się, do cholery! — Znów gniewnie przegarnia włosy, chwyta się za głowę i przestaje mówić. Chyba po raz drugi dotknęłam czegoś groźnego.

Gdybyż ten Matthew był bardziej przewidywalny! Niestety. Przerażają mnie te nagłe zmiany nastrojów, to przeskakiwanie z tematu na temat. W chwilach gdy obiektywizm zwycięża we mnie nadzieję, widzę coraz wyraźniej, w jak krytycznej jestem sytuacji. Grozi mi większe niebezpieczeństwo, niż początkowo myślałam, a szanse na wyjście z opresji są bardzo wątpliwe. Nie mam przecież żadnej gwarancji, że to, co próbuję robić, jest akurat najmądrzejsze. Może zamiast biernie obserwować Matthew i czekać na jakiś cud, powinnam mu się przeciwstawić? Zaciskam prawe oko i w zranionym policzku znowu odzywa się ból. Nie, to na nic. Próbowałam już konfrontacji — i oto skutki.

Ogarnia mnie coraz czarniejszy pesymizm; zaczynam myśleć, że utknęłam w pułapce bez wyjścia, że sama nic więcej nie mogę już zrobić, a jedyną nadzieją, jaka jeszcze mi pozostała, jest Matthew. Czy to nie śmieszne — liczyć na swego wroga? A jeszcze śmieszniejsze, że nawet nie wiem dokładnie, przed czym próbuję uciec.

I czym ja próbuję się bronić? Jakie są moje aktywa? Opuchnięty policzek? Świadomość, że za tym oknem istnieje realny świat? Strzępy informacji, które — jak sobie wmawiam — ułożą się w końcu w na tyle zrozumiałą całość, że je będę mogła wykorzystać? A jeśli się nie ułożą? Jeśli z tego, co mówi Matthew, nie wyniknie nic sensownego, bo on jest po prostu szalony? Cóż za piekielny paradoks: wygląda na to, że aby uwolnić się z rąk szaleńca, zmuszona mu będę zaufać — bez względu na wszelkie opory. Czy potrafię się na to zdobyć? Potrafisz, mówię sobie, zagryzając wargi aż do bólu, musisz być silna.

— O czym tak myślisz? — pyta.

— O niczym.

— Powiedz!

— Naprawdę o niczym. Jestem zbyt przerażona, żeby myśleć.

Widzę, że jest zaskoczony.

— Nie musisz się mnie obawiać. No ale przynajmniej byłaś teraz szczera. To dobrze.

Szczera? Ogarnia mnie pusty śmiech. Wcale nie zamierzałam tego powiedzieć, po prostu mi się wymknęło. Prawdą jest jednak, że strach rzeczywiście przeszkadza mi myśleć. Gwałtownie przytomnieję: co ja robię? Jeśli będę mówić, co mi ślina przyniesie na język, prędzej czy później skończy się to błędem, który może mnie drogo kosztować. Myśl ta sprawia, że śmiech zamiera mi w gardle.

Lata między śmiercią dziecka a dziewiątą rocznicą moich urodzin nie przyniosły mi ani wielkich radości, ani wielkich smutków, a wszystko, co się wtedy działo, stopiło się z sobą, pozostawiając w pamięci zaledwie kilka obrazów. Widzę je wszystkie, gdy zamykam oczy. Widzę siebie śledzącego dzikie króliki na polu po drugiej stronie uliczki. Fragment jakiejś gry na boisku, w której raz przynajmniej okazałem się najlepszy. Naburmuszoną Sophie, gdy jako dziewięciolatka musiała nosić aparat na zębach z powodu drobnej wady zgryzu i strasznie ją to złościło, chociaż nikt się z niej nie wyśmiewał. Dziewczynę imieniem Elizabeth Anne, z którą w drodze ze szkoły trzymaliśmy się za ręce, a ja modliłem się w duchu, żeby ktoś nas czasem nie zobaczył. Przerażonego ptaka, który wpadł do kuchni przez otwarte okno i jego szaleńczo bijące serduszko, nim wypuściłem go z ręki. No i to, że po raz pierwszy poszedłem do szkoły w długich spodniach — bo oczywiście urosłem. Lubię te wspomnienia. Jest w nich tyle spokoju i ciepła.

Przez cały ten czas było nas wciąż tylko dwoje. Letnie wakacje, podczas których Sophie skończyła jedenaście lat, a ja dziewięć, upłynęły nam w tych samych miejscach co przedtem, tyle że nasze zabawy były już trochę inne. A potem nadeszła jesień.

W drodze ze szkoły otaczał nas zapach płonących na polach ognisk. Było wciąż jeszcze widno, choć na zachodzie nisko wisiały srebrzyste chmury. Żywopłoty i zarośla na poboczu drogi mieniły się jesienną czerwienią i złotem, a na kasztanowcach widać było mnóstwo kolczastych owoców. Na lekcjach przyrody przerabialiśmy właśnie rozdział o owocach i nasionach, znałem więc nazwy kilku najpospolitszych gatunków rosnących w naszej okolicy, jak również sposoby ich zapylania. Wiedziałem, że na przykład taki jawor czy mlecz-dmuchawiec, fachowo zwany mniszkiem lekarskim, mają ułatwioną sytuację, bo to wiatr roznosi ich nasionka, ale już takie rośliny jak nasz ostrokrzew muszą radzić sobie inaczej. Wracając ze szkoły, gawędziliśmy o tym i o innych sprawach — jakie dostaliśmy stopnie, których nauczycieli najbardziej lubimy i co ciekawego zdarzyło się w klasie — bo wtedy dopiero mogliśmy sobie pogadać. Starsi uczniowie bardziej przestrzegali barier wiekowych, zdarzały się więc nawet takie dni, gdy nie mogłem zamienić z Sophie ani słowa. Podczas przerw prawie zawsze otaczali nas koledzy.

Chyba w miesiąc po rozpoczęciu roku szkolnego przekazałem jej ważną nowinę: buduję samolot.

— Tak? A dokąd to zamierzasz lecieć?

— Bardzo śmieszne! Przecież to model. Z prawdziwego drzewa balsa. Budujemy go we czterech i mamy w tej chwili już prawie gotowe skrzydła. Trzeba je teraz oblepić papierem, polakierować, no i namalować znaki.

— Doprawdy? Kiedy zamierzacie ukończyć to cudo?

— Już wkrótce. Myślę, że będzie gotowy przed końcem pierwszego semestru — odrzekłem beztrosko, choć sytuacja nie przedstawiała się wcale tak różowo. Zamiast pracować, kłóciliśmy się o to, jak ma wyglądać kamuflaż i kto go zaprojektuje. W tych warunkach podany przeze mnie termin był stanowczo zbyt optymistyczny.

— Chętnie zobaczę ten samolot, kiedy go już skończycie — powiedziała Sophie i nagle zmieniła temat. — Widzisz? — spytała, wskazując ręką jakiś punkt za wzgórzem.

— Co mam widzieć? — Była tam tylko ta farma, z której kradliśmy cegły.

— Została podobno sprzedana. Wiem to od Tessy, a ona od swego ojca, który tam czasem pracuje. Zaczyna tu działać jakaś wielka korporacja. Nie wiem, jakie mają plany, ale kupili tę farmę i najwyraźniej chcą kupić więcej. Całą tę ziemię — zatoczyła ręką wielki krąg.

— Myślisz, że nasz dom też by chcieli kupić?

— Wątpię. Stoi trochę za daleko. W każdym razie nic takiego nie słyszałam. Nie przypuszczam zresztą, żeby ten kawałek mógł im się na coś przydać. Cały nasz grunt, jak widzisz, leży w takim śmiesznym dołku, w dodatku przecina go strumień. Nie jest to chyba dogodne miejsce pod jakąś poważną budowę.

— I dlatego te pola nie są obsiane? Bo ktoś planuje tam jakąś budowę?

— Te za naszym domem? Pewnie tak. Z tamtymi będzie to samo — dodała, machając ręką w stronę gruntów uprawnych za drogą — i to już niedługo. Mówię ci o tym, bo choć nas to nie dotyczy, dobrze wiedzieć o takich rzeczach. Zawsze to coś nowego. Tak mało się tutaj dzieje.

— Podobno wzywał cię dziś dyrektor.

— To prawda.

— Po co?

Sophie uśmiechnęła się szeroko.

— Wszystko musisz wiedzieć? Dobrze, niech ci będzie. Chciał pomówić o moich planach. No wiesz, gdzie zamierzam iść po tej szkole i takie tam. W przyszłym roku mam przecież egzamin.

— Nie mógł porozmawiać o tym z mamą?

— Myślę, że już to zrobił. Oboje pewnie uważają, że mogę zdobyć stypendium. Oznaczałoby to dodatkowe lekcje, no i mnóstwo kucia.

— I co? Zamierzasz spróbować?

— Jeszcze nie wiem, wiem za to dobrze, dlaczego Fergusowi tak na tym zależy. Wyobrażasz sobie, jak wzrósłby prestiż tej jego zakichanej szkółki? Bo nie chodzi przecież o pieniądze. Słyszałeś, żeby matka narzekała kiedyś na opłaty za szkołę czy coś takiego? Nigdy. Powodzi nam się na tyle dobrze, że żadna pomoc nie jest nam potrzebna. Dlatego naprawdę nie wiem... Nie wiem, czy chcę mieć stypendium.

— No to co chcesz zrobić? Udawać głupią?

— Coś w tym rodzaju. Skoro im się wydaje, że już wszystko ułożyli między sobą, to świetnie. Niech sobie dalej tak myślą, a ja... Ja się zastanowię.

Przez chwilę szliśmy w milczeniu, podziwiając fale światła i cienia przemykające na przemian po zboczu pagórka. Zerwał się wiatr. Drzewa na szczycie wzgórza kołysały się jak łan pszenicy.

— Kiedy zbudujemy ten samolot, mógłbym go wypróbować nad kamieniołomem. Ciekawe, czy poleci.

— Pewnie, czemu nie? Tylko bardzo cię proszę, nie przyprowadzaj kolegów, co Mattie? Miejmy to miejsce tylko dla siebie.

— Dobrze. Gdybyśmy zdążyli ukończyć wszystko w terminie, może by się dało wypożyczyć go na parę dni. Zrobiłbym wtedy próbę. Pod warunkiem oczywiście, że nie będzie padać — dodałem z powątpiewaniem.

— Nikt nie może być pewny, co przyniesie mu jutro. Przyszłość to sprawa nieprzewidywalna — filozoficznie stwierdziła Sophie. — Nie można jej sobie nawet wyobrazić. Tak mówi teoria chaosu.

Minęliśmy drugi łagodny zakręt, zza którego wyłonił się nasz dom wciśnięty pomiędzy ogrodowe drzewa zarastające długim pasem całą niewielką nieckę. Na podjeździe stał samochód ojca.

— Tata? Jak myślisz, co on tu robi?

— Bóg raczy wiedzieć. Kolejna zaskakująca wizyta. Ale może dostaniemy porządną kolację — szorstko odrzekła Sophie.

— To nie jego wina... — bąknąłem niepewnie.

— To znaczy co? — spytała ostro, unosząc w górę jedną brew.

— Że tak często nie ma go w domu.

— Doprawdy? A jak myślisz, dlaczego tak jest? Wydaje ci się, że to praca nie pozwala mu z nami mieszkać?

Nie miałem pojęcia, co powiedzieć, więc gapiłem się na nią bezradnie.

— Cholera jasna, Mattie, przecież tak chyba nie myślisz? O Jezu! A nie przyszło ci nigdy do głowy, że on po prostu nie lubi być z nami?

— Ja... nie wiem.

Westchnęła ciężko, zaraz jednak łagodnie poklepała mnie po ramieniu.

— Przepraszam, Mattie. Nie chciałam być taką jędzą.

— Nic się nie stało. — W stronę lasu leciał akurat klucz jakichś ptaków; odprowadziłem je wzrokiem aż do miejsca, gdzie znikły mi z oczu.

— Hej — odezwała się Sophie — czy już ci mówiłam, że dostałam okres?

— Naprawdę?

— Naprawdę. Chyba pierwsza w klasie.

— No i jak to jest?

— Dziwnie. Ale to nic strasznego. Czytałam o tych bólach i skurczach, więc trochę się tego bałam. Niepotrzebnie.

— Powiedziałaś mamie?

— Nie, a po co? I niby jak bym to miała powiedzieć? Wejść do salonu i palnąć taką oto mówkę: „Dzień dobry, mamusiu, czy wiesz, że twoja córeczka jest od dzisiaj prawdziwą kobietą?" O nie! — roześmiała się głośno. — Użyłam papieru toaletowego, a potem poszłam do miasta i kupiłam sobie co trzeba.

— Skąd wzięłaś pieniądze?

Popatrzyła na mnie jakoś dziwnie.

— Miałam oszczędności. Czemu pytasz? Myślisz, że je zwędziłam?

— Ależ skąd! Nie miałem tego na myśli.

— Och do diabła, to prawda! Pewnie, że je świsnęłam, no ale powiedz: kto by się o mnie zatroszczył? Przecież nie matka. Musiałam sama o siebie zadbać. Tak właśnie brzmi pierwsze prawo tego domu: naucz się sam dbać o siebie. — Poczułem żwir pod stopami: weszliśmy już na podjazd.

— Poczekaj, Mattie, chcę ci powiedzieć coś jeszcze. Gdybyś potrzebował pieniędzy, to sam nie kombinuj, na litość boską! Wszystko byś spieprzył. Powiedz mi tylko ile, to dam ci trochę ze swoich.

— Dobrze. — Starałem się nie okazać, jak bardzo jestem zszokowany. — Sophie? — rzuciłem z wahaniem, zatrzymując się tuż przed wejściem.

— Tak?

— Jak... Jak to zrobiłaś? Wyjęłaś jej z torebki?

— Nie, głuptasie — odrzekła z uśmiechem, gładząc mnie znów po ramieniu. — Od razu by zauważyła. Pożyczyłam sobie jej kartę. Kod był zapisany w książce telefonicznej, że to niby numer telefonu. Kiepski pomysł: bo nie było regionalnego prefiksu, a poza tym tutejsze numery są pięciocyfrowe. No dobra, chodźmy coś zjeść.

Przez cały wieczór nie dawało mi spokoju to, co Sophie mówiła o ojcu. Czy on nas naprawdę nie lubi? Już leżąc w łóżku, doszedłem do wniosku, że ona ma rację i zrobiło mi się strasznie głupio: czemu sam na to nie wpadłem? Pięcioro dzieci z mojej klasy pochodziło z rozbitych rodzin; ich rodzice byli rozwiedzeni albo żyli w separacji, ja jednak nigdy nie myślałem o sobie w ten sposób. Moi rodzice nie są w separacji; ojciec po prostu rzadko bywa w domu. Teraz jednak, gdy zostałem zmuszony spojrzeć trochę inaczej na dziwne stosunki panujące między mymi rodzicami, nie mogłem już myśleć, że tak luźny układ to rzecz normalna — i nagle ogarnął mnie strach. W końcu zwierzyłem się Sophie z tych obaw. Szliśmy skrajem lasu, zbierając nasiona do jakiegoś szkolnego projektu, który miałem przedstawić na lekcji.

— Jest takie przysłowie, które mówi, że skrzypiące wrota wiszą najdłużej — odrzekła. — Znaczy to, że chociaż coś wygląda kiepsko, może jednak przetrwać wiele lat i odwrotnie: to, co z wierzchu błyszczące i śliczne, w środku bywa spróchniałe.

— Chciałbym, żeby to była prawda — westchnąłem. — Nie byłoby miło, gdyby się rozwiedli.

— Romantyk z ciebie, co? Pewnie, że rozwód to nic miłego, ale mógłbyś powiedzieć tak z ręką na sercu, że nasza mamuśka jest miłą osobą?

— Myślisz, że to jej wina?

— Tak! — odrzekła krótko i ostro.

Zdążyliśmy już zebrać pół torby rozmaitych nasion — skrzydlatych i włochatych — gdy znaleźliśmy się obok zwalonego drzewa, gdzie dwa lata temu siedzieliśmy z Caitlyn. Z tego miejsca widać było farmę.

— Myślisz, że jest pusta? — spytałem.

— Nie wiem, ale są tam kasztany. Kasztany to też nasiona.

— Możemy tam pójść?

— Jeśli masz ochotę... Widzę tam kasztany prawdziwe i te zwykłe. Kasztanowce. Pieczone kasztany, te jadalne, są pyszne. Fajnie byłoby urządzić sobie kasztanową ucztę. Chciałbyś?

— Pewnie!

— No to chodźmy. Po drodze rzucimy okiem na farmę.

Już wtedy zacząłem podejrzewać, że Sophie tak naprawdę przyprowadziła mnie tu głównie po to, żeby się przekonać, czy ta stara farma faktycznie została sprzedana. Przedostanie się na jej teren kosztowało nas trochę wysiłku. Musieliśmy wpierw przepełznąć pod ogrodzeniem z drutu kolczastego, a potem przeleźć górą przez dość wysoki kamienny mur, aby znaleźć się w końcu na krętej ścieżce biegnącej od drogi do zabudowań. Trzy prawdziwe kasztany rosły trochę dalej, kasztanowiec natomiast znajdował się w zasięgu ręki. Spędziliśmy przy nim fajne pół godziny, przydeptując kolczaste zielone kule i trąc je o ziemię, dopóki nie pękły. Kasztany były piękne: brązowe i lśniące. Szybko wypełniłem nimi torbę, chowając najładniejsze do kieszeni. Z jadalnymi nie poszło tak dobrze: w wielu łupinach tkwiły jedynie malutkie nasionka, cienkie jak opłatek, uznaliśmy jednak w końcu, że i tego, co mamy, wystarczy na porządną ucztę.

— Teraz możemy obejrzeć farmę — zadecydowała Sophie.

Nie wyglądała imponująco. Zabudowania były niskie, szare i bez porównania mniejsze od widocznych po przeciwnej stronie drogi budynków innego farmera, wśród których stało kilka czerwonych traktorów, a na płocie siedział jednooki, złośliwie syczący kot. Tu stały tylko dwa domki, dalej buda, w której ktoś pozostawił parę baryłek ropy, i prostokątna stodoła z falistej blachy. Z zachowaniem wszelkich środków ostrożności weszliśmy na podwórze i upewniwszy się, że nie ma tu żywego ducha, zaczęliśmy dokładniej badać teren. Jeden budynek miał zabite okna, drugi, w którym pewnie mieszkał gospodarz, był zupełnie pusty, stodoła natomiast zamknięta na kłódkę. Mimo to Sophie wcale nie wyglądała na rozczarowaną.

— Na dziś wystarczy. Wracajmy do domu, zanim się ściemni. A w sobotę pójdziemy do kamieniołomu i będziemy tam piec kasztany. Co ty na to?

— Wspaniale!

— Znacznie wcześniej ode mnie zrozumiałaś, co dzieje się w naszej rodzinie. Tak zresztą było ze wszystkim. Nie zostawiałaś mi zbyt wiele pola dla własnych odkryć — rzuca z wyraźnym przekąsem.

Boję się go rozzłościć, więc milczę. Myślałam, że cała panika już ze mnie wyparowała podczas tej burzliwej, zakończonej policzkiem kłótni, ale chyba się pomyliłam. Czuję, że znów narasta, by lada moment wydobyć się na powierzchnię. Och, nie! Muszę zachować spokój — przynajmniej pozorny. Teraz nie wolno mi pęknąć. Mattie wciąż mówi.

— Jedyne moje odkrycie dotyczyło ciebie, ale nawet i wtedy właściwie prowadziłaś mnie za rękę. — Uśmiecha się lekko. — Tak było, prawda?

— Masz na myśli te zapiski ukryte w kamieniołomie?

— Nic ci nie jest, Sophie? — Skąd to pytanie? Czyżby głos mnie zdradził?

— Nie, czuję się całkiem dobrze. — Jednocześnie uświadamiam sobie, jak idiotycznie brzmi to w mojej sytuacji, i omal nie parskam śmiechem.

— Skoro tak mówisz... Rzeczywiście miałem na myśli twoje „księgi". Powinienem był zając się nimi wcześniej, ale wiesz... tyle się działo...

Nie bardzo rozumiem, o co mu chodzi, mimo to kiwam głową, aby go zachęcić do mówienia.

— Chyba straciłem wątek — rzuca z roztargnieniem — a chciałem cię o coś spytać. O czym to ja mówiłem? Aha, o tej stodole... Ale nie o to chodzi. To było coś ważniejszego. — I nagle wlepia we mnie szeroko otwarte oczy: — Powiedz mi, Sophie, dlaczego tak bardzo sprzeciwiałaś się wszelkim zmianom?

Kompletnie zaskoczona tym pytaniem, odpowiadam bez namysłu:

— Bo się bałam.

Matthew na moment zastyga w bezruchu, a potem opuszcza ramiona powolnym, ledwo dostrzegalnym gestem.

— Tak myślałem. — Czyżby był tym rozczarowany?

W sobotę rano staliśmy znów przed stodołą, przyglądając się kłódce wiszącej na mocnym podwójnym łańcuchu. Sophie, potarłszy się palcem po nosie, szarpnęła nią mocno, acz bez przekonania.

— Nic z tego, ale nie ma się czemu dziwić. Któż by zostawiał otwarte drzwi? Sprawdźmy, jak jest z boków.

Powoli obeszliśmy całą stodołę. W miejscach gdzie ściany stykały się z ziemią, wyrosły dorodne pokrzywy; karbowana blacha przerdzewiała gdzieniegdzie na wylot, ale cała konstrukcja sprawiała wrażenie solidnej.

— Nie widzę tu innego wejścia — mruknąłem.

— Bo go nie ma. Chodźmy. — Poszliśmy do szopy, gdzie stały te baryłki z ropą i gdzie Sophie po krótkich poszukiwaniach znalazła zardzewiałą, mniej więcej półmetrową rurkę.

— Co powiesz na małe włamanie?

— Tym chcesz rozwalić łańcuch?

— Nie łańcuch, głuptasie. Spójrz na te blaszane płyty: są połączone śrubami. Myślę, że uda nam się poutrącać główki. — Skrzywiła się lekko. — Lepszy byłby śrubokręt albo jakieś dłuto, więc jeśli tym nie damy rady, trzeba będzie przynieść coś z kamieniołomu.

Zaczęliśmy znowu okrążać stodołę, szukając najlepszego miejsca.

— Może spróbujemy tutaj? — zaproponowałem.

— Odpada. Tę stronę świetnie widać ze wsi, a nie byłoby dobrze, gdyby ktoś zobaczył, że bawimy się w cudzej stodole. Nie, Mattie, musimy mieć wejście od strony wzgórza. O, popatrz, tutaj! Co o tym myślisz?

Przyjrzałem się wskazanemu arkuszowi blachy — wyglądał tak samo jak reszta.

— Czemu nie? Jak myślisz, co tam może być?

— Skrzynia pełna złota i trzy księżniczki, jedna piękniejsza od drugiej — odrzekła Sophie, a widząc moją minę, wybuchnęła śmiechem. — Zastanów się, Mattie, cóż my możemy tam znaleźć? W najlepszym razie trochę spleśniałego siana. No, bierzmy się do roboty.

Z ogromnym zapałem i równym mu poświęceniem zaczęliśmy na zmianę walić rurką w śruby. Spodziewałem się, że od tych uderzeń stodoła zacznie dźwięczeć jak potężny gong, ale nie; blacha wydawała jedynie bardzo niskie, stłumione brzęknięcia. Pierwsza główka od śruby musiała być kompletnie przeżarta rdzą, bo prawie od razu odpadła. Druga również, jednak w miarę posuwania się w górę następne stawiały coraz większy opór, aż wreszcie gdzieś na wysokości siedemdziesięciu chyba centymetrów znalazła się taka, która za nic nie chciała puścić.

— Na razie ją zostawmy — zadecydowała Sophie. — Zajmiemy się sąsiednią płytą. Jeśli uda nam się wyłamać wszystkie śruby z jej drugiego boku, spróbujemy odgiąć całą blachę i w ten sposób wyważyć to uparte draństwo.

Powoli udało nam się to zrobić: śruby z drugiego rzędu potraciły łebki i wypadły.

— Dobra — powiedziała Sophie, odkładając rurkę. — Teraz chwyćmy tę płytę od dołu i zacznijmy nią ruszać. Powinniśmy wyważyć przedostatnią śrubę — wskazała ją palcem — a zostawić tę w górnym rogu. Będzie działać jak zawias, rozumiesz?

— Tak. — Chwyciliśmy płytę za rogi.

— Gotowy? No to ciągnij!

Dźwignęliśmy w górę zardzewiałą blachę, starając się nie skaleczyć o jej ostre kanty i nie dotknąć wyrośniętych pokrzyw. Gdy uznaliśmy, że wysokość jest wystarczająca, a kąt nachylenia odpowiedni, zaczęliśmy kołysać nią miarowo, kierując ramię siły na jedną z pozostałych śrub. Po kilku próbach pękła z głośnym trzaskiem.

Sapnąłem z ulgą. Odstąpiliśmy potem o krok do tyłu, aby przyjrzeć się nowym drzwiom.

— Nie będzie ich widać już z paru metrów — stwierdziła z zadowoleniem Sophie. — Musimy jeszcze tylko dobrze je wyprostować. No, Mattie — mrugnęła do mnie porozumiewawczo — chodźmy zobaczyć, co my tam mamy.

Odgiąwszy dolny róg blachy, na czworakach wpełźliśmy do środka. Sophie zamknęła otwór i w stodole zrobiło się mroczno.

— Och! — westchnąłem, wciąż jeszcze trochę zasapany. — Ale wielka!

— Całkiem niezła — mruknęła Sophie.

Stodoła była większa od naszej auli. Na jej nierównym klepisku leżała warstwa zeszłorocznej sieczki. W jednym końcu stał wielki stół, obok którego leżały worki sztucznego nawozu; w pozostałej części kłębiły się jakieś sprasowane bele. Dwa małe prześwity znajdujące się pod samym dachem w obu końcach tego pomieszczenia przepuszczały jedynie wąskie smugi światła, w których widać było mnóstwo drobinek kurzu, wirujących jak bąki lub dla odmiany poruszających się bardzo leniwie — jak owady w lepkiej zawiesinie.

— Czy to siano? — spytałem, wskazując bele.

— Raczej słoma, najwyraźniej zeszłoroczna — Sophie zmarszczyła nos. — Bóg raczy wiedzieć, czemu tu jeszcze leży. Siano już pewnie sprzedali. — Powoli zrobiła krok naprzód, rozglądając się po całym wnętrzu. — Tu jest naprawdę super. Obejrzymy?

— Dobra. — Ruszyłem w kierunku stołu, stwierdzając po drodze, że właściwie nie ma tu nic ciekawego. W jednej ścianie, tej od strony naszego domu, znajdowały się zamknięte drzwi, pod przeciwległą, tą od wioski, leżały skłębione bele słomy, i tyle. Mocno pachniało tu pleśnią, trochę krowami i rozgrzaną blachą, ale nie był to niemiły zapach. Łaskotał mnie lekko w gardle, nie wywoływał jednak takich sensacji jak te koszmary z Ol'Gradym. Sophie wyprzedziła mnie o kilka kroków i stanęła na jakiejś beli.

— Strasznie są ciężkie — orzekła. — Trudno je ruszyć z miejsca, ale myślę, że we dwoje damy radę.

— Moglibyśmy zbudować z nich zamek! — Moja wyobraźnia natychmiast zaczęła działać.

— Pewnie, a może i coś lepszego. — Sophie uśmiechnęła się tajemniczo. — Jest tu tego tyle, że można by wydrążyć parę tuneli, pokryć je dachem i jeszcze by sporo zostało. Potrzebne nam będą latarki — dodała po chwili — i mnóstwo mocnych baterii.

— Po co?

— Zastanów się Mattie: chciałbyś tu palić świeczki?

— Eee, nie — roześmiałem się z zakłopotaniem, rzuciwszy okiem na słomę.

— Wyobraź sobie teraz, że zbudujemy z tych beli coś, co będzie miało ściany i dach, ale żadnych okien. W środku będzie wtedy całkiem ciemno. Po południu skombinuję parę latarek.

— Sophie?

— Co? — spytała z pewnym roztargnieniem. Stojąc na swojej beli, zaczęła powoli obracać się dookoła, oceniając widocznie możliwości nowego dominium.

— Ile masz pieniędzy?

— Naprawdę chcesz wiedzieć?

— Tak! — potwierdziłem stanowczo.

— No dobrze, chyba mogę ci zdradzić ten sekret — odrzekła i znów zamilkła. — Naprawdę tak cię to interesuje? — rzuciła po chwili z przekornymi iskierkami w oczach.

— No powiedz!

— Parę setek. Nieźle, co? — Moja mina najwyraźniej sprawiła jej wielką uciechę.

— To strasznie dużo — bąknąłem, oszołomiony tą sumą.

— Gdybym wzięła jakąś małą czy nierówną kwotę, matka mogłaby zauważyć, ale jeśli różnica idzie w setki, pomyśli, że się pomyliła... że musiała zapomnieć, ile miała ostatnio na koncie. Założę się, że nie ma pojęcia, ile i na co wydaje. — Uśmiechnęła się triumfalnie. — Kupimy mnóstwo porządnych baterii i kilka dobrych latarek. I na tym koniec. Żadnych słodyczy ani innych bzdur. Przeznaczyłam te pieniądze wyłącznie na ważne cele.

— Gdzie je trzymasz?

— W bezpiecznym miejscu. — Zeskoczywszy z beli, zaczęła się wspinać na najwyższą stertę wznoszącą się w samym rogu. — Tutaj będziemy budować. Trzeba tylko dobrze to obmyślić. Cholerna szkoła! — mruknęła z niezadowoleniem. — Szkoda, że to nie wakacje. Bo teraz będziemy mogli pracować tylko w weekendy. No trudno, jakoś to będzie. Weźmiemy z sobą jedzenie na cały dzień. Z mamą nie powinno być problemu, woli nas przecież nie widzieć.

Niemal czułem szybkość, z jaką pracuje jej umysł, ustalając cały plan działania. Wiedziałem, że w takich chwilach żadna pomoc nie jest jej potrzebna. Zdążyła już dawno pomyśleć o wszystkim, co bym jej mógł podsunąć, usiadłem więc na jakiejś beli i zagapiłem się w sufit. Wzmocniony był solidną kratownicą i podparty mocnymi belkami.

— Latarki kupować będziemy pojedynczo, każdą w innym sklepie. Baterie tak samo. Dzięki Bogu, mam drobne banknoty.

Coraz bardziej mi się tu podobało. Ta wielka stodoła mimo kurzu i krowiej woni zaczynała mi się wydawać tajemniczą jaskinią z bajki, miejscem, gdzie wszystko może się wydarzyć. A jak wspaniałe zabawy można tu będzie urządzać! Z odrzuconą do tyłu głową i otwartymi ustami tak zatonąłem w marzeniach, że drgnąłem ze strachu, gdy Sophie zeskoczyła nagle na klepisko.

— Wracajmy do domu, bo się spóźnimy na lunch. Po południu pójdziemy po zakupy.

— A nie moglibyśmy kupić też troszkę słodyczy? — spytałem nieśmiało. — Mamy przecież nową kryjówkę. Warto byłoby to uczcić.

— Hm... Może i tak.

Uśmiechnąłem się z satysfakcją.

ROZDZIAŁ ÓSMY

— Ta stodoła... czułem niejasno, że coś się tutaj nie zgadza. Miała być naszą kolejną kryjówką, taką jak kamieniołom i zielona chatka, ale czy naprawdę taką samą? Kryjówka w tak widocznym, ogólnie dostępnym miejscu? Dziwne. Tobie chodziło o coś innego, ale uświadomiłem to sobie oczywiście dużo później.

Czuję się znów trochę lepiej. Wciąż jeszcze nachodzą mnie fale paniki, ale wiem już teraz, że miną po chwili tak nagle, jak przyszły. Dlatego w przerwach jestem spokojniejsza. Coraz bardziej też skłonna jestem sądzić, że ów dziwny spokój, który ogarnął mnie w chwili, gdy Matthew rozpoczął swoją opowieść, i który nawiedza mnie po falach paniki, musi być efektem szoku. To najbardziej racjonalne wyjaśnienie. Sztuczny czy nie — niech nie opuszcza mnie nadal. Nie stać mnie na utratę jedynego sojusznika.

Po raz kolejny rekapituluję fakty: jestem więźniem. Mimo usilnych starań nie znalazłam żadnego sposobu ucieczki. Wydawało mi się, że znam człowieka, który mnie tu więzi, byłam jednak w absolutnym błędzie. Muszę go teraz poznawać od nowa. Wymaga to czasu, w dodatku nie jestem pewna, czy mi to jakoś pomoże. A ile mam czasu? Tego też nie wiem. Ale co mam począć? Skoro nie widzę innego wyjścia, pozostaje mi tylko robić to, co robię: obserwować Matthew, słuchać jego zwierzeń, starać się go zrozumieć najlepiej jak umiem. Może dowiem się czegoś, co pozwoli mi go ułagodzić. Nie wolno mi tracić nadziei, a już w żadnym razie nie powinnam płakać.

Łatwo to powiedzieć. Chciałabym być silniejsza.

O czym on teraz mówi? Ach tak, o stodole.

— Zastanawiałem się nieraz, co byś zrobiła bez tej stodoły i wiesz, do jakiego doszedłem wniosku? Znalazłabyś pewnie jakieś inne miejsce. Postanowiłaś to sobie, bo po prostu bardzo tego chciałaś.

Praca przy budowie tej nowej kryjówki zajęła nam cały tydzień. Przeciągając kolejno w jeden róg ciężkie słomiane bele, układaliśmy je tam w taki sposób, że przy dwóch blaszanych ścianach stodoły zaczęły powstawać dwie następne — mury naszego słomianego zamku. Projekt był dziełem Sophie, która też cały czas dbała o bezpieczeństwo konstrukcji. Mnie bardziej interesowały nasze przyszłe zabawy w tym zamku. Dopiero gdy już stanął, ogarnął mnie podziw: Sophie okazała się nie tylko dobrym, lecz i bardzo pomysłowym architektem. Czworokątna budowla sięgająca dwóch trzecich wysokości całej stodoły miała dwa poziomy. Na górny — zwany przez nas obserwacyjnym — można było dostać się po schodkach sprytnie ukrytych przy tylnej ścianie. Na samym szczycie zrobiliśmy w belach słomy kilka prześwitów, przez które jak z murów obronnej twierdzy widać było całe klepisko.

Najważniejszą częścią tej twierdzy był jej dolny poziom, którego konstrukcja kosztowała nas mnóstwo wysiłku. Musieliśmy najpierw przeciągnąć stół z drugiego końca stodoły, a była to istna nieruchomość czterometrowej długości, zbudowana z grubych dębowych desek. Przesuwaliśmy go centymetr po centymetrze przez prawie trzy popołudnia, mimo to Sophie ani razu nie straciła nerwów. Zdawała sobie sprawę, że jesteśmy dziećmi i że większość stojących tu przed nami zadań sięga granic naszych możliwości.

Ten ogromny stół posłużył za podłogę górnego poziomu zamku i zarazem sufit dolnego. Obłożony ze wszystkich stron słomą, stał się całkiem niewidoczny, podobnie jak cała znajdująca się pod nim przestrzeń. Dopiero po odsunięciu beli leżącej przy samej ścianie ukazywał się wąski szyb, którym można było zejść na dół, wbijając stopy w słomę, ręką zaś trzymając się liny umocowanej u szczytu. U podnóża szybu znajdowały się drzwiczki do naszej sekretnej komnaty. Umieściliśmy tam parę dużych latarek zasilanych solidnymi bateriami. Taka sama oświetlała górny wylot szybu.

Po tygodniu wytężonej pracy rozsiedliśmy się pod stołem, spoglądając po sobie z triumfem: gotowe! Ukończyliśmy nasze wielkie przedsięwzięcie!

— Tu jest naprawdę fajnie — stwierdziłem z zadowoleniem. — I nikt nas tutaj nie znajdzie. Moglibyśmy tu siedzieć nawet sto lat!

— I o to chodzi. — Sophie uśmiechnęła się szeroko. — Na górze będziemy się bawić, a to jest nasze najtajniejsze miejsce.

Wyposażenie komnatki zajęło nam parę następnych tygodni. Klepisko przykryliśmy matą, a na ścianach zawisły najlepsze postery z mojej bogatej kolekcji, przedstawiające różne typy bojowych myśliwców. We wszystkich czterech rogach stanęły postumenty pod latarki — musieliśmy znów nosić cegły, ale efekt wart był zachodu. Nasz „salon" miał teraz dobre oświetlenie. Stół nie był na tyle wysoki, by zmieściły się pod nim krzesełka czy stołki, można było jednak wygodnie siedzieć na podłodze. Wciąż jeszcze tylko dokuczał nam krowi zapach, ale Sophie i na to znalazła sposób.

— Po co ci ta woda? — spytałem, widząc, że taszczy dwie pełne bańki.

— Na wszelki wypadek — odrzekła, otwierając wejście. — Nie zamierzam upiec nas żywcem z powodu brzydkiego zapachu. Zbyt głupio byłoby tak zginąć.

Parsknąłem nerwowym śmieszkiem.

Wyjęła z kieszeni paczuszkę wonnych kadzidełek nabytych w sklepie chemicznym i zatknąwszy trzy pałeczki w połówki ziemniaków, ustawiła je na podłodze, a potem bardzo ostrożnie przytknęła do każdej płonącą zapałkę. Gdy pałeczki zajęły się ogniem, wrzuciła zapałkę do wody i jednym dmuchnięciem zgasiła płomyki. Świetliste wstążeczki ognia zaczęły powoli wędrować w dół, a naszą kryjówkę stopniowo wypełniał mocny aromat kadzidła. Pod „sufitem" już po paru minutach utworzył się gęsty obłoczek dymu.

— Wystarczy — orzekła Sophie, wrzucając do wody zużyte pałeczki. — Zamkniemy teraz drzwiczki i niech ten dym zrobi swoje. Jutro powinno być lepiej.

— Na razie pachnie uperfumowaną krową.

Roześmiała się głośno.

— Masz rację. No, wychodzimy. Bierz jedną bańkę i idź pierwszy, ja wezmę drugą.

Pamiętam, że w tym czasie lekcje okropnie mi się wlokły, choć nie był to dla mnie zły okres: referat o nasionach przyniósł mi nagrodę w postaci batoniku „Mars" i bardzo pochlebnej notatki: „Praca wykonana solidnie. Bardzo dobrze".

Fajnie było tylko dwa razy w tygodniu; nasza klasa miała wtedy zajęcia wolne, podczas których budowałem model spitfire'a razem z trójką swoich kolegów. Odbywało się to w zagraconej klitce na tyłach gabinetu plastyki i choć sprawa otoczona była tajemnicą, odganianie ciekawskich pochłaniało nam więcej czasu niż sama praca. Spory wokół kamuflażu zostały rozstrzygnięte na korzyść Jamesa. Postanowił on skopiować autentyczne barwy maskujące — brąz i brudną zieleń dla skrzydeł i górnej części kadłuba oraz jasny błękit dla podbrzusza — i zaczął je już przenosić na impregnowany papier, którym oklejony miał być cały model. Zwędził w tym celu kilka farb olejnych swojemu starszemu bratu, więc aby kradzież nie wyszła na jaw, korzystał z nich bardzo ostrożnie: biorąc po troszeczku z każdej tubki, tak długo mieszał kolory, aż uzyskał właściwy odcień. Od wyziewów tej farby pomieszanych z wonią acetonu powietrze robiło się gęste. Było nas czterech i wszyscy pełniliśmy równorzędne funkcje. James objął stanowisko dyrektora artystycznego, Jerry był głównym konstruktorem

— co polegało głównie na klejeniu — Simon głównym projektantem (przenosił na deszczułki szablony poszczególnych części), a ja głównym inżynierem, którego zadaniem było wycinanie tych części za pomocą specjalnego noża. Oprócz tego każdy z nas był tajnym agentem, zobowiązanym strzec naszej produkcji przed wrogimi zakusami obcych mocarstw. W tym kontekście nóż awansował do rangi nuklearnych środków odstraszania. Autorem większości pomysłów na nazwy stanowisk i funkcji był Simon. Wymyślił je trochę na wyrost, gdyż w praktyce nasze zadania polegały najczęściej na klejeniu i malowaniu. Powodowało to długie przestoje — trzeba było czekać, aż to wszystko wyschnie — podczas których toczyliśmy długie rozmowy nie zawsze związane z lotnictwem.

— Mój brat trzyma pod materacem świńskie tygodniki — oznajmił pewnego dnia James — a ja je kiedyś znalazłem. Gdyby mama to widziała, o rany! Padłaby trupem!

— No i co tam było?

— Tylko zerknąłem do środka, ale to, co widziałem, było fantastyczne — odrzekł niedbale James, na co Simon pokiwał głową z taką miną, jakby dla niego był to chleb powszedni.

— A ja widziałem raz swoją kuzynkę — pochwalił się Jerry. Zrobił efektowną pauzę i dodał: — Całkiem gołą. Ma już siedemnaście lat.

— Zalewasz!

— Widziałem! Właśnie się rozbierała!

— A wiesz, co ja myślę? — włączył się Simon. — Że to gówno prawda.

— Nic podobnego! Widziałem ją.

Na chwilę zapadła cisza.

— Gołą! — rzucił Simon teatralnym szeptem.

My z Jamesem ryknęliśmy śmiechem.

— Ciszej tam! — krzyknął pan od plastyki, tłukąc pięścią w drzwi.

— No to może nam powiesz — nieco ciszej kontynuował Simon — jak to się stało, że widziałeś ją gołą?

— Zamknij się! — warknął Jerry.

— Tak — poparł go James. — Zamknij się, Simon, a ty, Jerry, mów dalej.

— Przecież mówię. Nocowaliśmy u mojej ciotki i wieczorem poszedłem siusiu. Tak koło jedenastej, może trochę później.

— Do rzeczy — przerwał mu Simon.

— Drzwi do pokoju kuzynki były uchylone, więc rzuciłem okiem, no i zobaczyłem... Potem włożyła szlafrok.

Spojrzeliśmy na niego z gryzącą ironią.

— I to już wszystko? — wycedził James.

— Tak. O co ci chodzi?

— O to, jak wyglądała.

— Powie ci, że była goła! — zakpił Simon.

Zakrztusiłem się ze śmiechu i żeby nie upaść, przysiadłem na krawędzi stołu.

— Odpieprz się, Simon. Czasami straszny z ciebie palant — odciął się Jerry.

— Nie ma o czym gadać — James najwyraźniej stracił zainteresowanie tematem i przesuwając palcem po fragmencie skrzydła, oznajmił: — To już chyba wyschło. Robimy dzisiaj coś jeszcze?

— Nie — zadecydowałem, patrząc na zegarek. — Dziś już nie.

Gdy w sobotę rano odwiedziliśmy z Sophie kamieniołom, całe dno pokrywały szeroko rozlane kałuże, a torba przemoknięta była na wylot. Całą noc padało i choć teraz deszcz ustał, niebo wciąż miało barwę dymu. Sophie wyjęła z torby puszkę po biszkoptach i otrząsnęła ją z wody.

— Lepiej schowaj w stodole te swoje księgi. Tam by nie przemokły.

— Tu też nie — Sophie otworzyła puszkę. — Widzisz? Właśnie po to je owijam w plastikowe torby.

Zerknąwszy jej przez ramię, stwierdziłem, że to prawda: zeszyty były całkiem suche. Było ich cztery czy pięć.

— Zimno mi — mruknąłem, rozcierając sobie łokcie.

— Możesz iść do domu, jeśli chcesz.

— Nie — zadecydowałem, ruszając w stronę przeciwległej ściany, tej, pod którą rosły chwasty — teraz brązowe i wiotkie. Nie byliśmy tutaj od kilku tygodni, a ja uświadomiłem sobie ze zdziwieniem, że mi się nudzi. Muszle nie były tak ekscytujące jak spitfire. Gdybym przynajmniej wziął coś do czytania... Nie dość że nie miałem tu nic do roboty, to jeszcze było mi zimno, pomyślałem więc trochę cierpko — zresztą nie po raz pierwszy — że Sophie czasami potrafi być bardzo dziwna. Te księgi! Przyzwyczaiłem się do ich widoku, nigdy jednak nie rozumiałem, dlaczego i co w nich wciąż skrobie. Nigdy nie widziałem w tym żadnego sensu. Teraz coraz bardziej nabierałem przekonania, że ta jej bazgranina to jakiś dziecinny kaprys. I po to mamy chodzić do kopalni? Z irytacją kopnąłem obwisły krzak zielska.

Czy nasze drogi zaczęły się wtedy rozchodzić? Nie, wprost przeciwnie. Myśląc dziś o tych czasach, widzę wyraźnie, że dystans dzielący mnie dotąd od Sophie chyba się nawet zmniejszył. Jako dziewięciolatek stałem się bardziej odpowiedzialny i znacznie silniejszy psychicznie, dzięki czemu Sophie nie musiała opiekować się mną tak jak dawniej. Często aż do wieczora spędzaliśmy czas oddzielnie, zajęci swoimi sprawami; nie zmieniło się tylko jedno: zawsze przed spaniem musieliśmy sobie pogadać. Każde z nas miało teraz więcej własnej przestrzeni życiowej i to sprawiło, że staliśmy się sobie bliżsi.

Podnosi się z podłogi i trochę chwiejnie podchodzi do okna. Tym razem nie patrzy przez szpary w deskach — przygląda się odbiciu swojej twarzy w szybie. Przeciąg leciutko porusza mu włosy.

— Ty też to czułaś?
— To, że staliśmy się sobie bliżsi?
— Mhm — opiera łokcie na parapecie. — Ja czułem to już wtedy, tylko oczywiście nie umiałem ubrać tego w słowa. Innych swych odczuć również. Dzieci często nie zdają sobie sprawy, ile naprawdę rozumieją. Wiedzą bardzo dużo, nie

potrafią tego jednak wyrazić. Przynajmniej tak było ze mną. Ty to co innego.

— Powiedziałeś przecież, że tak jest ze wszystkimi dziećmi.

— Przeważnie, ale nie zawsze. Ty czułaś potrzebę uzewnętrznienia swych myśli i uczuć, umiałabyś też je wyrazić, tylko przed kim? Nie miałaś nikogo, kto by cię chciał wysłuchać.

— Miałam ciebie — odpowiadam z wahaniem.

— Tylko że mi nic nie mówiłaś. — Wyczuwam w jego głosie uśmiech. — Wiedziałaś, że nie zrozumiem.

— A teraz... rozumiesz?

— Tak... To znaczy nie. Nie jestem pewny. Był taki moment, gdy zdawało mi się, że rozumiem wszystko, ale później... no cóż, sytuacja tak się zmieniła...

W milczeniu przyznaję mu rację co do tego, że owszem, wiele się zmieniło. Gdybym jeszcze wiedziała, w którym momencie wydawało mu się, że wszystko rozumie! O tylu sprawach wciąż mi nie mówi.

— Czasami mam wrażenie — odzywa się znowu — że przez całe dzieciństwo próbowałem rozwiązać zagadkę własnego dzieciństwa. Rozumiesz, co mam na myśli?

— Rozumiem. I to bardzo dobrze.

Moją wychowawczynią i zarazem nauczycielką historii była pani Finch, siwowłosa dama, surowa, ale bardzo sprawiedliwa. Lubiłem ją najbardziej ze wszystkich nauczycieli już choćby dlatego, że zawsze uczciwie potrafiła rozsądzić każdy konflikt i że naprawdę interesowała się swymi uczniami. Od początku roku szkolnego przerabialiśmy materiał zgodnie z podręcznikiem, ale w pewnym momencie pani Finch zapowiedziała zmianę: przerywamy wędrówkę po szlakach historii i zajmiemy się teraz czymś innym.

— Do połowy pierwszego półrocza pozostało trochę ponad tydzień — oznajmiła po wejściu do klasy. — Wiem, że są tu tacy, którzy w czasie przerwy będą musieli mocno przysiąść fałdów, żeby poprawić oceny, nie chcę więc jeszcze bardziej utrudniać im życia. Wszystkim zresztą przyda się trochę oddechu. Myślę jednak — kontynuowała, widząc tu i ówdzie uśmiechy nadziei — że jedno wypracowanie to niezbyt wielkie obciążenie. Nie musi być długie, a formę może mieć dowolną. Kto od razu weźmie się do pracy, zdąży je napisać jeszcze w ciągu tego tygodnia. Zacznę was teraz wywoływać; omówimy sobie tematy. Reszta może w tym czasie zająć się zadaniem, które zaczęliśmy wczoraj.

Zastosowałem się do polecenia i gdy po kilku minutach usłyszałem swoje nazwisko, podszedłem do katedry.

— Świetnie się spisałeś, Matthew — powiedziała pani Finch. Rozmawiając z nami, używała zawsze pełnych imion, co było jedyną rzeczą, której u niej nie lubiłem. — Bardzo mi się podobało twoje ostatnie zadanie domowe. Napisałeś zgrabną opowiastkę.

— Dziękuję pani.

— Myślę, że powinieneś teraz spróbować czegoś innego i przy okazji dowiedzieć się nowych rzeczy. Co o tym sądzisz?

— Dobrze, spróbuję.

— Słyszałam w pokoju nauczycielskim, że budujesz model samolotu. Czy to prawda?

Drgnąłem, zdumiony tą nagłą zmianą tematu.

— Tak. Budujemy go w czasie wolnych zajęć. Ja i Simon.

— Simon i ja — poprawiła mnie z lekkim uśmiechem.

— Pewnie dobrze się przy tym bawicie. Dlatego pomyślałam, że mógłby cię zainteresować ten oto człowiek — podsunęła mi przed oczy jakąś fotokopię. — Wiesz, kto to jest?

— Nie.

— Nazywał się Leonardo da Vinci i zajmował się między innymi konstruowaniem różnych urządzeń. Nie było wśród nich wprawdzie samolotów, zaprojektował jednak kilka pomysłowych machin latających, a musisz wiedzieć, że działo się to bardzo dawno, urodził się bowiem w roku 1452.

— On namalował ten sławny obraz. Monę Lizę.

— Rzeczywiście — odrzekła trochę zdziwiona, że jednak coś wiem. — Był przede wszystkim wielkim artystą, ale też wspaniałym uczonym i inżynierem, jak byśmy dziś powiedzieli, a już na pewno jedną z najwybitniejszych jednostek w historii. Można by o nim mówić godzinami, proponuję ci jednak, abyś skupił się na projektach latających maszyn. Spójrz, mam tutaj książkę, w której znajdziesz przodka spadochronu, coś, co bardzo przypomina helikopter oraz kilka rodzajów przypinanych skrzydeł. Mogę ci ją pożyczyć, pod warunkiem że jej nie zniszczysz. To jak?

— Wspaniale. Bardzo pani dziękuję. — Pani Finch musiała zauważyć, że powiedziałem to szczerze, bo uśmiechnęła się ciepło.

— A ja bardzo się cieszę, że podoba ci się to zadanie. Chodziło mi właśnie o to, żeby praca sprawiała wam przyjemność. Tak więc skoncentruj się na tym, co najbardziej cię interesuje. Książkę możesz już zabrać. Kto następny? Aha, Vivien Jenkins. Podejdź, moja droga.

Wróciwszy na miejsce, zacząłem od razu przeglądać książkę. Było w niej mnóstwo czarno-białych i barwnych ilustracji: obrazy Leonarda da Vinci, modele wynalazków, rysunki różnych urządzeń sporządzone na podstawie jego opisów. Było wśród nich na przykład coś w rodzaju czołgu i jakaś niesamowita maszyna z cepami.

Na kolejnej stronie zobaczyłem fotokopię któregoś z oryginalnych szkiców Leonarda. Zbrązowiałe ze starości marginesy wypełnione były gęsto pismem. Przybliżyłem książkę do oczu: to pismo wyglądało jakoś dziwnie. Prawie jak...

Nie zdążyłem pomyśleć, co mi przypomina, bo chwycił mnie atak astmy, i to tak gwałtownie, jakby ktoś znienacka wepchnął mi w gardło kłąb waty. Oszołomiony nagłym brakiem tchu, na moment straciłem głowę. Upłynęło parę sekund, nim błysnęło mi wreszcie: inhalator! Tak niezdarnie szarpnąłem za pokrywę biurka, że stos zeszytów i książek posypał się na podłogę, a pani Finch skarciła mnie ostrym spojrzeniem. Resztką sił przyłożyłem do ust inhalator, odruchowo naciskając przycisk. Nie pomogło. Szmer rozmów zaczął się oddalać, biurko straciło ostrość, a jego rozmyte kontury zabarwiły się na czerwono. Jak przez mgłę zobaczyłem zbliżającą się ku mnie niewyraźną sylwetkę pani Finch. Po raz drugi użyłem inhalatora, lecz i teraz nie poczułem żadnej ulgi; nie byłem nawet pewien, czy zdołałem zaczerpnąć choćby odrobinę sprayu.

Pani Finch była już przy mnie. Mocniej wcisnęła mi w usta końcówkę inhalatora i podniesionym głosem kazała oddychać. Zebrawszy wszystkie siły, wciągnąłem preparat tak mocno, jak tylko mogłem — i otaczająca mnie czerwona mgiełka zaczęła się z wolna rozpraszać.

Stopniowo powracał mi oddech, ale jeszcze przez dłuższą chwilę nie mogłem opanować drżenia, a z oczu ciekły łzy. W klasie szumiało. Pani Finch oderwała mi rękę od twarzy, wyjęła z niej inhalator i położyła na biurku.

— Jak się czujesz? — spytała cicho.

— Chyba już dobrze — odrzekłem urywanym głosem.

— Napijesz się wody?

— Nie, dziękuję.

— No cóż, miejmy nadzieję, że atak minął.

Zabrzmiał akurat dzwonek na następną lekcję, spróbowałem więc podnieść się z krzesła, pani Finch jednak gestem kazała mi zostać na miejscu.

— Charlotte — poleciła jednej z dziewczyn — bądź tak dobra i powiedz panu od matematyki, że Matthew Howard trochę się spóźni.

Po minucie klasa opustoszała — wszyscy pospieszyli do pracowni matematycznej.

— Co ci się stało, na miłość boską? — spytała pani Finch, gdy na korytarzu ucichło. — Czułeś się przecież zupełnie dobrze i nagle taki atak!

— Nie wiem. Czasami tak się dzieje.

— Byłeś u lekarza?

— Tak. Dlatego mam inhalator.

— Pytam, czy ostatnio byłeś u lekarza. W ciągu, powiedzmy, ostatnich kilku miesięcy.

— Nie.

— Więc skąd masz inhalatory?

— Mama mi kupuje.

Pani Finch zacisnęła usta.

— Zadzwonię do twojej matki. Powinieneś pójść na badanie.

— Dobrze — bąknąłem niepewnie. Wolałbym, żeby nie dzwoniła, ale kto by się odważył dyskutować z panią Finch?

— Czujesz się na tyle dobrze, żeby iść na następną lekcję? Jeśli nie, pomówię z panem Fergusem i będziesz mógł pójść do domu.

Nie, pomyślałem, nie chcę iść do domu.

— Czuję się dobrze — powiedziałem głośno. — Myślę, że już mi przeszło.

— No cóż, skoro jesteś pewny... — w głosie pani Finch zabrzmiało niezdecydowanie. Zebrała z podłogi rozrzucone rzeczy i położywszy je na moim biurku, powiedziała już ze zwykłą stanowczością: — W takim razie lepiej już idź. Ja to uporządkuję. I nie zapomnij przeprosić za spóźnienie.

— Nie zapomnę. — Wstałem trochę chwiejnie, gdyż wciąż jeszcze kręciło mi się w głowie, zatrzymałem się jednak po dwóch krokach i z mocno bijącym sercem zdecydowałem się spytać: — Czy zechciałaby mi pani coś wyjaśnić?

— Słucham.

Otworzyłem książkę i pokazałem jej to dziwne pismo.

— Nie potrafię tego przeczytać. Dlaczego?

— Widzę, że naprawdę czujesz się o wiele lepiej. Bardzo się z tego cieszę. Napędziłeś nam stracha — dodała z uśmiechem. — A co do pisma... spójrzmy. No tak. Po pierwsze, Leonardo był Włochem, pisał więc w swoim języku, a ty przecież nie znasz włoskiego...

— Ale to chyba nie wszystko?

Spojrzała na mnie już teraz z wyraźnym zainteresowaniem.

— Masz rację. Te litery są odwrócone, tak jakbyś widział je w lustrze. Leonardo nie chciał, by ktokolwiek przeczytał jego notatki, dlatego wymyślił sobie taki szyfr.

— Żeby nikt nie wiedział, co pisze?

— Właśnie. Więcej szczegółów znajdziesz w tej książce, jeśli oczywiście zechcesz ją przeczytać.

— Przeczytam na pewno.

Po lekcjach spotkałem się z Sophie przy bramie i razem poszliśmy do domu. Pod pachą niosłem książkę od pani Finch i cały rulon papierów. Przez chwilę szliśmy w milczeniu; w głowie kłębiły mi się takie myśli, którymi nie chciałem dzielić się z Sophie. Umykały zresztą tak szybko, że nie byłem w stanie porządnie ich zanalizować.

— Jesteś dziś strasznie cichy — zauważyła gdzieś w połowie drogi.

— Mhm.

— Coś się stało?

— Na historii miałem atak astmy.

— Tak?

— Pani Finch kazała mi iść do lekarza. Powiedziała, że zadzwoni w tej sprawie do mamy.

— Rozumiem. No i co?

— Nie wiem — westchnąłem. — Boję się, że mama może się rozzłościć.

— O to się nie martw — powiedziała żywo, zauważyłem jednak, że jej ton nie brzmi tak beztrosko jak słowa. Nie poprawiło mi to nastroju. — Czy jeszcze coś się wydarzyło?

— Mam napisać wypracowanie o Leonardzie da Vinci.

— Ach tak, o tym malarzu.

— Nie tylko. On w ogóle był bardzo mądry. — Zerknąłem ukradkiem na Sophie, żeby zobaczyć jej minę. — Zaprojektował mnóstwo rzeczy zupełnie nieznanych w jego czasach, takich jak na przykład czołg.

— Zgadza się. A jak tam wasz samolot?

— Dobrze, ale nie wiem, czy zdążymy przed feriami. Ile jeszcze mamy czasu?

— Do następnego weekendu.

— Skrzydła są już gotowe — wyjaśniłem — ale to akurat było najłatwiejsze.

— Chciałabym zobaczyć ten wasz model. Nie mogę się już doczekać.

— Mówisz serio?

— Oczywiście.

Po powrocie do domu Sophie poszła na górę, a ja do kuchni. Znalazłem tam trochę pomarańczowej miazgi, więc zrobiłem sobie napój. Miałem właśnie zabrać się do picia, kiedy w drzwiach ukazała się matka.

— Matthew? Chcę z tobą pomówić.

Wydawała się całkiem spokojna. Odstawiłem szklankę i poszedłem za nią do salonu, zdejmując jak zwykle buty przed drzwiami. Matka skierowała się najpierw w stronę swojego fotela z bardzo wysokim oparciem, lecz w ostatniej chwili zmieniła zamiar i w końcu podeszła do okna. Niewiele tam było widać poza kawałkiem trawnika i kępą krzaków. Stała tak dłuższą chwilę, zasłaniając sobą połowę światła padającego przez jedyne okno i tak już mrocznego pokoju.

— Po południu zadzwoniła do mnie jakaś pani Finch — powiedziała wreszcie, patrząc nadal w okno. — Znasz ją?

— Tak, to moja wychowawczyni. — Czując narastający ucisk w piersiach, starałem się z całej siły przezwyciężyć słabość.

— Ta... ta pani Finch twierdzi, że na jej lekcji miałeś jakiś atak. To prawda?

— Tak — potwierdziłem żałośnie — ale ja...

— Dziękuję. Nic więcej nie mów. — Odetchnęła głośno. — Rozumiem, Matthew, że czasem jakiś przedmiot wydaje ci się nudny. Ja też chodziłam do szkoły i wiem, jak to jest.

— Ale ja wcale...

— Prosiłam cię, żebyś milczał — powiedziała, odwracając się wreszcie od okna. — To, że rozumiem, nie oznacza jednak, że pozwalam ci się tak kompromitować, i to tylko po to, żeby zwrócić na siebie uwagę. Zrozumiałeś?

Nic nie rozumiałem, patrzyłem więc na nią pustym wzrokiem.

— Odpowiadaj.

— Tak, mamo.

— A zatem wiedziałeś, co robisz, a jednak to zrobiłeś. Czy tak?

Coraz bardziej dokuczał mi zapach kurzu. I ten ucisk. Jakby klatkę piersiową zaczynała mi oplatać żelazna obręcz.

— Ja...

— Nie myśl, że cię nie znam, Matthew. Wiem o tobie wszystko. — Wzięła głęboki, urywany oddech. — Jesteś taki sam jak twój ojciec. Jedyne, co cię obchodzi, to ty, ty i tylko ty! A o mnie nigdy nie myślisz? Nie, tobie się to nie zdarza, prawda? — podniosła głos prawie do krzyku.

W milczeniu potrząsnąłem głową, ale nie zwróciła na to uwagi. Patrzyła w jakiś punkt nade mną z takim wyrazem twarzy, jakby zapomniała, że w ogóle tu jestem. Ogarnęło mnie przerażenie.

— Wiem wszystko — powtórzyła — i wszystko widzę. Plamy na pościeli również. Myślisz, że ich nie zauważyłam?

Plamy? Otworzyłem usta, ale nie byłem w stanie wydać z siebie żadnego dźwięku.

— Ty cholerny draniu, na mojej pościeli! — krzyknęła tak głośno, że aż się zachwiałem. — Wiem nawet, kim ona była! Myślałeś, że jestem ślepa? Wiem, gdzie mieszkała ta dziwka! Na jej prześcieradłach też zostawiałeś ślady, zaznaczając jak kundel swoje terytorium?

— Dzień dobry, mamo — powiedziała Sophie.

Matka szarpnęła głową, jakby ktoś jej wymierzył policzek, i gwałtownie zamknęła usta. W salonie zapadła nagle przeraźliwa cisza. Stojąca w drzwiach Sophie mierzyła matkę spokojnym, niemal smutnym wzrokiem. Matka, która chyba przestała oddychać — takie sprawiała wrażenie — dopiero po chwili długiej jak wieczność wróciła wreszcie do życia.

— Zdejmij buty — powiedziała głosem niewiele mocniejszym od szeptu. — Jesteś w salonie. Zdejmij buty.

— Wystarczy już tego, nie sądzisz? — sucho przerwała jej Sophie. — Mattie i ja idziemy się teraz bawić. Nie zajmuj się kolacją, zrobimy ją sobie sami.

Matka opadła na fotel jak przedziurawiona gumowa lalka.

— Zdejmij te cholerne buty — mruknęła, miałem jednak wrażenie, że nie mówi tego do nas; zupełnie jakby w pokoju znajdował się jeszcze ktoś inny.

— Chodź, Mattie — Sophie łagodnie wzięła mnie za rękę. — A ty, mamo — rzuciła przez ramię — nie wyobrażaj sobie, że coś wiesz. Nie wiesz nic, zrozumiałaś? Zapamiętaj to sobie.

Wyszliśmy do holu, cicho zamykając za sobą drzwi.

— Nic ci nie jest? — spytała Sophie już w moim pokoju.

— Nic — odrzekłem drżącym głosem. — Ale o czym ona mówiła?

— O czymś, co zdarzyło się dawno temu. Z tobą nie ma to nic wspólnego. — Pogładziła mnie po włosach, uśmiechając się trochę smutno. — Nie zwracaj na nią uwagi, nic ci z jej strony nie grozi. Robi po prostu dużo hałasu, bo nic innego nie może już zrobić.

— Naprawdę?

— Naprawdę, daję ci słowo. Już po wszystkim.

— To było straszne. Nie mam pojęcia, o co jej chodziło. Pani Finch zadzwoniła tylko po to, żeby...

— Wiem, Mattie. Nie zrobiłeś nic złego.

Usiedliśmy na brzegu łóżka. Nieruchome oczy Sophie zdawały się patrzeć gdzieś bardzo daleko. Pomyślałem, że patrzy w siebie, że nigdy nie zobaczę tego, co tam widzi, i że ona sama zawsze będzie dla mnie zagadką.

ROZDZIAŁ DZIEWIĄTY

Jakże się myliłam, sądząc, że dobrze znam Matthew. Teraz gdy jestem zmuszona poznawać go po raz drugi, obserwuję go z taką fascynacją, jakby wszystko, co widzę i słyszę — jego ruchy, mimika, sposób mówienia, nagłe zmiany nastrojów — było dla mnie zupełną nowością. Wiem, że niemałą rolę odgrywa w tym wszystkim strach. To on sprawia, że istnieje dla mnie tylko Matthew, nic innego nie ma znaczenia.

Jedynie natrętna myśl o ucieczce wyrywa mnie z tego transu. Powraca uparcie, choć wiem doskonale, że to niemożliwe; żaden mój pomysł nie rokuje najmniejszych szans powodzenia. Dookoła kompletne pustkowie. Gdybym nawet zdołała jakimś cudem wymknąć się z tego domu — co dalej? Do najbliższej farmy jest około półtora kilometra, a co gorsza budynki są puste. Zauważyłam to, kiedy mnie tu wiózł. Mówię sobie, że nie ma sensu myśleć w kółko wciąż o tym samym, zwłaszcza gdy z takich rozważań kompletnie nic nie wynika, cóż, kiedy w żaden sposób nie mogę się od nich powstrzymać. Gdy choćby na moment przestaję się koncentrować na tym, co mam przed oczami, natychmiast pojawia się myśl: uciekać! Wszystko jedno dokąd, byle jak najdalej od Matthew! Zostawić go w tym pustym domu razem z jego świeczkami i chorą obsesją! Staram się pokonać to dzikie pragnienie, powtarzając sobie, że jedyna realna szansa uwolnienia tkwi w tym, co on mówi. Czuję coraz wyraźniej, że kryje się tam coś takiego, co połączy w całość rozproszone części układanki, i że jeśli zdołam to wyłowić spośród setek błahych szczegółów, pułapka, w której siedzę, sama się otworzy.

Mam nadzieję, że się nie mylę, lecz chwilami zaczynam się martwić, że może pocieszam tylko sama siebie. A jeśli podświadomie doszłam do wniosku, że nie ma już dla mnie ratunku i mój zdesperowany umysł podsuwa mi złudne nadzieje, próbując mnie bronić przed paniką? Czy to możliwe, że sama się oszukuję? Nie wiem, naprawdę nie wiem.

Może to dziwne, że jedynie opowieść Matthew pomaga mi przetrwać ten koszmar, ale tak właśnie jest. Pozwala mi ona nie tylko poznać mego prześladowcę, lecz i zobaczyć Sophie oczami małego Matthew. Wiem, że gdy na mnie patrzy, to wbrew zapewnieniom o swej dojrzałości, samokontroli i braku złudzeń wciąż widzi we mnie coś z tamtej małej dziewczynki. Z początku myślałam, że to dla mnie bardzo niebezpieczne, teraz jednak zupełnie zmieniłam zdanie: te sentymentalne wspomnienia mogą przecież stać się moją bronią. Jestem pewna, że Matthew tego nie dostrzega; może nawet nie zdaje sobie sprawy, że przetrwały w nim resztki dawnych sentymentów. Ale co za różnica? Dla mnie to bez znaczenia, czy o tym wie czy nie. Gdy tylko pojawi się szansa użycia tej broni, posłużę się nią bez wahania.

I nagle przychodzi mi na myśl, że on ma chyba rację, postępując ze mną tak brutalnie. Czyż nie robię wszystkiego, o co mnie oskarża? Staram się go przecież zmylić, ukryć prawdę, knuję przeciw niemu spiski. Ma prawo uważać mnie za winną.

W innym miejscu i czasie taka myśl byłaby śmieszna, tu jednak wcale tak nie jest. Ta kuchnia narzuca swoją własną optykę. Czując, że zaczynam drętwieć, podciągam kolana pod brodę i obejmuję ramionami łydki. Taśma paskudnie wrzyna mi się w ciało, ale niech tak będzie. Dzięki temu nie zapomnę, że nie wolno mi się poddawać.

— Nad czym tak dumasz? — odzywa się nagle Matthew, gwałtownie wyrywając mnie z transu.

— Co?

— Wygląda na to, że mocno się nad czymś zastanawiasz.
— Och nie... Myślałam o tej stodole.

Kiwa głową ze zrozumieniem.

— Uhm, ja też. — Wolnym ruchem drapie się po karku,
a potem podnosi głowę i zaczyna wędrować wzrokiem po
suficie.

W niedzielny ranek późno wyszliśmy z domu. Przesłonięte białymi chmurkami wielkie, blade słońce wisiało nad
wzgórzem jak przyćmiona lampa. Wiatr tego dnia chyba
usnął. Nieruchomy las roztaczał przed nami jeszcze wspa-
nialsze kolory niż te, którymi żegnał nas wieczorem, gdy-
śmy wracali do domu. Wyruszyliśmy tą samą ścieżką, która
wiodła do kamieniołomu; dopiero w połowie drogi do
wzgórza przeszliśmy przez wyrwę w skale na leżące odło-
giem pola. Pasły się tu senne krowy, które na nasz widok
rozstąpiły się bez pośpiechu, odsłaniając szare budynki
opuszczonej farmy wraz z jej blaszaną stodołą nakrapianą tu
i ówdzie rudymi plamami rdzy. W rześkim powietrzu czuło
się już zapowiedź nadchodzącej zimy, chociaż wciąż jeszcze
tłumiły ją wonie jesieni: zapach zoranej gleby, zwiędłych liści,
ognisk i opadłych jabłek.

Dotarliśmy na farmę bez przeszkód, przełażąc przez
ogrodzenie w tym samym miejscu co poprzednio — zaraz za
tym wielkim kasztanowcem i trójką jego kuzynów.

Odkąd Sophie porządnie naoliwiła śrubę pełniącą rolę
zawiasu, nowe drzwi do stodoły otwierały się bardzo lekko.
Wewnątrz było mroczno i chłodno — cieplej i jaśniej robiło
się dopiero koło południa. Sophie od razu wdrapała się na
mury naszego zamku, a ja zacząłem biegać po pustym teraz
klepisku. Było tu tyle miejsca! Pokonałem już całą długość
stodoły, gdy usłyszałem wołanie:

— Mattie!
— O co chodzi?
— Przyjdź tu na chwileczkę!

Szybko pobiegłem z powrotem, konstatując z zadowoleniem, że wcale nie mam zadyszki.

— Co się stało? — spytałem, zerkając przez blanki do naszej słomianej czatowni.

Sophie wymownym gestem wskazała mi rozrzucone książki, papiery i kredki.

— Dotykałeś tu czegoś?

— Nie.

— Jesteś pewny? Może przypadkiem kopnąłeś jakąś książkę?

— Mówię ci, że nie. Ostatnim razem w ogóle się tu nie bawiłem. Cały czas byłem tam, na klepisku.

— Uhm, teraz sobie przypominam.

— Ale o co chodzi? Uważasz, że coś się tutaj zmieniło? — Mnie ten bałagan wydawał się zupełnie taki sam jak zwykle.

— Tak. Te rzeczy leżą inaczej. Ktoś tu był.

Momentalnie opuściła mnie cała beztroska. I co teraz? Stracimy naszą kryjówkę? Komu przyszło na myśl tu szperać?

— Myślisz, że ten ktoś wróci?

— Nie wiem — mruknęła Sophie — ale trzeba to brać pod uwagę. Rusz się, Mattie. Musimy uprzątnąć te rzeczy.

Groźba utraty wspaniałej kryjówki przejęła mnie dreszczem. Ale może Sophie coś wymyśli? Może znajdzie jakiś sposób na tych nieznanych intruzów? Gotów byłem zrobić wszystko, aby jej w tym dopomóc.

— Trzeba sprawdzić, czy odkryli nasze tajne miejsce — zadecydowała, opuszczając się na dół. — Nie! — zawołała po paru minutach. — Tu wszystko w porządku. Widocznie byli tylko na górze. No i bardzo dobrze, ale to nie zmienia sytuacji. Kłopot jaki był, taki jest. — Zamilkła na chwilę, zastanawiając się nad czymś. — Możemy założyć, że ci intruzi to jakieś dzieciaki — podjęła po pauzie — bo czy ktoś dorosły właziłby na górę albo chciałby się bawić kredkami? Ale skoro to dzieci, można się spodziewać, że zechcą tu wrócić.

— Kiedy?

— Przypuszczam, że dzisiaj. Pewnie chodzą do szkoły, a dzisiaj niedziela, więc to logiczne. Spływajmy stąd, Mattie. Nie powinni nas tutaj zastać.

Po mroku stodoły na moment oślepłem od słońca.

— Na razie nie widzę nikogo — stwierdziła Sophie, rozejrzawszy się dookoła. — A ty?

— Ja też nie.

— Punkt dla nas. Skorzystajmy z tego, że ich jeszcze nie ma, i ukryjmy się w takim miejscu, skąd dobrze widać stodołę. Poczekamy tam sobie, aż przyjdą, i wtedy zdecydujemy, co robić. Wracajmy na ścieżkę.

Znów trzeba było przeleźć przez ogrodzenie, tym razem jednak skręciliśmy nie w stronę grupki kasztanów, tylko w górę zbocza. Parę metrów dalej widać było miejsce, gdzie rosnący pod murem dość skąpy żywopłot wydawał się trochę gęściejszy. Mogliśmy stąd obserwować zarówno cały dziedziniec farmy, jak i ten bok stodoły, w którym znajdowało się ukryte wejście. Przykucnąwszy za żywopłotem, objąłem pierwszą wartę. Mieliśmy się zmieniać co piętnaście minut.

— Chcesz kanapkę? — spytała Sophie.

— Z czym?

— Z szynką i serem.

— Może być.

Na razie nic się nie działo, skracaliśmy więc sobie czas oczekiwania, gadając o szkole i nauczycielach. Zrobiło się trochę cieplej — zbliżało się już południe. Wciąż jednak nie widać było ani tych ciekawskich, ani w ogóle żadnego ruchu z wyjątkiem snującego się od strony wioski białego dymu z ogniska. Wisiał nisko nad ziemią, ale przy tak bezwietrznej pogodzie nawet ogień palił się leniwie. Nam także w końcu odechciało się gadać. Zamyślona Sophie siedziała na murku, machając nogami.

— I co? Wciąż nic? — spytała po paru minutach.

— Nic. Jak myślisz, kiedy oni przyjdą?

— Cóż, mogą dziś w ogóle nie przyjść, ale coś mi mówi, że się zjawią. Poczekajmy jeszcze trochę. Nie byłoby dobrze, gdyby nas zastali w stodole. Muszę ich zobaczyć, zanim oni zobaczą nas.

— A później...?

— Wszystko zależy od tego, kto to jest. W najgorszym razie będziemy musieli wynieść się ze stodoły.

— A jeżeli będą całkiem fajni? Moglibyśmy powiedzieć, że chcemy założyć jakiś klub albo kółko zainteresowań i możemy ich przyjąć na członków — zasugerowałem, myśląc o swoich kumplach, tych od spitfire'a.

— Hm... można by — mruknęła Sophie. — Zobaczymy. Minęła pierwsza i nadal nikt się nie zjawił.

— Nudzi mi się — jęknąłem — jak długo mamy jeszcze czekać?

— A co byś chciał robić?

— Czy ja wiem? Może pójść do lasu?

— Proszę bardzo, możemy iść. Postaw na murku puszkę z kanapkami; zabierzemy ją w drodze powrotnej.

Las zaczynał się za pustym polem, tam gdzie kończyła się ścieżka. Po lewej stronie, oddzielona od nas kilkoma zagonami chwastów, rozciągała się polana ze zwalonym drzewem. Ruszyliśmy ścieżką pod górę, by po paru minutach znaleźć się w gąszczu splątanych krzewów i młodych drzewek zarastających całe obrzeże lasu. Przedarcie się przez tę gęstwinę kosztowało nas trochę trudu, ale dalsza droga okazała się już łatwiejsza. Wysokie z początku poszycie stopniowo ustąpiło miejsca grubej liściastej ściółce, której wierzchnia zbrązowiała warstwa chrzęściła nam pod stopami jak dobrze zrumienione frytki. Wystarczył mocny kopniak, żeby posłać w powietrze istną fontannę liści. Zająłem się tym z zapałem, żłobiąc w ściółce wielkie koleiny, a Sophie śmiała się głośno i robiła to samo. Całe chmary spłoszonych gawronów podrywały się z gniazd, krzącząc ostrzegawczo. Z głębi lasu odpowiadały im głosy innych zaalarmowanych ptaków.

Rosły tu dorodne muchomory, a w ściółce leżało sporo mokrej kasztanowej amunicji. Strzelałem nią w te wielkie nakrapiane kapelusze, chichocząc z uciechy, gdy rozlatywały się na drobne, zadziwiająco białe kawałeczki. W kieszeni kurtki miałem dwa samolociki, ale kto by się tam teraz nimi bawił!

Spędziliśmy w lesie ponad godzinę, zataczając wśród drzew wielki łuk, który doprowadził nas w końcu prawie do punktu wyjścia. Schodząc znaną ścieżką ze zbocza, znalazłem sobie nową zabawę: wybierałem najbardziej okrągłe kamienie i kopniakiem spychałem je na dół, by zobaczyć, jak daleko się potoczą. Byliśmy już blisko murku i leżącej na nim puszki; kiedy Sophie chwyciła mnie za ramię.

— Stój, Mattie. Spójrz tam.

Spojrzałem. Na dziedzińcu farmy widać było dwie postacie w kolorowych kurtkach. Z początku wałęsały się jakby bez celu, to zaglądając do szopy, to znów opukując deski, którymi zabite były okna domu, a potem zaczęły okrążać stodołę, najwyraźniej szukając ukrytego wejścia. Po kilku nieudanych próbach przybysze odnaleźli luźny arkusz blachy i po chwili wpełzli do środka.

— No proszę — mruknęła Sophie. — Idziemy. Trzeba im się przyjrzeć.

Zbiegliśmy w dół aż do miejsca z tym gęściejszym kawałkiem żywopłotu, skąd zaczęliśmy obserwować wejście do stodoły. Nic się jednak nie działo; ze środka nie dobiegał żaden dźwięk. Można było pomyśleć, że nikogo tam nie ma.

— Co teraz? — spytałem.

— Muszę się dowiedzieć, kto to jest — powtórzyła Sophie. — Pójdę zobaczyć, a ty tu na mnie poczekaj. Zaraz wrócę — dodała, przełażąc przez murek.

Po dziesięciu minutach zacząłem się martwić, czy nie stało jej się coś złego. Zanim zniknęła mi z oczu, widziałem, jak chodzi koło stodoły, przykładając oko do ściany w miejscach, gdzie musiały być dziury, ale odkąd wpełzła do środka, wszelki ślad po niej zaginął. Klapa ani drgnęła, nie słychać było żadnych głosów. Coraz bardziej zdenerwowany już prawie postanowiłem pójść za nią — i w tym akurat momencie ktoś odsunął blachę. Na widok czerwonej kurtki serce podeszło mi do gardła, na widok żółtej zamarłem. Gdzie Sophie? A jeśli w ogóle nie wyjdzie? myślałem w przypływie straszliwej paniki. Ach, wygramoliła się wreszcie spod klapy, wstała i podeszła do tych ludzi w kurtkach. Chwilę rozmawiali, a potem ci dwaj nieznajomi ruszyli w stronę głównej drogi. Stałem jak na szpilkach, czekając na Sophie.

— Co się stało? — krzyknąłem, gdy znalazła się w zasięgu głosu. — Co to za ludzie?

— Och, na litość boską, niech trochę odetchnę! — sapnęła, wdrapując się na murek. Dopiero gdy rozsiadła się tam wygodnie, zaczęła wreszcie opowiadać, machając do rytmu nogami.

— Mieliśmy rację, że to dzieciaki. Są od nas trochę starsi — dodała z jakąś dziwną miną. — Jeden ma trzynaście lat i na imię Andrew, a ten drugi, Steven, piętnaście. Pamiętasz, jak kilka lat temu ktoś przyłożył ci na boisku?

— Nie pamiętam. — A w ogóle, pomyślałem, co to ma do rzeczy?

— Musisz pamiętać! Odesłano nas wtedy do domu, bo miałam pęknięty ząb!

— Ach tak! Ale to ciebie ktoś pobił.

— Wiedziałam, że pamiętasz! No więc Andrew to jeden z tych dwóch zabijaków, których potem wywalono z budy. Steven to jego starszy brat.

Cóż miałem na to powiedzieć? Incydent, o którym wspomniała Sophie, wydarzył się tak dawno, że jego szczegóły zatarły mi się w pamięci. Nie byłem nawet pewien, czy rozpoznałbym teraz twarze jego sprawców. Odkąd wydalono ich ze szkoły, tak kompletnie przestali mnie interesować, że przez wszystkie te lata nie poświęciłem im chyba ani jednej myśli. Nigdy bym się też nie spodziewał, że jeszcze ich kiedyś zobaczę.

— Czy oni... to znaczy... czy on cię pamięta? I to, co ci zrobił? — spytałem wreszcie z wahaniem.

— O tak, na pewno — powiedziała znów z tą dziwną miną — ale ludzie się przecież zmieniają. On już chyba nie jest takim... chuliganem, więc nie musisz się o mnie martwić. — Po tych słowach ziewnęła szeroko. — Pomyślałam nawet, że byłoby fajnie pogadać sobie we czwórkę. Przyjdą tu znowu w środę. Obiecałam, że my też.

— Przecież chciałaś, żeby to było tylko nasze miejsce! — wykrzyknąłem zdumiony taką zmianą frontu.

— No tak, ale czy to znaczy, że nie wolno nam czasem zaprosić przyjaciół? I, och, sam chyba wspomniałeś o klubie — dodała żywo, udając, że dopiero teraz przyszło jej to na myśl.

— Chyba tak...

— No widzisz. Dobrze mieć paru znajomych, z którymi można pogadać. Myślę, że polubisz Andrew, a Steven... Steven też jest okej. Ale na dziś wystarczy — stwierdziła, odgarniając luźny kosmyk włosów. — Chcesz wpaść na chwilkę do kamieniołomu?

Pamiętając o domysłach, które nasunął mi szyfr Leonarda, i o swym postanowieniu, że przy najbliższej okazji postaram się przyjrzeć jej księgom, wyraziłem zgodę:

— Dobrze, możemy iść.

Urywa nagle i mierzy mnie twardym spojrzeniem.

— Opowiedz mi o tej stodole. — Mówi to tak, jakby mnie o coś oskarżał.

— Co chcesz wiedzieć? — pytam, próbując zyskać na czasie.

— Powiedz, z jakiego powodu wybrałaś to właśnie miejsce.

Aha, kolejny test, ale ten akurat zdołam chyba zaliczyć pomyślnie. Wiem przecież, jak mnie postrzega. Wystarczy, że odpowiem w sposób pasujący do jego wyobrażeń. Po chwili już wiem, co powiedzieć, i ogarnia mnie pewność, że będzie to strzał w dziesiątkę.

— To była pułapka — mówię, śmiejąc się duchu, że udało mi się go przechytrzyć; staram się jednak nie zdradzić tonem głosu, jaką mi to sprawia satysfakcję. — Tak, Mattie, miałeś słuszność: jak na kryjówkę to miejsce za bardzo rzucało się w oczy, ale jeśli chodzi o dorosłych, było zupełnie bezpieczne. Kogo mogła zainteresować ta opuszczona stodoła? Jedynie kogoś...

— Takiego jak ty — wchodzi mi w słowo. — Ludzi, którzy mieli coś do ukrycia. — Mówi to bardzo spokojnie, niemal szeptem, ale patrzy na mnie tak ostro, jak chyba nigdy dotąd. — Zastawiłaś więc na nich pułapkę, nic mi o tym nie mówiąc. Od początku wiedziałaś, co to będzie. Nie chodziło ci o takie zabawy jak w kamieniołomie.

— To prawda.

— Cholera! — Gniewnie przeciąga ręką po twarzy. — Powiedziałaś do mnie „Mattie" — dodaje po pauzie.

— Naprawdę? — Nie pamiętam, żebym to mówiła, ale może tak było... On wciąż używa tego zdrobnienia, mogłam więc powtórzyć je bezwiednie.

— Powiedziałaś. — W oczach pojawiają mu się błyski, ale to tylko odbicie drżącego płomyka świeczki. — Pewne rzeczy, jak widać, nigdy się nie zmieniają.

— Przedtem mówiłeś co innego. — Och, czy to aby nie błąd, myślę z nagłym strachem, czując, że wkraczamy na całkiem nie znany mi teren. — Powiedziałeś, że z czasem wszystko się zmienia.

Śmieje się cicho, ale nie ma w tym wesołości.

— Świetnie, Sophie, doskonale! Rzeczywiście padły takie słowa, z tą różnicą, że nie ja to powiedziałem, tylko ty, więc skończ te cholerne gierki! Nie jestem już dzieckiem, a ciebie widzę na wylot!

Przerażona, w milczeniu kiwam głową. Nie podniósł głosu, ale twarz ma taką, że czuję ciarki na grzbiecie. Kiedy mnie uderzył, zlękłam się, że może mnie zabić; teraz znów myślę ze zgrozą, że naprawdę jest do tego zdolny.

— Tak — mówi po dłuższej chwili. — Wracajmy do sprawy.

Czując, że cała się trzęsę, próbuję to opanować. Nie powinien widzieć, że się boję.

Po nocnym deszczu zejście do kamieniołomu okazało się dużo trudniejsze niż zwykle — śliskie osypisko co chwila osuwało nam się spod nóg. Zwiędłe zielska pod ścianą wyglądały jak zmokłe kury, a na skale, tej pod klatkami, widać było plamy od wody ściekającej z zardzewiałych prętów. Sophie poszła po torbę, a ja, udając całkowity brak zainteresowania, zacząłem wałęsać się bez celu i rzucać kamieniami w chwasty.

Gdy po chwili wróciła, podszedłem do niej bez pośpiechu i przykucnąwszy obok, zacząłem wygrzebywać z torby stare muszle. Spojrzała na mnie z lekką ciekawością, czym prędzej więc rzuciłem możliwie niedbałym tonem:

— Jak już zbudujemy ten samolot, mógłbym go puścić stamtąd. — Mówiąc to, wskazałem ręką najwyższy brzeg kamieniołomu, ten nad rzędem klatek.

Chyba ją to zadowoliło, bo powiedziała z uśmiechem:

— Czemu nie? Tylko wiesz co? Jeżeli coś źle pójdzie i spadnie ci na te skały, nie będzie po nim co zbierać. — Wygłosiwszy tę przepowiednię, otworzyła puszkę po biszkoptach, z której wyjęła plastikowy worek z zeszytami.

— O czym dziś będziesz pisać? — spytałem, wiedząc z góry, jaką otrzymam odpowiedź.

— Och, przecież wiesz. O różnych drobiazgach. O tym, co się zdarzyło.

— No tak. — Wstałem i odszedłem, czując, że mdli mnie z emocji. Wciąż jeszcze nie zerknąłem w „księgi", aby się nie wydawało, że mnie one zbyt interesują. Nie mogłem też jednak całkiem nie zwracać na nie uwagi — byłoby to podejrzane. Obserwując latami Sophie, nauczyłem się od niej, jak trzeba się zachowywać, żeby łgarstwo wyglądało na przekonujące, mimo to zdziwiłem się trochę, że nic nie zauważyła. Aż tak dobrze mi poszło? — pomyślałem z lekką satysfakcją. Podbudowany tym drobnym sukcesem zacząłem wędrować po obwodzie niecki, starając się iść tak powoli, jak tylko było to możliwe. Gapiłem się w niebo, wyobrażając sobie, że widzę tam swego spitfire'a, nuciłem piosenki, które znałem z radia, rzucałem kamieniami, po prostu robiłem wszystko, żeby moje zachowanie i wygląd wydawały się takie jak zwykle. Kłopot polegał na tym, że nie bardzo wiedziałem, jaką normalnie mam minę, Sophie natomiast wiedziała to aż za dobrze. Zatoczywszy koło, zawróciłem i zacząłem iść w drugą stronę. Teraz już musiałem ciężko z sobą walczyć, żeby nie puścić się biegiem. Po chwili uznałem, że wystarczy: jeśli przeholuję, Sophie skończy pisać i nic nie zobaczę. A gdyby wybrać się tu bez niej? Mógłbym wtedy spokojnie obejrzeć te księgi. Ale nie — nie był to dobry pomysł. Droga na szczyt wzgórza nie była wprawdzie daleka — zajęłaby mi może dziesięć minut

— jednak z okien domów widać było całą ścieżkę. Gdyby Sophie mnie tam zobaczyła, od razu by wiedziała, dokąd idę. I co bym miał jej powiedzieć, gdyby spytała mnie, po co? Był też inny powód: zawsze sama pakowała swoje księgi. A jeśli to robi w jakiś specjalny sposób? Zostawia sekretne znaki na wieku od puszki albo tak zawija plastikowy worek, że gdybym go otworzył, od razu by to wykryła?

— Nudzi mi się — powiedziałem kapryśnie, stając jej za plecami. — Długo jeszcze będziesz pisać? Wolałbym pójść do stodoły.

— Jeszcze tylko chwileczkę. — Zakończyła linijkę jakimś dziwnym znakiem, przypominającym złamaną w połowie kreskę, i spojrzała na mnie. — Może byś poszedł tymczasem sprawdzić swój pas startowy? Zobacz, co stamtąd widać i czy rozbieg będzie odpowiedni. Ja zaraz do ciebie przyjdę.

— No dobra. — Zdążyłem już co nieco zauważyć. Litery były normalne, lecz spostrzegłem między nimi dziwaczne symbole — ten w kształcie złamanej kreski i jeszcze inne — a w dodatku ich kolejność była taka, że słowa nie miały sensu. Czy to w ogóle były słowa? Normalne pismo tak nie wygląda; wyrazy są różnej długości, a te ułożone były w regularne bloki. Nie mogłem zbyt długo sterczeć za plecami Sophie, oznajmiłem więc siląc się na obojętność:
— No to idę. Pomacham do ciebie z góry.

Wspinając się mozolnie po nierównym zboczu, starałem się bardzo ostrożnie stąpać po oślizłych łupkach, a równocześnie przypomnieć sobie, czy te jej gryzmoły zawsze wyglądały tak jak teraz? Po namyśle doszedłem do wniosku, że nie. Dawniej chyba bardziej przypominały normalne słowa, choć i wtedy brzmiały nonsensownie. Dawniej — to znaczy kiedy? Kiedy po raz pierwszy widziałem te zeszyty? Musiałem być bardzo mały. Mogłem mieć zaledwie cztery lata. W każdym razie jako pięciolatek nie pamiętałem już czasów bez tych ksiąg. Stały się po prostu nieodłącznym elementem mego życia. Ostateczna konkluzja brzmiała: Sophie mogła zmienić szyfr. Jest teraz starsza, wymyśliła więc coś trudniejszego. Nie przypominało to w niczym kodu

Leonarda — liter pisanych odwrotnie, tak że wyglądały jak odbite w lustrze — nietrudno było jednak dojść do wniosku, że choć używali innych metod, oboje w gruncie rzeczy robili to samo i z takich samych powodów. Leonardo strzegł swych wynalazków, a Sophie swoich sekretów. Jej sekrety musiały być zupełnie inne, lecz tak samo pragnęła je ukryć. Dlaczego? Nie mogłem teraz o tym myśleć. Zakończyłem właśnie wspinaczkę, po której zabrakło mi tchu. Musiałem przystanąć i użyć inhalatora.

O tej porze roku drzewa otaczające starą kopalnię wyglądały jak wykute z metalu — złota i miedzi. Na ziemi leżała gruba warstwa liści i łupin z nasion. Przelazłem pod kolczastym ogrodzeniem i zacząłem szukać dogodnego miejsca do startu. Już wspinając się w górę, widziałem, że na długim odcinku krawędzi zmurszałe skały odpadły i że powstał tam nawis ziemny grubości około pół metra, który nie wydawał się bezpieczny. Gdyby się urwał, czekałoby mnie bardzo twarde lądowanie — na dnie kamieniołomu. Zacząłem szukać innego miejsca — już nie przy samej krawędzi — i po krótkiej wędrówce skrajem lasu odkryłem niewielką polankę doskonale nadającą się na pas startowy. Ciekawe, co robi Sophie? Aby wrócić na krawędź, musiałem przepełznąć znów pod ogrodzeniem albo znaleźć w nim większą lukę. Przyszło mi to bez trudu: jakaś złamana gałąź zgruchotała kawałek płotu, zamieniając go w stertę splątanych drutów i desek. Przekroczywszy ją bardzo ostrożnie, zatrzymałem się w miejscu, skąd widać było prawie całe dno kopalni. W pierwszej chwili nie dostrzegłem Sophie, lecz już po kilku sekundach wyłoniła się spod ściany z klatkami. Tej, nad którą stałem.

Na myśl o tych klatkach jak zwykle przeszedł mnie dreszcz; teraz uświadomiłem sobie na dodatek, że mam je dokładnie pod stopami.

— Hej! — zawołałem do Sophie.

Przystanęła, machając mi ręką. Kiedy zaczęła się wspinać po przeciwległym zboczu, ruszyłem jej na spotkanie, przepełniony uczuciem cichego triumfu. Wprawdzie tylko zerknąłem w jej księgi, ale udało mi się dokonać czegoś ważniejszego. Odkryłem w mojej siostrze pewną słabość: nie zauważyła, że ją oszukałem. Nie wie, myślałem, że potrafię kłamać i że sama mnie tego nauczyła!

Matthew przerywa opowieść, pozwalając mi przetrawić swe ostatnie słowa, lecz moje myśli zaprzątnięte są czym innym. Czyż to nie ironia losu, że on, który tak pilnie przyglądał się kiedyś wszystkiemu, co dotyczyło Sophie, chcąc z tych błahych niekiedy szczegółów stworzyć sobie prawdziwy obraz tej dziewczyny, tak dobrze mu znanej i zarazem nie znanej, sam stał się teraz, po dwudziestu latach, obiektem takiej samej obserwacji i ocen? I żeby było śmieszniej — z tych samych właściwie przyczyn. Los bywa czasem przewrotny.

ROZDZIAŁ DZIESIĄTY

Nadeszła środa. Po powrocie ze szkoły Sophie od razu zaczęła przebierać się w dżinsy i kurtkę. Na dworze było zimno i mokro od mżawki.

— Gdzie idziesz?

— Krótką masz pamięć — odrzekła, obnażając w uśmiechu wszystkie zęby. — Umówiliśmy się przecież z Andym i Steve'em.

— A, prawda.

— Rozmawiałam już z mamą. Możemy wziąć z sobą podwieczorek.

— Pozwoliła?

— No pewnie. Włóż coś na siebie, do licha, nie możesz iść tak jak stoisz!

— Zaraz wrócę! — Pobiegłem po kurtkę, zachodząc w głowę, jak ona to robi, że matka tak łatwo zgadza się na wszystko. Było to bardzo dziwne.

Do stodoły przyszliśmy pierwsi — tak jak chciała Sophie.

— Tylko pamiętaj, Mattie, ani słówka o naszym schowku — ostrzegła mnie zaraz po wejściu. — Schowek jest tylko nasz. Chodź, poczekamy na nich na górze.

Usadowieni na szczycie naszej fortecy, zaczęliśmy wymieniać nowinki o szkole i tak minęło chyba pół godziny. Usłyszeliśmy wtedy szczęk blachy i w otworze ukazała się czerwona kurtka.

— Cholerne żelastwo! — syknął przybysz. — Dziabnąłem się w rękę!

— Właź prędzej, bo zimno! — ponaglił go drugi.

Po chwili obaj podnieśli się z ziemi.

— Hej, jest tu kto? — rozległ się okrzyk.

— Jesteśmy! — zawołała Sophie, zeskakując z murów naszej twierdzy. — Cześć, chłopaki! Przyprowadziłam dziś brata. Pokaż się, Mattie. Ma dopiero dziewięć lat, ale jest w porządku.

Ten starszy zaczął się śmiać.

— Patrzcie ją, jaka ważna!

— Ona tak zawsze — stwierdził jego brat.

Zauważyłem jednak, że wcale nie są tacy pewni siebie, za jakich by chcieli uchodzić, i trochę mi ulżyło — ucisk w klatce piersiowej ustąpił. Zacząłem im się przyglądać, ale w żaden sposób nie mogłem ich sobie przypomnieć, a przecież przynajmniej tego młodszego, który tak paskudnie poturbował Sophie, powinienem był zapamiętać.

Gdy na znak, że mają iść za nią, niezdarnie wdrapali się obaj na górę, na moment zapadła cisza.

— Fajnie tu — bąknął wreszcie Andy, rozglądając się dookoła. — Zrobiliście to sami?

— Nie — zełgała Sophie — tak tu już było. Przesunęliśmy tylko jedną czy dwie bele, żeby zbudować tę ścianę. Są strasznie ciężkie.

— Dla was — rzucił z grymasem Steven. — Straszne z was jeszcze mikrusy.

— Zamknij się — mruknął niespokojnie Andy.

Aha, pomyślałem w rzadkim u mnie przebłysku intuicji, każesz mu się przymknąć, bo dobrze znasz Sophie i wolisz się jej nie narażać. Ciekawe, jak się teraz czujesz? Chyba nie najlepiej. Sophie nie wydawała się jednak obrażona czy zirytowana uszczypliwą uwagą Stevena.

— Siadajcie — powiedziała tylko. — Trochę tu twardo, ale co tam! Da się wytrzymać.

— Jak tu trafiliście? — zainteresował się Andy.

— Przypadkiem. Przechodziliśmy tędy któregoś dnia, no i zauważyłam, że farma jest pusta.

— Ano pusta, kurde — mruknął Steve. Wyjął z kieszeni paczkę papierosów, wsadził jednego do ust i zapalił, a zapałkę rzucił na klepisko.

— Tu trzeba uważać — powiedziała Sophie, nie podnosząc głosu. — Znam przyjemniejsze rodzaje śmierci niż upieczenie się żywcem.

— Boisz się? — spytał z szyderczym uśmieszkiem.

Sophie też się uśmiechnęła. Wszyscy zamilkli.

— Czujesz dym? — spytała po chwili.

— Nie bądź głupia, zgasiłem zapałkę!

— Wcale nie. Pomachałeś nią tylko, a nie zgasiłeś. No i kto tu jest głupi?

Oczy zaokrągliły mi się ze zdumienia, bo chociaż z początku nie czułem żadnego zapachu, to teraz zaczęło mi się wydawać, że tak, chyba coś się pali. Zerknąłem na Andy'ego: sądząc po minie, on również czuł woń spalenizny.

— Bzdura! — obruszył się Steven, ale już nie tak pewnie.

— No to poczekajmy jeszcze chwilkę. Wtedy nie będziemy już mogli zejść na dół. — Sophie powiedziała to całkiem spokojnie, ale tak jakoś, że lekki dotąd zapach dymu wydał mi się nagle swędem palącej się słomy i mokrych ubrań. Zauważyłem, że teraz czuje go nawet Steven.

— Kurde, Steve — wymamrotał Andy — naprawdę coś się pali.

— Bzdura — powtórzył Steven, podnosząc się jednak na nogi z wyrazem kiepsko ukrywanej paniki. — Zgasiłem przecież tę zapałkę. — Niespokojnie wychylił się za krawędź, aby przyjrzeć się słomianej ścianie.

— Żartowałam! — zaśmiała się Sophie. — To prawda, że ją zgasiłeś.

Znowu zapadła cisza. Steven powoli się odwrócił i popatrzył na nią takim wzrokiem, jakby chciał ją uderzyć. Zdrętwiałem. Nic nie mogłem zrobić — był za silny.

— Steve! — rzucił błagalnie Andy. Jego brat parsknął nagle śmiechem.

— Nieźle, jak na dwunastoletnią siusiumajtkę! — Napięcie znikło, a mnie zalała fala ulgi. Steven usiadł, zerkając ciekawie na Sophie. Zauważyłem, że dodał jej rok, nie zamierzałem tego jednak prostować. Andy też nic nie mówił, choć gdyby trochę pomyślał, musiałby sobie przypomnieć, że Sophie nie ma jeszcze dwunastu lat. Brakowało jej do tego dobrych dziewięciu miesięcy.

— Dzięki za uznanie — odrzekła Sophie, zakładając nogę na nogę. — Andy chyba opowiadał ci o mnie? Widzę, że tak — stwierdziła z uśmiechem, kiedy kiwnął głową. — Teraz wy nam opowiedzcie coś o sobie.

— To znaczy co? — spytał Andy, wymieniwszy szybkie spojrzenia z bratem.

— No, może najpierw... po co tu przyszliście?

— Słyszeliśmy, że nikt tu nie mieszka, więc chcieliśmy się rozejrzeć — odrzekł niedbale Steven.

— Porzucać kamieniami, wybić parę szybek — niewinnie podchwyciła Sophie.

— To dobre dla głupich szczeniaków. Nam to nie w głowie. Człowiek potrzebuje czasem prywatności, wiesz? Myślałem z początku o jednym z tych domów. Nietrudno byłoby się tam dostać, ale ktoś ma je pewnie na oku.

— Pewnie — przytaknęła Sophie. — Więc mówisz, że szukacie prywatności. Z jakiego powodu?

Steve znów się roześmiał.

— Nie z takiego, który ciebie mógłby zainteresować! Hej! — zmienił nagle temat — czemuż to twój braciszek cały czas milczy jak ryba? Ty, mały, nie umiesz mówić?

— Umiem — mruknąłem.

— Słuchaj no, Steven — czym prędzej włączyła się Sophie — odpieprz się od mego brata, dobrze? Pogadaj sobie z Andym. On ci najlepiej wytłumaczy, dlaczego nie powinieneś się czepiać Mattiego. Nie warto, co, Andy? Teraz w dodatku jestem starsza — zakończyła, uśmiechając się znacząco.

— Dobra — burknął Steve. — O Chryste, ależ z ciebie numer! Gadasz jak nauczycielka czy coś takiego.

— Raczej coś takiego — zakpiła Sophie. — Tak czy inaczej miło was tu gościć. Nie mamy nic przeciw temu, żebyście tu przychodzili.

— Jasne! A jeżeli ja powiem, że was tutaj nie chcę?

— Nie powiesz — uśmiechnęła się Sophie. — Przecież z ciebie bystrzak. Myślę, że nasze stosunki ułożą się bardzo dobrze.

— Kurde, to niewiarygodne, że można mieć taki tupet! — parsknął Steven, kręcąc głową z najwyższym niesmakiem. — Po prostu nie mieści się we łbie. — Po raz ostatni zaciągnął się dymem i bardzo starannie zgasił niedopałek o podeszwę swego adidasa. Zauważyłem, że Sophie uśmiechnęła się jeszcze szerzej.

— To co? Zobaczymy się w weekend? — spytała.

— Proponuję sobotę.

W milczeniu odprowadziliśmy ich wzrokiem do drzwi. Dopiero gdy klapa wróciła na miejsce, Sophie ze śmiechem opadła na słomę.

— Pierwsze koty za płoty! Mówię ci, Mattie, zanosi się na niezły ubaw!

W piątek kończył się pierwszy semestr, po którym miała nastąpić tygodniowa przerwa. W całej szkole panowało takie zamieszanie, że po paru godzinach wszyscy mieli już tego dosyć — zarówno nauczyciele, jak i uczniowie — toteż wszyscy odetchnęli z jednakową ulgą, gdy wreszcie koło czwartej można było wyjść za bramę. Kiedy zobaczyłem Sophie, wydawała się czymś mocno podekscytowana, a ponieważ w szkole nie zdarzyło się nic takiego, co by mogło ją wprawić w tak radosny nastrój, nietrudno się było domyślić, że powodem tej euforii jest spotkanie z Andym i Steve'em.

Może to trochę dziwne, ale w ogóle nie byłem o to zazdrosny. O, gdybym to ja nagle postanowił spędzić parę godzin w towarzystwie jakichś nowych kumpli, jej reakcja byłaby zupełnie inna! Ja tymczasem czułem nawet coś w rodzaju ulgi, że przynajmniej część jej uwagi przeniesie się ze mnie na kogoś innego.

W domu nalałem sobie soku i ze szklanką w ręku wyszedłem do ogrodu. W chłodnym jesiennym powietrzu czuć było wilgoć przesyconą zapachem ogniska. Niósł się od strumienia, więc poszedłem w tę stronę i zaraz za mostkiem przekonałem się z przyjemnością, że naprawdę pali się tutaj ognisko. Wysoka, regularna sterta ułożona z gałęzi i wilgotnych liści dymiła jak budzący się do życia wulkan. Zaczynało się już ściemniać; na trawniku leżały długie cienie otaczających go drzew. Ogień po chwili zaczął przygasać, wróciłem więc do domu.

Sophie leżała na łóżku, fikając nogą w powietrzu.

— No, jesteś. Gdzie byłeś?

— W ogrodzie. Wcześnie zaczyna się ściemniać.

— I długo jeszcze tak będzie.

— Co robisz?

— Myślę.

— O czym?

Usiadła i z tajemniczym uśmieszkiem kazała mi zamknąć drzwi.

— Potrafisz dochować sekretu?

— Pewnie! — Zaciekawiony przycupnąłem na brzegu łóżka.

— Na razie to dopiero pomysł... Właściwie jeszcze nie wiem, czy to zrobię... — Urwała na chwilę, zastanawiając się pewnie, jak mi to powiedzieć. — Jak ci się zdaje — zapytała wreszcie — na ile lat ja wyglądam?

— Co?!

Odgarnęła włosy do tyłu i przyłożyła do twarzy obie ręce, tak że utworzyły coś w rodzaju ramy.

— No popatrz. A teraz? Ile byś mi dał lat?

— Nie wiem... — wydukałem z wahaniem — ale dużo.

— Więcej niż jedenaście?

— Hm, chyba tak.

— Też mi się tak zdaje. Myślę, że wyglądam na trzynaście, tylko przez to głupie uczesanie wydaję się młodsza. Poza tym wszyscy wiedzą, ile mam lat, i to też jest powód... Chodzi o to, rozumiesz, że gdy ludzie przyzwyczają się myśleć o tobie w taki czy inny sposób, a w dodatku często cię widują, to już w ogóle na ciebie nie patrzą. Może gdybym zmieniła wygląd, traktowaliby mnie inaczej.

— Jacy ludzie? Nauczyciele? Koleżanki?

— Och, nie! Oni niech mnie widzą tak jak teraz. Dla nich nie zamierzam się zmieniać.

— No to kto? Mama?

— Ona się nie liczy. Nie, myślę raczej o Stevenie... Może gdybym wyglądała troszeczkę poważniej, przestałby traktować mnie jak dziecko. — Westchnęła cicho. — Wie, że jestem inteligentna, ale co mi z tego, że będzie mnie uważał za bystrą jedenastolatkę!

— On myśli, że masz dwanaście.

— To żadna różnica, jeśli nawet tak myśli. Tacy jak on uważają, że z dziećmi nie ma o czym mówić. Dlatego spróbuję nie być dzieckiem. Przynajmniej przez jakiś czas.

Nie być dzieckiem? — pomyślałem ze zdumieniem. Niby w jaki sposób?

— Co zamierzasz zrobić?

— Nic wielkiego. Poczekaj parę minut, to zobaczysz. — Wyjęła z szafy dżinsy, rzuciła je na łóżko, mrucząc, „te będą dobre", i poszła do łazienki, gdzie sądząc po odgłosach, zaczęła grzebać we wnęce za zbiornikiem na gorącą wodę. Wróciła po chwili z białą koszulą, tak obszerną, że musiała należeć do ojca. — Będzie o wiele za duża — mruknęła znowu pod nosem.

Pozbywszy się tego, co miała na sobie — obowiązkowej spódniczki i białej bluzki — włożyła dżinsy i tę koszulę. Zacząłem się śmiać, bo rękawy były za długie o dobre dwadzieścia centymetrów.

— Śmiesznie wyglądasz! — wykrztusiłem.

— Jasne. Zaraz coś z tym zrobię. — Starannie zawinęła rękawy, tak że sięgały jej teraz trochę poniżej łokcia, a poły koszuli wetknęła za dżinsy. — Przydałby się jakiś pasek — stwierdziła, zerkając w lustro.

— Mam taki pasek.

— To go przynieś.

Kiedy wróciłem ze swego pokoju, przewlokła pasek przez szlufki i kazała mi zamknąć oczy.

— Czemu? — zachichotałem. — Co chcesz zrobić?

— Nie powiem. Zamknij oczy i nie podglądaj, inaczej nic z tego nie będzie.

— No dobrze. — Usłyszałem jakieś chrobotanie, potem szelest plastikowej torby i znów zacząłem chichotać.

— Zamknij się — zgromiła mnie Sophie, poznałem jednak po głosie, że i jej chce się śmiać. Na chwilę zapadła cisza, po której dobiegły mnie takie odgłosy, jakby przestawiała coś na toaletce. Potem znów wszystko ucichło, i to na tak długo, że zacząłem się niecierpliwić.

— Co ty tam robisz? — wykrzyknąłem, słysząc syk aerozolu. — Nie możesz się trochę pospieszyć?

— Już, już, zaraz kończę.

To jej „zaraz" wlokło się znów w nieskończoność, no ale wreszcie dał się słyszeć odgłos kroków: odeszła od toaletki.

— Wytrzymaj jeszcze chwileczkę, muszę ci coś powiedzieć. Kiedy otworzysz oczy, spójrz na mnie tak, jakbyś mnie nigdy nie widział. Wiem, że to trudne, więc coś ci poradzę. Wyobraź sobie, że za chwilę spotkasz się nie ze mną, tylko z zupełnie kimś innym. Wybierz dobrze ci znaną osobę i wyobraź ją sobie tak dokładnie, jak to tylko możliwe. Kiedy już ją zobaczysz, prędko otwórz oczy, okej?

— Okej.

— Tylko się najpierw upewnij, czy ją dobrze widzisz.

— Wiem! — Idąc za radą Sophie, spróbowałem przywołać przed oczy postać mojej szkolnej koleżanki, Jacqueline Tynes. Z początku szło mi nie najlepiej — obraz był blady i dość niewyraźny, gdy jednak przypomniałem sobie parę szczegółów, zaczął szybko nabierać ostrości. W pokoju zapadła taka cisza, że słyszałem tylko własny oddech. Gdy już prawie uwierzyłem, że stoi przede Jacqueline, otworzyłem oczy.

Doznałem szoku. Koncentrując się tak mocno na postaci swojej koleżanki, musiałem najwidoczniej całkiem wymazać z pamięci wizerunek Sophie, bo gdy zobaczyłem stojącą przede mną dziewczynę, pomyślałem najpierw: to nie jest moja siostra, a potem: jaka ona piękna!

— No i ile mam teraz lat? — spytała.

— Czternaście — odrzekłem nie swoim głosem. — Może nawet więcej.

— No widzisz? — Cofnęła się o parę kroków i... całe złudzenie prysło. W chwili gdy się poruszyła, stała się na powrót moją jedenastoletnią siostrą.

Chciałem przekazać jej swoje wrażenia, ale było to bardzo trudne. Wyjąkałem tylko:

— Wyglądałaś zupełnie inaczej... Zrobiłaś coś z włosami?

— Tak. Użyłam tego — wskazała pojemnik z lakierem do włosów — no i zmieniłam fryzurę. Zlikwidowałam koński ogon, zauważyłeś?

— Tak, oczywiście. — Nadal nie poznawałem własnego głosu. Przez tę sekundę, gdy stała przede mną bez ruchu, była tak zdumiewająco piękna! Jak ona to zrobiła? Na czym polegała ta zmiana? Na tyle już ochłonąłem, że zacząłem dostrzegać szczegóły. Włosy. Rozpuściła włosy i sczesała je do przodu, tak że okalały jej policzki gładkimi pasmami spływającymi miękko na ramiona. No i zmieniła ubranie, ale to przecież widziałem... I to wystarczyło?

— Zrobiłaś sobie makijaż?

— Nie, a co? Wyglądam, jakbym była umalowana?

— Sam nie wiem... Co jeszcze zmieniłaś oprócz ubrania i włosów?

— Nic więcej.

— Naprawdę nic więcej nie zrobiłaś?

— Nno... prawie nic. — Uśmiechnęła się przekornie, jak to ona.

— Aha, więc jednak! Powiedz, co to takiego!

— Przeczytałam parę książek.

— Książki to ty zawsze czytasz.

— Zamknij się, jeszcze nie skończyłam. Te były bardzo pouczające. Dowiedziałam się z nich na przykład, że sposób, w jaki stoisz, siadasz, ubierasz się i tak dalej, decyduje o tym, co myślą o tobie inni, to znaczy, jak cię postrzegają, więc jeśli zmienisz to wszystko, zaczną cię postrzegać inaczej, rozumiesz? A jak to się dzieje? Rzecz w tym, że nim jeszcze cokolwiek powiesz, ludzie na sam twój widok odnoszą takie czy inne wrażenie. Bardzo silne, bo w tym momencie człowiek nie myśli, tylko jak mówią fachowcy, podświadomie interpretuje to, co widzi. I dlatego można go oszukać.

— I ty to właśnie robisz? — spytałem z podziwem.

— Próbuję. Nie wiem jeszcze wszystkiego, ale...zobaczymy. Te włosy i ciuchy to tylko dekoracja. Uważasz, że to duża zmiana?

— No nie, ale to, co mówisz, jest bardzo mądre. — Pomyślałem, że teraz już rozumiem, dlaczego czar prysnął, gdy zobaczyłem ją w ruchu. Chyba nie zdążyła jeszcze przestudiować do końca tej uczonej książki.

— Miło, że tak myślisz, dziękuję — powiedziała, spoglądając w lustro — ale przed kolacją muszę się chyba przeczesać.

Zaczyna znów chodzić po kuchni, a ja znów zmagam się z paniką. To przez tę rozmowę o stodole. Budzi w nim ona tyle stłumionych emocji, że lada moment może nastąpić eksplozja, a wtedy będę zgubiona. Nie potrafię przewidzieć tych jego gwałtownych reakcji, zwłaszcza że mną również miotają skrajne nastroje: po chwilach nienaturalnej beztroski ogarnia mnie przerażenie sięgające granic histerii. Tak, wiem, jestem już strasznie zmęczona. Dlatego nie mogę utrzymać się w ryzach. Jak długo tu jestem? Trudno powiedzieć, ale na pewno kilka godzin. A trzeba jeszcze doliczyć podróż i to, co działo się przedtem. To wszystko wyssało ze mnie energię, a tak mi jest teraz potrzebna. Muszę zmobilizować te resztki, które mi jeszcze zostały.

Ten człowiek... Naprawdę zaczynam się go bać. Jemu chodzi o władzę. Cała ta sprawa to kwestia władzy. Jeśli nawet nie mówi tego wprost, wynika to jasno z jego opowieści, tak jasno, że tylko ślepy mógłby przeoczyć ten wątek. Wiem, z czego się to bierze. Po prostu widzę ten moment, gdy jako dziewięcioletni chłopiec zaczyna po raz pierwszy poddawać próbie swój dotychczasowy związek z siostrą i bardzo nieśmiało stara się zerknąć poza jego ramy. Nie bardzo mu się to udaje, bo w tym związku o wszystkim decyduje Sophie, a on nie potrafi wyzwolić się spod jej władzy. I właśnie dlatego siedzę teraz w tej ponurej kuchni, wśród tańczących po ścianach cieni i cichnących odgłosów burzy.

Po chwili zaczynam myśleć, że takie uzasadnienie byłoby chyba zbyt proste. Musi być coś jeszcze. Te inne powody wyjdą może na jaw w dalszym ciągu jego opowieści. Ale czy tak się stanie? Mogę mieć tylko nadzieję...

Po raz pierwszy od dłuższego czasu — wydaje mi się, że od wieków! — dociera do mnie coś z zewnątrz. Burza wciąż jeszcze trwa, ale tak, miałam rację, wyraźnie osłabła — grzmoty są cichsze, deszcz mniej gwałtowny, wiatr przycichł. Matthew od kilku minut nie zwraca na mnie uwagi. To już kolejna taka przerwa. Czuję, że z jakichś powodów są mu one bardzo potrzebne. Jakby musiał zbierać siły przed każdą kolejną częścią swej relacji, a może nawet odnaleźć w sobie odwagę, aby mówić dalej.

Nadal nie potrafię pozbyć się wrażenia, że jest coś, jakiś ważny szczegół, którego nie mogę uchwycić, choć mam go w zasięgu ręki. Rozglądam się po kuchni, jakbym miała nadzieję, że nagle wyłoni się z mroku, ale to przecież absurd. Widzę natomiast, że Matthew zmierza w moją stronę.

— Jak długo nad tym myślałaś?

— Nad czym? — To straszne, w głowie mam kompletną pustkę.

— O tym, żeby się zmienić — rzuca niecierpliwie — stworzyć się na nowo.

Drętwieję ze strachu. Do tego stopnia, że przestaję rozumieć, o co mu chodzi.

— O czym ty mówisz, Matthew?

— O tych ciuchach, lakierze do włosów i reszcie. Dobrze wiesz, o czym mówię.

— Och, o tym... — Ogarnia mnie ulga. — Nie wiem, nie pamiętam.

— Bardzo sprytnie to wymyśliłaś. Zaimponowałaś mi, Sophie. Ale takich wyników nie mogłaś osiągnąć z marszu. Musiałaś przedtem trochę potrenować.

Nie mam pojęcia, co powiedzieć — na szczęście on mówi dalej.

— Myślę, że to był punkt zwrotny. Twoje pierwsze spojrzenie w inny świat.

— W świat dorosłych?

— Już prawie. Bardzo tego chciałaś, prawda? Później często o tym myślałem; czułem, że to ważne. I wiesz, co ci powiem? Myślę, że byłaś przerażona. Ten nowy świat napawał cię strachem, bo nie umiałaś przewidzieć, co cię tam czeka, ani nad nim zapanować. — Z głośnym westchnieniem osuwa się na podłogę, tak że siedzi znów naprzeciwko. — Żyłaś dotąd w świecie znanym ci na wylot. Ty decydowałaś o wszystkim, co się miało wydarzyć na twojej malutkiej planetce, i co się stanie z nią samą. Jej los zależał od ciebie. Potrafiłaś nawet zabijać zrodzone przez nią potwory. — Czuję, że miał to być żart, ale nie ma w nim wesołości. — I oto spostrzegłaś, że nadchodzą zmiany: nowa szkoła, internat, to, że przestajesz być dzieckiem. Nic wielkiego. Dla każdego z twoich rówieśników byłaby to zwykła kolej rzeczy. Ty tak nie myślałaś. Dla ciebie oznaczało to odejście od tego, kim byłaś, utratę własnej tożsamości.

— Nie mogłam zaakceptować nowej sytuacji? To chcesz powiedzieć?

— Zgadza się. Nie mogłaś. Nie wiem, czy zdawałaś sobie z tego sprawę, ale tak właśnie było. — Mówi to z dziwnie bolesnym grymasem.

Próbuję poruszyć się bardzo ostrożnie.

— Uważasz, że bałam się zmian?

— Tak. — Słowo to brzmi jak szloch.

— Wiedziałeś o tym?

— Wtedy nie. Zrozumiałem to dopiero później. Dojście do tego wniosku zajęło mi trochę czasu. Wtedy... byłem zbyt blisko ciebie. Żeby kogoś zobaczyć wyraźnie, potrzebna jest perspektywa... — Milknie, by wziąć krótki, urywany oddech.

— I jak się wtedy poczułeś? Gdy już zrozumiałeś, że się bałam?

Twarz zmienia mu się nagle — jest wściekły.

— Och, zamknij się, do cholery! Przestań wreszcie gadać!

Patrzę na niego ze strachem. Może znów mnie uderzy? Po chwili zaczyna oddychać równiej, prostuje się lekko i podnosi głowę. Widząc, że zaczyna się uspokajać, próbuję opanować dzikie bicie serca. Ale co wywołało taki atak furii? Co ja powiedziałam?

Rankiem wybraliśmy się do stodoły. Mimo że świeciło słońce, w cieniu blaszanej ściany panował wciąż jeszcze przenikliwy chłód — noc była bardzo zimna. Tym razem ja pierwszy wszedłem do środka. Andy i Steven czekali już na nas, siedząc na jakiejś beli.

— Cześć — powiedziałem.

— Przepraszamy za małe spóźnienie — dodała Sophie. Zauważyłem, że nawet głos jej się zmienił, nie mówiąc o całej reszcie. Wcale się też nie zdziwiłem, kiedy nasi goście wyciągnęli szyje na jej widok. Ona oczywiście spostrzegła to pierwsza. — Chodźmy na górę, musimy pogadać! — zawołała, wbiegając na schodki. — W szkole mamy teraz przerwę i więcej wolnego czasu niż zwykle. Warto by go dobrze wykorzystać.

— Niby jak? — spytał Steven, wdrapując się za nią na wieżę. — Co chcesz robić?

— O tym właśnie chciałam porozmawiać.

— Wciąż gadasz, kurde, jak nauczycielka.

— Daj spokój — rzuciła znudzonym tonem.

Usadowiłem się w kącie, wyjąłem z kieszeni swoje samoloty i ustawiłem je sobie na kolanach. Tamci troje usiedli tak blisko siebie, jakby chcieli odbyć tajną konferencję. Spuściłem oczy, udając, że wcale mnie to nie interesuje.

— No więc? — podjął zaczepnie Steven. — Cóż takiego chcesz robić?

— Sądziłam, że to wy podsuniecie nam jakiś pomysł, no wiesz, coś specjalnego. Mówiłeś przecież, że chodziło wam o jakieś zaciszne miejsce. No to je teraz macie. Jak chcecie tu sobie grać w klasy, proszę bardzo, ale wydawało mi się, że stać was na coś ciekawszego.

— To wy graliście tu sobie w klasy! — warknął urażony Steven.

— Tak się wydaje, prawda? Bo właśnie tak ma wyglądać. Żeby każdy, kto tutaj zajrzy, pomyślał sobie: aha, jakieś dzieciaki bawią się tu w chowanego. Normalka. Wy też tak myśleliście, prawda?

— No... tak — przyznał dość niechętnie. — Hej, Andy, słyszałeś, czego jej się zachciewa? — Nadstawiłem uszu, nadal udając, że interesują mnie wyłącznie samoloty. — Bawić się w dorosłą, kapujesz? Robić d o r o s ł e rzeczy! — zakończył z jawnym szyderstwem.

— Owszem, jeśli w ogóle znasz takie zabawy.

— Ha, ha! Może i znam. Sęk w tym, że ty się do nich nie nadajesz. Chcesz opowiadać świńskie kawały? Oglądać pornosy? Palić trawkę? Puknij się w głowę!

— Masz dostęp do narkotyków? — zainteresowała się Sophie, wcale nie zrażona tą repliką. — Mógłbyś coś przynieść?

Stevenowi opadła szczęka; zamurowało go na dłuższą chwilę.

— O czym ty mówisz, do cholery? — wrzasnął, odzyskawszy głos.

— Zapytałeś, czy chcę palić trawkę, a to przecież narkotyk, prawda? Więc powiedz: masz takie kontakty?

— Co ty wygadujesz! Chyba ci odbiło! — odrzekł szorstko, zauważyłem jednak, że zerknął na nią z podziwem. — O kurde, to naprawdę w głowie się nie mieści. Takim dzieciakom jak ty nie wolno palić marychy.

— Dlaczego?

— O Chryste! Masz dopiero dwanaście lat! A poza tym nie masz tyle kasy. To kosztuje!

— Z kasą — wycedziła Sophie — może nie będzie tak źle. Zobaczymy. A te inne powody... biologiczne... to wymysły, prawda? Można się tym nie przejmować.

— Można albo i nie. Wiesz, co mówią niektórzy? Że małolatom przepalają się od tego bezpieczniki. W mózgu, rozumiesz? Lepiej sobie poczekaj jeszcze parę latek.

— A ty już próbowałeś?

— Jasne! Jest taki facet, który dostarcza towar do szkoły.

— No to nie ma problemu. Pogadaj z nim.

— Nigdy się nie poddajesz, co? — Niecierpliwie pokręcił głową, ale Sophie udała, że tego nie widzi.

— Skoro jesteś pewny, że potrafisz zdobyć trochę koksu, możemy pogadać o forsie — powiedziała rzeczowo.

Zerknąłem na nich spod oka: patrzyli na siebie, nic już nie mówiąc. Po chwili Sophie podjęła jakiś inny temat, jakby ta jej wzmianka o pieniądzach była tylko żartem. Wydawało mi się jednak, że Steven potraktował te słowa poważnie i bije się teraz z myślami: spełnić jej zachciankę czy nie. Mnie trochę ona zdziwiła, ale nie zaszokowała. Chyba nawet przypuszczałem, że coś takiego jak trawka może zainteresować Sophie. Wiedziałem przecież, co się z nią dzieje. Wkroczyła w następny etap na drodze ku dorosłości. Wydawało jej się pewnie, że pora już nie tylko spojrzeć w świat dorosłych, ale i skorzystać z jego ofert. Dzieciństwo widocznie zaczęło ją nudzić.

Mnie też już znudziła zabawa samolotami.

— Sophie?

— Tak, Mattie? O co chodzi?

— Mógłbym stąd wyjść? Chciałbym się pobawić na dworze.

— Idź, tylko bądź gdzieś w pobliżu. Masz zegarek?

— Tak.

— Więc wróć najdalej za dwie godziny.

Poznałem po głosie, że jest jej to nawet na rękę. Woli, pomyślałem, żebym sobie poszedł. Wygramoliłem się z fortu, pędem przebiegłem klepisko i po krótkiej szarpaninie z klapą wybiegłem na zewnątrz.

— Nie byłem ci tam potrzebny. — Mówi to bez złości, pozwalam więc sobie skinąć głową. — Rozumiałem to lepiej, niż myślisz. Wiedziałem, co chcesz zrobić, i nie miałem nic przeciwko temu. Dla niej to eksperyment, myślałem. Robi to z ciekawości. Niech spróbuje. Szybciej jej to przejdzie.

— Naprawdę tak myślałeś?

— Uważasz, że to coś niezwykłego?

— U dziewięciolatka tak.

— Może, pamiętaj jednak, że miałem w tobie dobrą nauczycielkę. Już ci mówiłem, że rozumiałem więcej, niż myślisz. Potrafiłem sobie wyobrazić, jak łatwo ci przyjdzie zniknąć później w tym nowym świecie, gdy tylko opuścisz dom.

— To znaczy ciebie.

— Skoro tak chcesz to ująć... — W zamyśleniu wbija wzrok w podłogę.

Wydaje się teraz tak chłodny, tak opanowany, a jeszcze kilka minut temu zachowywał się jak szaleniec. Co go tak rozwścieczyło? Czyżby myślał, że go prowokuję? Że zależy mi na tym, by go wyprowadzić z równowagi? Oczywiście grubo by się mylił, tak sądząc. Może i spróbuję, ale jeszcze nie teraz — jeśli w ogóle się na to zdobędę. Taka próba to igranie z ogniem. Na razie chyba nic mi nie grozi. Korzystając z tego, próbuję odsunąć się trochę od ściany, żeby ulżyć obolałym plecom.

— Ty mnie nie doceniałaś — odzywa się znowu Matthew — i to bardzo.

W tym masz absolutną rację, odpowiadam mu w duchu, ale głośno mówię tylko:

— Cóż, może i tak.

ROZDZIAŁ JEDENASTY

Wracając na farmę, ze zdziwieniem spostrzegłem kogoś na dziedzińcu. Wystarczyło mi jednak podejść trochę bliżej, aby się przekonać, że to tylko Andy. Po chwili zniknął w otwartej szopie, gdzie Sophie znalazła tę żelazną rurkę. Zaintrygowany poszedłem za nim. Co on tam robi? Siedział na stojącym pod ścianą warsztacie i fikał nogami, pogwizdując jakąś melodię.

— Aleś mnie przestraszył! — krzyknął na mój widok.

— Gdzie tamci? — spytałem.

— Ciągle rozmawiają. Steve kazał mi iść na spacer. — Przysiadłem na jakiejś baryłce i zacząłem mu się przyglądać. Miał ciemnoblond włosy i piegi na całym nosie. Całkiem nie pasował do mglistego obrazu szkolnego zabijaki, który pozostał mi po nim w pamięci. Ale to było tak dawno, powiedziałem sobie, cztery lata temu. Może naprawdę się zmienił. — Wiesz — rzucił po chwili — ta twoja siostra... z nią coś jest nie tak.

— Dlaczego?

— Przecież wiesz — odrzekł, wzruszając ramionami. — Jest strasznie dziwna. Musi być cholernie inteligentna.

— Jest. — Wciąż jeszcze niezbyt mu ufałem, ale w tym, co powiedział, nie wyczułem nic podejrzanego. Nie chciał mnie podpuszczać. Wydawało się raczej, że Sophie wprawia go w zdumienie i może trochę przeraża.

— Jak myślisz, czego ona chce?

— Nie wiem — mruknąłem. — Nie rozumiem, o co jej chodzi. Może chce po prostu spróbować czegoś nowego.

— Tak, to do niej podobne. Niezły z niej numer. A minę ma taką, jakby zjadła wszystkie rozumy. Można by pomyśleć, że to pół dyrektor, a pół Jezus Chrystus. Wierzyć się nie chce, że mogła tak sobie powiedzieć do Steve'a: „Przynieś trochę koksu" czy co to tam było. Myślałem, kurde, że mi się to śni.

— A mnie się chciało śmiać. Widziałeś, jaką on miał minę?

— Jakby go ktoś rąbnął zdechłą rybą.

Zacząłem się śmiać jak szalony.

— Sophie czasami jest... trochę dziwna — przyznałem, gdy wrócił mi oddech.

— Musi ci być ciężko żyć z nią pod jednym dachem.

— Och, nie... — Zaskoczyła mnie ta uwaga. — Sophie jest w porządku, ona tylko... tylko nie najlepiej żyje z ludźmi... Innymi ludźmi... Chyba wiesz, co mam na myśli.

— To, że trudno jej się z kimś zaprzyjaźnić?

— Nie... To znaczy... Ona nie ma prawdziwych przyjaciół. Koleżanki tak, ale to co innego. Każdy ma takich znajomych...

— A ty masz prawdziwych przyjaciół?

Zamyśliłem się nad tym.

— Nie wiem... No tak, mam Sophie.

— To musi być dziwne lubić swoją siostrę — zauważył Andy. — My ze Stevenem nie możemy na siebie patrzeć; no, może nie zawsze, ale często.

— Hm — mruknąłem, bo niby co miałem mówić.

Andy przeciągnął się leniwie, a potem zeskoczył z warsztatu.

— Pójdziemy zobaczyć, co oni robią?

Steven z niepewną miną palił papierosa; siedząca po turecku Sophie uśmiechała się lekko.

— Cześć — powiedziała na mój widok — dobrze się bawiłeś?

— Tak, a wy co robicie?

— Dyskutowaliśmy, ale już właśnie kończymy. — Rozprostowała nogi i wstała, a mnie znowu zaskoczył jej wygląd: znów miałem wrażenie, że to nie ona. — Dogadaliśmy się, prawda, Steven? Do widzenia, chłopaki, do środy.

— Do środy — mruknął trochę nerwowo. — Słuchaj, a jak mnie złapią?

— Powiesz, że to dla ciebie. Co ci mogą zrobić? Masz dopiero piętnaście lat.

— No, niby racja.

Sophie uśmiechnęła się promiennie.

— Chodź, Mattie, wracamy do domu.

Tak czekała tej środy, jakby miało się zdarzyć Bóg wie co. Najpierw snuła się po domu, milcząca i zadumana, a potem — w poniedziałek po południu — raptem ożyła i kazała mi się ubierać: idziemy do kamieniołomu. Spędziliśmy tam blisko trzy godziny, podczas których pisała coś w swoim zeszycie, a w przerwach gapiła się w niebo albo wbijała wzrok w ziemię, gryząc ze zmarszczonym czołem koniec pióra. Była tak skupiona, że mogłem bez obaw zerknąć parę razy w jej zapiski. Zobaczyłem to samo co przedtem: słowa bez sensu ułożone w równe kolumny. Rozumiałem też tyle co przedtem, więc szybko mnie to znudziło. Żeby nie siedzieć bezczynnie, zrobiłem kilka wypadów do lasu, meldując co jakiś czas Sophie, gdzie byłem i gdzie teraz idę. Wieczorem chyba do północy słyszałem, jak chodzi po pokoju, choć zwykle o tej porze od dawna leżała już w łóżku.

Gdy wreszcie nadeszła środa, spotkał mnie przykry zawód: Sophie po krótkiej rozmowie ze Stevenem zasugerowała mnie i Andy'emu, żebyśmy poszli na spacer: „Wróćcie za dwie godziny!" Nietrudno się było domyślić, że jej przeszkadzamy i chce się nas pozbyć. Chciałem zaprotestować, ale potem machnąłem ręką — nie warto. Wyszliśmy więc z Andym na zewnątrz i przez chwilę wałęsaliśmy się po dziedzińcu.

— Moglibyśmy pójść na ryby — zaproponowałem.

— W tym strumieniu, tam w dole, jest pełno cierników.

— Czy ja wiem...? — bąknął Andy. Wydawał się jakoś dziwnie skrępowany.

Nie chcesz, to nie, pomyślałem.

— Jak myślisz, co oni tam robią? — spytałem po chwili.

— Nic wielkiego. Pewno siedzą i palą trawkę. Założę się, że twoja siostra będzie od tego rzygać. Ze mną tak było za pierwszym razem.

— Naprawdę? — Zaimponował mi tym, że pali. — Ale co do Sophie to się mylisz. Jeszcze nigdy nie widziałem, żeby jej było niedobrze.

Usiedliśmy na schodkach jednego z budynków, skąd widać było całą wioskę.

— Mówisz, że nie zachoruje? — spytał z rozbawieniem Andy.

— Nie pamiętam, żeby kiedyś źle się czuła. No, poza tym jednym razem, kiedy... och...

— Kiedy co?

— Poza tym wypadkiem w szkole... — bąknąłem z zakłopotaniem.

— Jakim?

— Kiedy ty i ten drugi chłopak... no wiesz... — wybełkotałem. Nie było to zbyt zrozumiałe, Andy jednak wiedział, o czym mówię. Spojrzałem na niego i przeraził mnie wyraz jego twarzy; malowało się na niej tyle złości i gniewu! Na szczęście zaraz mu to przeszło.

— Przecież wiesz, że ja tego nie zrobiłem — powiedział bardzo spokojnie.

— Ja... — Na chwilę mnie zatkało.

Z całego tego incydentu pamiętałem tylko tyle, że było dwóch napastników i że Sophie została okropnie pobita, ale teraz, siedząc w bladym jesiennym słońcu, przypomniałem sobie nagle gabinet dyrektora szkoły, a w nim dwoje dorosłych i Sophie skuloną w ogromnym fotelu. Jej policzek wyglądał fatalnie, ale oczy... Kiedy nagle wypłynął mi z pamięci wyraz oczu Sophie, uświadomiłem sobie bez cienia wątpliwości, że nie widać w nich było bólu ani strachu. A może wiedziałem to już wtedy...?

— Sama to sobie zrobiła — dodał Andy.

156

— Wiem — powiedziałem cicho.

— Uhm, tak myślałem... wydawało mi się, że wiesz.

— Wstał i wetknąwszy ręce do kieszeni dżinsów, postąpił parę kroków naprzód ze wzrokiem utkwionym w jakieś miejsce po drugiej stronie drogi, gdzie wzgórze zasłaniające naszą posiadłość opadało łagodną krzywizną ku wiosce. Stał tak dłuższą chwilę, a ja nagle poczułem się jak winowajca. Zacząłem gwałtownie przetrząsać pamięć, usiłując wydobyć z ukrycia to wszystko, o czym dotąd nie chciałem wiedzieć.

— Przykro mi, że spotkała cię taka kara... — powiedziałem ze skruchą. — Przepraszam.

Nie spodziewałem się odpowiedzi, on jednak odrzekł po chwili:

— To nie twoja wina. Wiem, że nie mogłeś nic zrobić. Ja zresztą... zasłużyłem sobie na to, co mnie spotkało... — Urwał i zakończył niemal szeptem: — Och, wszyscy byliśmy dziećmi... Nikt tak naprawdę nie chciał nikomu wyrządzić krzywdy... — Znów zamilkł, jakby zastanawiał się nad czymś, a potem nagle przykucnął przede mną i spojrzał mi w oczy, tak otwarcie i szczerze, że zrobiło mi się lżej na sercu. — Czy ty lubisz Sophie? — zapytał.

— Tak.

— Kochasz ją?

— Tak, chyba tak...

— O Chryste, Mattie, ona nie jest normalna. Wiesz o tym?

— Ja... nie wiem. — Ton jego głosu poruszył coś we mnie, chyba jakieś uśpione wątpliwości, bo raptem zebrało mi się na płacz.

Widząc, co się ze mną dzieje, Andy gwałtownie zamilkł.

— Już dobrze... — zaczął mnie pocieszać. — Nie przejmuj się tym aż tak bardzo. Po prostu nie daj się skrzywdzić. Twojej siostrze lepiej nie wchodzić w drogę, ale ty nie zamierzasz przecież tego robić?

— Mhm... — Nadal siedziałem z opuszczoną głową, przyglądając się własnym butom.

— Hej — klepnął mnie w ramię — nie bądź taki smutny. Nie wiem, czy od tego poczujesz się lepiej, ale ci powiem, że ona by mogła dla ciebie zabić. Ma bzika na twoim punkcie. Swoją drogą, jak ty to wytrzymujesz? Ja bym się czuł bardzo dziwnie, gdyby ktoś taki jak ona kręcił się przy mnie przez okrągłą dobę. To tak jakby się miało przy sobie osobistą bombę wodorową.

Uśmiechnąłem się trochę łzawo.

— A może byśmy gdzieś poszli? — rzucił dziarsko Andy. Teraz on postanowił mnie rozruszać. — Oni tam będą siedzieć jeszcze z półtorej godziny.

— Tak — westchnąłem — paląc i jadąc do rygi.

— A co ci to szkodzi? Niech sobie rzygają. No to co robimy?

— Mogę cię oprowadzić po lesie, tym na wzgórzu — powiedziałem, podnosząc się z miejsca. — Jeśli chcesz.

— Czemu nie? Bardzo mi to pasuje.

W drodze do domu Sophie była bardziej milcząca niż zwykle. Wieczorem umyłem zęby i już w piżamie zajrzałem do jej pokoju. Siedziała na łóżku z nogami pod brodą, melancholijnie gapiąc się w sufit.

— Hej — powiedziała, widząc mnie w drzwiach.

— Hej. Powiesz mi, co się tam działo?

— W stodole? Chodź tu i usiądź.

Ukląkłem przy łóżku, opierając się łokciami o krawędź, i spojrzałem na nią pytająco.

— Właściwie nic nadzwyczajnego. Wypaliliśmy trochę... no wiesz, trochę tego, co przyniósł Steven, i tyle. Z czego się śmiejesz?

— Pojechałaś do rygi?

— Nie. Skąd ci to przyszło do głowy?

— Tak jakoś... Sam nie wiem.

Uśmiechnęła się lekko, a potem parsknęła śmiechem.

— No cóż, z początku rzeczywiście nie było to zbyt przyjemne.

— Powiedz, jakie to uczucie.

— To naprawdę nic szczególnego. W pewnym momencie ogarnia cię taki spokój, że nic nie jest w stanie wyprowadzić cię z równowagi, i to jest fajne, ale samo palenie to coś okropnego, przynajmniej dopóki się nie przyzwyczaisz. A wiesz, co jest najdziwniejsze? To, że robisz się senny, chociaż wcale nie chce ci się spać.

— Och, i to wszystko?

— Tak.

— A te inne narkotyki działają tak samo?

— Nie wiem. Możliwe, że inaczej, a może i tak samo, tylko silniej.

— Zamierzasz spróbować?

— Chyba nie — odrzekła, drapiąc się w ucho. — Steven i tak już o mało nie zsikał się w majtki, ze strachu oczywiście. Wątpię zresztą, żeby miał dostęp do czegoś twardszego... No ale przynajmniej spróbowałam — dodała z zadowoleniem. Wydawała się teraz mniej melancholijna.

— Mamy jeszcze cztery dni — zauważyłem.

— Co? Ach tak, wolne od lekcji. W pierwszej chwili nie wiedziałam, o czym mówisz. I co? Co chcesz robić przez te cztery dni?

— Muszę napisać wypracowanie — jęknąłem.

— Aha. Jeżeli uporasz się z tym jutro, to na piątek wymyślimy coś ciekawszego. Ja jutro idę do wioski, więc nie musisz się martwić, że ominą cię jakieś atrakcje.

— Dobrze, spróbuję. Chyba pójdę już spać — powiedziałem, udając senność. — Zęby mam już umyte.

— To zmykaj. Dobranoc, śpij dobrze.

— Ty też. — Przystanąłem na chwilę w holu. Z salonu dobiegał stłumiony odgłos kroków naszej matki człapiącej po grubym dywanie. Od czasu do czasu skrzypnęła jakaś deska. Starannie zamknąłem drzwi swego pokoju, wlazłem do łóżka i zacząłem myśleć. Sophie powiedziała, że rano idzie do wioski, pewnie do biblioteki, więc wróci najwcześniej około południa. Spojrzałem na zegar — było pięć po dziewiątej. Wcale nie jestem zmęczony, powiedziałem sobie, patrząc na leżącą przy oknie stertę — plik czystych kartek, książkę o Leonardzie i gruby podręcznik historii; mogę nie spać nawet do rana. Wygrzebałem się spod kołdry, zebrałem to wszystko z podłogi i powróciłem do łóżka, gdzie z książką na kolanach już miałem się wziąć do pisania, gdy w szparze pod drzwiami spostrzegłem wąską smugę światła.

A jeżeli Sophie zauważy, że i u mnie pali się światło? Po raz drugi wygramoliłem się z łóżka i na wszelki wypadek zatkałem szparę szlafrokiem. Ułożywszy znów wszystko na kołdrze, wziąłem pierwszą kartkę ze sterty i starannie wypisałem tytuł: „Leonardo da Vinci i jego machiny". Znów zerknąłem na zegar — było teraz osiem po dziewiątej. Uśmiechnąłem się do siebie i zacząłem pisać.

— To właśnie wtedy oszukałem cię po raz pierwszy. Czasami nie chce mi się wierzyć, że w ogóle się na to zdobyłem, a kiedy indziej, że nie zrobiłem tego dużo wcześniej.

— Nigdy?

— Chyba nie. W każdym razie nie tak jak wtedy. Teraz dopiero było to prawdziwe oszustwo z premedytacją. Przemyślane i zaplanowane, tak jak ty to robiłaś. Dla mnie zupełna nowość. Już choćby dlatego, że nigdy nie obmyślałem szczegółowych planów.

— Czemu?

— Bo ty to za mnie robiłaś — rzuca dość szorstko. — Muszę ci jednak powiedzieć, że jeśli chodzi o oszustwo, szybko nabrałem w tym dużej wprawy. Zupełnie jakby ta umiejętność tkwiła gdzieś we mnie od dawna; potrzebny był tylko jakiś drobny impuls, żeby ją uaktywnić. Straszne, co? Ale i ekscytujące. Spodobało mi się.

— Co ci się spodobało? — pytam, próbując podtrzymać ten temat.

— Uczucie uniesienia. Świadomość, że potrafię cię wymanewrować.

— Było to dla ciebie aż takie ważne?

— Do licha, Sophie, i ty o to pytasz?! Jakbyś nie wiedziała, do jakiego stopnia byłem od ciebie zależny! Wiesz, co czasami myślałem? Że bez ciebie byłbym niczym. Rozpłynąłbym się w powietrzu. Nie potrafiłem nawet wyobrazić sobie życia bez ciebie! — Milknie, by nabrać oddechu. Po chwili podejmuje już trochę spokojniej: — To nie znaczy, że zdawałem sobie z tego sprawę tak dokładnie i jasno jak teraz. Nie potrafiłbym wtedy wyrazić swych odczuć słowami, ale tkwiły one we mnie od lat. I od lat nie dawały mi spokoju. Nie było przed nimi ucieczki.

Znowu popada w zadumę. Mogę tylko cierpliwie czekać na ciąg dalszy.

Sophie wyszła z domu zaraz po śniadaniu — z plastikową torbą na zakupy. Ubrana była w swoje „nowe" rzeczy, jak przywykłem nazywać je w myślach. O niej też coraz częściej myślałem jako o „nowej" Sophie. Trudno byłoby zresztą tak nie myśleć, gdyż jej doroślejsza wersja stawała się teraz z każdym dniem doskonalsza. Odczekałem parę minut i tłumiąc ziewanie zacząłem wkładać buty. Matka jeszcze się nie pokazała. Nie mogłem sobie przypomnieć, o której poszedłem spać, ale na podłodze przy łóżku leżało sześć bitych stron rękopisu. Pomyślałem, że to więcej niż wystarczająco jak na efekt porannej pracy, więc gdy Sophie zechce rzucić okiem... Nie, powiedziałem sobie, sam się postaram, żeby zobaczyła, jak ciężko dziś pracowałem. Musi uwierzyć, że przez całe przedpołudnie tkwiłem kołkiem w domu. Wyszorowałem zęby — bez nadmiernej gorliwości — powyglądałem trochę przez okno, zrobiłem sobie szklankę soku i dopiero gdy od wyjścia Sophie upłynęło dwadzieścia minut, uznałem, że mogę już ruszać. Przed domem ostrożnie zerknąłem w uliczkę i upewniwszy się, że jest pusta, skierowałem się w stronę wzgórza.

Szedłem szybkim krokiem, stawiając stopy na wystających ze ścieżki spłaszczonych kamieniach — odkrytych fragmentach skały, z których woda wypłukała ziemię, a wiatr i słońce dokonały reszty. Skulone pod skalną barierą kępy zwiędłych pokrzyw i ostrej trawy zdawały się płakać nad śmiercią lata wielkimi kroplami rosy. Moje sznurowadła wkrótce przesiąkły wodą. Słaby wiatr i blade jesienne słońce, widoczne nad drzewami z mojej lewej strony, nie zdążyły wciąż jeszcze osuszyć ścieżki.

Na skraju lasu przykucnąłem na chwilę pod skałą, żeby trochę odpocząć. Ubrany byłem w starą granatową kurtkę, skazaną już na wyrzucenie, bo zrobiła się na mnie za mała. Miałem teraz o wiele ładniejszą i bardziej kolorową, ale stara wydawała mi się bezpieczniejsza — ze względu na kolor, który zdecydowanie mniej rzucał się w oczy. Być może przesadzałem trochę z konspiracją, ale moim przeciwnikiem w tej grze była Sophie, a wobec niej nie wystarczały zwyczajne środki ostrożności. Nawet to, co kiedy indziej wydawałoby się głupie, tu było całkiem uzasadnione. Przynajmniej w moich oczach. Czekałem, aż ustąpi przykre kłucie w płucach — jakbym miał tam setki igiełek lodu. Dopiero gdy poczułem się trochę lepiej, zacząłem się przedzierać przez splątane kępy strzępiastych paproci tworzących żywą granicę pomiędzy polami a lasem. Zaledwie wszedłem między drzewa, przeraził mnie nagły hałas; stanąłem jak wryty z bijącym gwałtownie sercem, lecz gdy zaraz potem usłyszałem odgłosy bezładnej ucieczki, nakazałem sobie iść dalej — to tylko jakieś małe zwierzę, nie ma się czego bać. Nie zwracając uwagi na ptaki, które z wrzaskiem zaczęły mi krążyć nad głową, skierowałem się na krawędź niecki.

Osypisko było śliskie od rosy, a może i deszczu. Zacząłem ostrożnie schodzić bokiem — tak jak uczyła mnie Sophie — z wyciągniętą do tyłu ręką, aby łatwiej utrzymać równowagę. Gdy udało mi się po chwili bez wypadku pokonać to zdradzieckie zbocze, zatrzymałem się pośrodku niecki i uważnie rozejrzałem dookoła. Nie zauważyłem nic podejrzanego. Na niebie w kolorze starego metalu pojawiło się na moment kilka ptaków, ale zatoczyły tylko parę powolnych kręgów i zniknęły mi z pola widzenia. Wszędzie panował spokój, mimo to poczułem się dziwnie nieswojo. Dlaczego? Powód uświadomiłem sobie dopiero po dłuższej chwili: jeszcze nigdy nie byłem tutaj sam, bez Sophie.

Po plecach przeszły mi ciarki, toteż niezbyt pewnie ruszyłem przed siebie. Aby się podnieść na duchu, zacząłem sobie powtarzać, że nic mi tutaj nie grozi, znam przecież to miejsce jak własną kieszeń. O, tutaj leżą te wielkie skały, zawsze tak samo nieruchome jak wtedy, kiedy je widziałem po raz pierwszy cztery, nie, teraz już pięć lat temu. Przy tej płaskiej zawsze siada Sophie, kiedy chce coś zapisać w swej księdze... W tym miejscu urządziliśmy sobie kiedyś piknik, a tu znalazłem tę najlepszą muszlę, którą podarowałem Sophie... Pomyślałem, że działo się to strasznie dawno... Jak gdyby minęły całe wieki od czasów młotka i muszli. Czując, że zaczynam marznąć — było tu chłodniej niż w lesie — roztarłem sobie ramiona, stwierdzając z lekkim zdziwieniem, że przebyłem już całą szerokość niecki i stoję u podnóża ściany z klatkami.

Ze ściśniętym gardłem zerknąłem na ich czarne paszcze. Sophie wyjaśniła mi już dawno, że to stare wyrobiska, które zostały zamknięte, żeby komuś nie zachciało się tam bawić. Bawić? Nie wyobrażałem sobie, aby ktokolwiek — dziecko czy dorosły — miał ochotę lub powód zapuszczać się do tych klatek, zwłaszcza do tej najdalszej, do której przed laty wrzuciłem kamień. Widząc, jak połyka go jednym haustem, poczułem, że to samo zrobiłaby ze mną, gdybym był na tyle głupi, żeby wejść do środka. Już sam jej zapach był niepokojący; rozpływał się wprawdzie w powietrzu, ale wystarczyło podejść do otworu, aby go wyraźnie poczuć. I właśnie w tej najdalszej klatce, pomiędzy leżącą u dołu skałą a sterczącym ze ściany skalnym nawisem, znajdowała się nasza płócienna torba. Wyjąłem ją tak szybko, jak tylko się dało, i nagle stanąłem w miejscu — co robić? Jeśli wrócę na środek niecki, będzie widać mnie jak na dłoni, ale zostać tutaj, niecały metr od tej klatki...?! Nie! Popędziłem kłusem na otwartą przestrzeń, powtarzając sobie, że Sophie nie mogła jeszcze wrócić ze wsi, a gdyby nawet, to tutaj przecież nie przyjdzie. Mimo to nie mogłem oprzeć się myśli — a może jednak...? Co bym zrobił, gdyby mnie tutaj zastała? A ona?

Lekko drżącymi rękami wyjąłem z torby dużą kwadratową puszkę i zacząłem oglądać ją ze wszystkich stron. Zachowane na bokach napisy wciąż jeszcze reklamowały rozmaite rodzaje herbatników, ale większość czerwonej farby zdążyła już odpaść przez ciągłe kolizje z pozostałą zawartością torby — ostro zakończonym młotkiem oraz całą kolekcją dłut i śrubokrętów. Patrząc na te narzędzia, miałem wrażenie, że gdybym je wziął do ręki, jakimś czarodziejskim sposobem przeniosłyby mnie one w przeszłość. Jeszcze raz dokładnie przyjrzałem się puszce, rejestrując w pamięci miejsca, w których widoczne na korpusie rysy łączyły się z tymi na wieku: mogły to być znaki zrobione przez Sophie. Nie sposób było odgadnąć, czy naprawdę stosuje tak daleko idące środki ostrożności, wolałem jednak dmuchać na zimne. Po zdjęciu wieka ułożyłem je obok puszki zgodnie z przebiegiem tych linii, żeby nie pomylić się przy zamykaniu.

W środku znalazłem cztery zeszyty w plastikowych workach, mocno zamotanych i spiętych klamerkami do bielizny. Otworzyłem pierwszy z brzegu i zacząłem przeglądać dość sfatygowany zeszyt. Od początku do końca, strona za stroną, wypełniał go kompletnie bezsensowny bełkot. Musiał to być któryś z wcześniejszych zeszytów, bo nie było tu tych równych kolumn, które widziałem ostatnio. Nie było też dat ani żadnych przerw pomiędzy kolejnymi zapisami; od czasu do czasu zmieniał się tylko kolor długopisu. Przejrzawszy zeszyt do końca, wróciłem do początku i literka po literce zacząłem przepisywać pierwszą stronę.

Po raz pierwszy ośmielam się mu przerwać.

— Dlaczego tak cię interesowały te zeszyty? Mam wrażenie, że budziły w tobie lęk, nie mówiąc już o tym, że cała ta wyprawa kosztowała cię tyle nerwów.

— Dlaczego? — powtarza ze zdumieniem. — Były twoją największą i najpilniej strzeżoną tajemnicą.

— Rzeczywiście?

— Co „rzeczywiście"?

— Naprawdę uważałeś, że to moja największa tajemnica?

Zaczyna się śmiać.

— W tym momencie tak. — Znów parska śmiechem, od którego czuję drżenie w całym ciele. Pośrodku podłogi tańczy płomyk gasnącej świeczki.

*

Upewniwszy się, że Sophie jeszcze nie wróciła, pobiegłem do swego pokoju i dokładnie zamknąłem drzwi. Minęła właśnie dwunasta, miałem więc czas do lunchu — jeszcze ponad godzinę. Wiedziałem, że matka tu nie przyjdzie, a jeśli będę ostrożny, nie zorientuje się nawet, że jestem w domu. Sophie mogła wprawdzie wrócić w każdej chwili, byłem jednak pewien, że usłyszę jej kroki, gdy tylko wejdzie do holu.

Rozrzuciwszy przy łóżku — w przekonywającym nieładzie — sześć stronic swego rękopisu o Leonardzie da Vinci, usiadłem wśród nich na podłodze i wyjąłem z kieszeni cztery zwinięte kartki z fragmentami zapisków Sophie. Ze wszystkich czterech zeszytów skopiowałem ich pierwsze strony. Były to grube, granatowo oprawne zeszyty do ćwiczeń, obowiązujące w naszej szkole w poprzednich latach; teraz mieliśmy inne — w różnokolorowych okładkach i znacznie cieńsze. Chronologię ksiąg Sophie dość łatwo było ustalić na podstawie wyraźnych zmian zachodzących stopniowo w charakterze pisma. Wybrałem najwcześniejszy fragment i zacząłem mu się przyglądać.

Po pięciu minutach nie stałem się przez to mądrzejszy; nadal były to dla mnie bezsensowne szeregi liter, uznałem zatem, że do sprawy należy podejść metodycznie. Na początek spróbowałem czytać wyrazy od tyłu — skutek był jednak ten sam. Wypisałem alfabet na osobnej kartce i zacząłem podstawiać litery — też nic, nie licząc irytacji i zamętu w głowie. Może byłoby inaczej, gdybym to umiał robić, ale moja wiedza na ten temat była wtedy bliska zeru. Po godzinie miałem dość wszystkiego. Zwinąłem kartki i nagle zastygłem pośrodku pokoju — co właściwie mam z nimi zrobić? Schować? Żadna kryjówka nie była bezpieczna. Każde znane mi miejsce znała również Sophie. Doszedłem w końcu do wniosku, że ukryć coś przed nią mógłbym tylko we własnej głowie — żaden inny schowek nie wchodzi w rachubę.

Wyniosłem papiery do sadu i tam je spaliłem, ukryty za jakąś szopą.

ROZDZIAŁ DWUNASTY

On mi nie mówi wszystkiego. Od jakiegoś czasu jestem tego pewna. To nie znaczy, że mu nie wierzę. Uważam, że wszystko, co mi opowiedział, jest prawdą, myślę jednak, że pomija coś istotnego. Gdybym znała go lepiej, potrafiłabym może odgadnąć, co tak skrzętnie stara się ukryć, cóż, kiedy dziś właśnie przekonałam się na własnej skórze, w jakim byłam błędzie, sądząc, że dobrze znam Matthew.

Mogę sobie powiedzieć na pociechę, że on też mnie nie zna. Jestem dla niego wspomnieniem z dzieciństwa, ale to dzieciństwo — tak jak on je widzi — istnieje wyłącznie w jego wyobraźni.

Burza minęła. Zza okna wciąż jeszcze dobiega szum deszczu, ale już nie widać błyskawic, a wiatr przestał szaleć. Matthew nie zwraca na to uwagi. Siedzi z opuszczoną głową, pochłonięty własnymi myślami. Zaczynam się zastanawiać, jak cała ta sytuacja wygląda z jego punktu widzenia. Czy własne postępowanie wydaje mu się całkowicie uzasadnione, czy też może zdaje sobie sprawę, jak bardzo odbiega ono od normy, jak groteskowo brzmi jego opowieść na tle tego, co się tutaj dzieje, ile w niej niekonsekwencji, przeskoków myślowych, objawów wyraźnej obsesji? Nie wiem skąd, ale wiem, że zaczyna to chyba dostrzegać. Jest teraz mniej pewny siebie, a chwile milczenia stają się coraz częstsze. Coraz częściej też wygląda jak człowiek, który toczy z sobą jakąś ciężką wewnętrzną walkę. Gdy to widzę, ogarnia mnie strach — nie rozumiem, z czym się tak zmaga, a boję się pytać.

Spoglądam w okno i wydaje mi się, że w szczelinach pomiędzy deskami dostrzegam nikłe światełko. Błysnęło i znikło. Zaczyna świtać czy tylko to sobie uroiłam?

Prawie w każdy weekend spotykaliśmy się teraz ze Stevenem i Andym. Czasami wszyscy czworo siedzieliśmy w stodole, częściej jednak Andy i ja zostawialiśmy tam nasze rodzeństwo, a sami znajdowaliśmy sobie jakieś inne miejsce na farmie albo szliśmy do lasu. Odkryłem też wkrótce ku swemu zdziwieniu, że lubię Andy'ego. Dobrze nam się gadało. Opowiedział o swojej szkole, która wydawała mi się niezwykła, tak dalece jej obraz odbiegał od moich doświadczeń, a ja jemu, że Sophie już za kilka miesięcy pojedzie pewnie do szkoły z internatem, o czym mi wspomniała przed paroma dniami. Zaśmiał się i powiedział, że to dobre dla tych, których stać na taki wydatek, a potem dodał, że dla niej to chyba najlepsze miejsce i że jej wyjazd powinien mnie cieszyć. Trochę mnie tym rozbawił, ale i zaniepokoił, bo teraz dopiero do mnie dotarło, że przecież zostanę sam. Jak ja wytrzymam bez niej przez dwa lata?

Nocami zaczęły już chwytać przymrozki; podczas porannych spacerów szron chrzęścił nam pod stopami, a oddechy zamieniały się we wstęgi pary, które wlokły się za nami jak welon. Słońce i niebo wyglądały już całkiem zimowo — zbliżało się Boże Narodzenie. Gdy w naszych rozmowach pojawił się temat seksu, przekonałem się ze zdziwieniem i zarazem pewną dumą, że teoretycznie wiem o tym więcej niż Andy; on za to wiedział o takich rzeczach, o jakich nie pisano w książkach. Opowiadaliśmy sobie dowcipy, wymieniali szkolne nowinki, aż wreszcie tak polubiłem Andy'ego, że powiedziałem mu o swojej astmie. Uznaliśmy w końcu, że tworzymy samodzielny duet, który nie musi wciąż siedzieć w stodole, i odtąd większość weekendów spędzaliśmy tylko we dwóch.

Nadeszła świąteczna przerwa. W ostatnim dniu lekcji Sophie czekała na mnie przy bramie, gdzie kłębił się tłum dzieciaków taszczących kostiumy do szkolnego przedstawienia, które miało się wkrótce odbyć, pękate tornistry, rysunki i książki. Obładowani całym tym majdanem, wszyscy — łącznie ze mną — wyglądali jak juczne muły, Sophie natomiast miała tylko swoją naramienną torbę.

— Ponieść ci coś? — zapytała. — O, daj mi to wielkie, będzie ci wygodniej.

Chętnie oddałem jej długą tekturową tubę z rysunkami. Nie zawsze bywała aż tak łaskawa.

— Trochę już późno — stwierdziła z lekkim niezadowoleniem — ale nie szkodzi. Co powiesz na to, żebyśmy kupili trochę słodyczy i coś do picia?

— Super! — wykrzyknąłem. — Ale... z jakiej okazji?

— Tak jakoś... — mruknęła. — A zresztą mamy półrocze. Wypada to uczcić.

Wydostaliśmy się już za bramę, gdzie skręciliśmy nie jak zwykle w prawo, tylko w lewo, w stronę głównej ulicy miasteczka. Tam Sophie kazała mi poczekać, a sama pobiegła do sklepu, skąd wyłoniła się po chwili z obiecująco wypchanymi kieszeniami.

— Załatwione. Idziemy do domu.

Boże Narodzenie było u nas zwykle dość nudne — raz mniej, raz bardziej, zależnie od tego, ile czasu musiałem spędzić w domu. Im więcej, tym bardziej się nudziłem — czasami nie do wytrzymania. W tym roku ojciec postanowił nie przyjeżdżać, przez co sytuacja była i lepsza, i gorsza. Lepsza, bo nie groziło nam długie wysiadywanie przy stole, a gorsza, bo nic się nie działo. Jak zwykle, tak i tym razem korzystaliśmy z każdej okazji, aby uciec z domu — bez względu na pogodę. Matka nie protestowała, a jeśli nawet, ja tego nigdy nie słyszałem. Prowadzeniem domu zajmowała się już wtedy Sophie i choć nikt tego głośno nie mówił, wiedzieliśmy o tym wszyscy troje.

Gdy tylko zaczęła się świąteczna przerwa, wymykaliśmy się z domu już o świcie do którejś z naszych kryjówek, w zależności od tego, jaka była pogoda. Jeśli miałem ochotę być sam, mogłem aż do południa czytać sobie książkę w zacisznym wnętrzu zielonej chatki — chyba że lało jak z cebra. Wtedy zaraz z rana biegliśmy do stodoły, aby spędzić tam cały dzień. Ja bawiłem się swoimi myśliwcami albo coś rysowałem, a Sophie czytała książki, opowiadając mi czasem, czego się z nich dowiedziała, coraz częściej jednak milkła na długie chwile, pochłonięta własnymi myślami. Kupiliśmy nowe baterie do latarek, a zielona chatka otrzymała nowy komplet świeczek.

Każde z nas w tajemnicy przed drugim obmyślało gwiazdkowe prezenty. Już samo to było ekscytujące, a gdy Sophie wpadła na pomysł świątecznego przyjęcia w naszym słomianym forcie — ogarnął mnie entuzjazm. Od razu też zaczęliśmy dekorować gałązkami ostrokrzewu i jodły miejsce naszej przyszłej uczty. Następnego dnia jednak Sophie przerwała te przygotowania na rzecz wyprawy do kamieniołomu.

— No chodź — zaczęła mnie ponaglać, zaledwie skończyłem śniadanie. — Czego tak szukasz?

— Kurtki.

— Jest w holu, tam gdzie ją zostawiłeś.

Niebo było jasne, lecz tak zasnute zimową mgiełką, że przypominało oszronione szkło. Anemiczne słońce wciąż jeszcze wisiało tuż nad linią lasu.

— Zobaczymy się z Andym i Stevenem? — zapytałem.

— Nie wiem, jeszcze o tym nie myślałam — odrzekła niedbale. Wiedziałem, że to nieprawda; zawsze wszystko planowała, i to na wiele dni z góry. — W mieście otwarto właśnie elegancki salon fryzjerski — poinformowała mnie po chwili.

— Tak?

— Zastanawiam się, czyby tam nie pójść. Ciekawe, jak bym wyglądała, gdyby uczesał mnie fryzjer.

— Robisz się próżna.

— No to co? Jestem dziewczyną, więc mi wolno. Próżność to nieodłączna cecha wszystkich kobiet. Powinieneś wiedzieć, że dziewczynom uchodzi wiele rzeczy, których nie wypada robić chłopcom.

Mogłem na to tylko mruknąć coś niezrozumiale.

— Muszę też kupić coś do ubrania. Nic nadzwyczajnego — dodała z pośpiechem. — Nie chcę za bardzo rzucać się w oczy, nie mogę też wydać zbyt dużo forsy. Sprzedawcy robią się podejrzliwi na widok nieletnich z pieniędzmi.

— Co chcesz kupić?

— Jakieś przyzwoite dżinsy i parę topów, no wiesz, to takie damskie koszulki. A poza tym chcę sobie sprawić biustonosz.

— Biustonosz?

— Tak. Właściwie nie jest mi jeszcze potrzebny, ale co tam! Zafunduję sobie malutki, taki dla nerwowych nastolatek.

Dotarliśmy już na krawędź kamieniołomu i zaczęliśmy właśnie schodzić w dół, gdy nagle uświadomiłem sobie, że to nasza pierwsza wizyta od czasu gdy byłem tu sam. A jeśli popełniłem jakiś błąd i Sophie zauważy, że coś jest nie tak? Ze strachu zaschło mi w gardle, a serce zaczęło bić jak szalone. Przestałem słyszeć, co mówi Sophie.

— Hej, Mattie!

— Co?

— Obudź się. Powiedziałam, że wyglądam teraz przynajmniej na trzynaście lat.

— Tak, chyba tak...

— I że dziś nie będziemy tu długo. Mamy jeszcze mnóstwo rzeczy do zrobienia, a w dodatku jest bardzo zimno.

— Pójdę po torbę, jeśli chcesz.

— Proszę bardzo.

Doszliśmy razem do środka niecki, gdzie pozostawiłem Sophie, a sam pobiegłem po torbę. Gdy ją wyjąłem ze schowka, wydawało mi się, że mam w ręku granat. Z drżeniem serca wręczyłem ją Sophie.

— Dzięki, Mattie. — Patrząc, jak sięga po najnowszy zeszyt i otwiera go na nowej stronie, nie zdawałem sobie sprawy, że ze strachu wstrzymuję oddech. Zauważyłem to dopiero w chwili, gdy wypuściłem powietrze, a ono utworzyło przede mną biały skłębiony obłoczek.

— Powłóczę się trochę po lesie — oznajmiłem ze sztuczną swobodą.

— Będę gotowa za dziesięć minut, więc nie zapuszczaj się zbyt daleko. I uważaj na niedźwiedzie.

— Niedźwiedzie h i b e r n u j ą o tej porze roku — odrzekłem zadowolony, że udało mi się błysnąć takim uczonym terminem.

— Fakt — zaśmiała się Sophie. — A teraz spływaj, muszę się skupić.

Wspinając się na zbocze, czułem zalewającą mnie falę ulgi: nic się nie stało, Sophie nic nie zauważyła! Spojrzałem za siebie i widząc drobną kolorową figurkę pochyloną nad grubym zeszytem, poczułem, że się uśmiecham.

Wracając z kamieniołomu, zaczęliśmy planować nasze gwiazdkowe przyjęcie. Miało się odbyć w górnej części zamku.

— Kto jeszcze będzie? — spytałem.

— Tylko my dwoje. I wiesz co? Urządzimy je o północy.

— Och! Naprawdę?

— Czemu nie? Zobaczysz, będzie super. Weźmiemy z domu jedzenie i wszystko, co potrzebne do świątecznej uczty. A dookoła stołu rozstawimy wszystkie latarki. Możemy je poowijać w kolorowe bibułki. Wyobrażasz to sobie? Kolorowe światła!

Przyjąłem ten projekt z wielkim entuzjazmem.

— Och tak! Będzie pięknie! Kiedy zaczniemy to robić?

— W ten weekend. Musimy się spieszyć. Święta już za tydzień, w czwartek.

— Jeszcze nigdy nie byłem na przyjęciu.

— Wiem. To będzie ostatnie Boże Narodzenie przed... no wiesz, przed moim wyjazdem do szkoły, pomyślałam więc sobie, że powinno być uroczyście.

Zrobiło mi się nagle zimno.

Znajdowaliśmy się akurat na samym szczycie pagórka, skąd widać było dachy całego miasteczka i wszystkie wybiegające z niego kręte dróżki. Po drugiej stronie stał nasz dom, niewidoczny teraz za ramieniem wzgórza. Pomyślałem, że wkrótce nie będziemy już razem oglądać tego widoku.

— Mamy jeszcze mnóstwo roboty — mówiła tymczasem Sophie — ale nic się nie bój, zdążymy. Wszystkie te przygotowania to strasznie fajna zabawa, prawda?

— Tak. — Cieszyłyby mnie dużo bardziej, dodałem w duchu, gdyby nie wspomniała o tej szkole i swoim wyjeździe.

— Zejdźmy trochę niżej — zaproponowała Sophie — i zatrzymajmy się na lunch przy murku. Możemy tam sobie usiąść i zjeść parę kanapek. Chcesz?

— Dobrze, zaczynam być głodny.

— No to ścigajmy się! — zawołała, puszczając się pędem w dół zbocza.

— No nie, to nie fair! — krzyknąłem, rzucając się za nią w pościg. — Tak się nie robi!

Matthew urywa i przez chwilę milczy, pocierając policzek takim gestem, jakby nie był pewien, co robić.

— Jeszcze nigdy nie doszedłem tak daleko — mówi bardzo cicho, niemal szeptem.

Natychmiast wiem, o co chodzi — podpowiada mi to chyba instynkt.

— Nikomu jeszcze o tym nie opowiadałeś?

— Ja... próbowałem... ale nigdy... nie udało mi się dobrnąć do tego miejsca.

Widzę na jego twarzy grymas bólu.

— Odpocznij chwilę — mówię zdziwiona własnym spokojem. Nie wiem przecież, co oznacza to wyznanie: czy okaże się dla mnie korzystne czy też wprost przeciwnie.

Korzystne? Po raz drugi tej nocy przychodzi mi nagle na myśl, że on ma rację — nie prowadzę z nim uczciwej gry. Czyż prowokując go do zwierzeń, nie ukrywam zarazem wielu rzeczy, a zwłaszcza swoich dwuznacznych intencji?

Wciąż myślę przecież jedynie o tym, jak zdobyć nad nim przewagę, nic poza tym mnie nie obchodzi. Czyżbym naprawdę była taka, za jaką on mnie uważa? Już samo to przypuszczenie działa na mnie szokująco. Matthew tymczasem porzuca rozpoczęty wątek i zaczyna mówić o czym innym.

— Nie zdawałem sobie sprawy, jak bardzo cię kocham. Po prostu nigdy o tym nie myślałem. Zmusił mnie do tego dopiero twój wyjazd. Zrozumiałem wtedy, ile dla mnie znaczysz. Wypełniłaś cały mój świat. Byłaś moją barierą ochronną przed wszystkim, co mogło mi grozić.

— Czy aby na pewno była to miłość? — wyrywa mi się i od razu zaczynam tego żałować. Może lepiej byłoby nie pytać. Oby tylko się nie rozzłościł. Czuję, że byle drobiazg może odwieść go teraz od zwierzeń, a bardzo bym tego nie chciała. Ale nie. Widzę z ulgą, że poważnie zastanawia się nad tym pytaniem.

— Myślę, że wtedy tak... — mówi jakby do siebie — później... już chyba nie.

— Później, to znaczy po moim wyjeździe?

— Tak, po twoim wyjeździe. — Brzmi to dość ponuro.

— Możesz mi powiedzieć, jak się wtedy czułeś?

Potrząsa głową z lekką irytacją.

— Myślisz, że można to łatwo wyrazić? W głowie miałem zamęt, byłem wściekły, przerażony...

— Dobrze już, dobrze, nie musisz nic więcej mówić.

Obrzuca mnie długim spojrzeniem.

— Ach, miejmy to już za sobą. Powiem ci, co było dalej.

Tego roku, gdy Sophie skończyła trzynaście lat, a ja jedenaście, niewiele się zmieniło w naszym otoczeniu. Na farmie jedynym śladem minionego czasu było kilka dziur po dachówkach, postrącanych przez zimowe wiatry, i to, że na oknach poluzowały się deski. Kamieniołom jak zwykle oparł się wszelkim zmianom, odwrotnie niż otaczający go krajobraz, który zgodnie z rytmem pór roku poddawał się im bez wahania. W nas samych natomiast zaszły pewne zmiany.

Sophie urosła; stała się nagle wyraźnie wyższa ode mnie, podczas gdy jeszcze niedawno ta różnica była minimalna. Zmieniła się także jej twarz; były to zmiany na tyle wyraźne, że potrafiłem je dostrzec, choć zarazem nie na tyle duże, aby łatwo je było opisać. Zdecydowanej zmianie uległ jej sposób mówienia; pewnych słów i zwrotów używała dawniej tylko wtedy, kiedy byliśmy sami, teraz posługiwała się nimi przy wszystkich. Zaczęła nagle bardzo skrupulatnie zamykać drzwi do łazienki. Niektóre z tych zmian mnie bawiły, inne denerwowały, wszystkie wszakże budziły we mnie niepokój. Świadczyły o tym, że moja siostra rozstaje się już z dzieciństwem, że wkrótce wyjedzie z domu, a ja zostanę tu sam.

Pod koniec roku szkolnego wypłynął znów temat jej egzaminów. Postanowiono, że Sophie będzie się ubiegać o stypendium do prywatnej szkoły z internatem. Dla mnie ta szkoła znajdowała się na końcu świata, choć w rzeczywistości dzieliło nas od niej zaledwie trzydzieści kilometrów. Kiedy pojechaliśmy tam na rekonesans, pamiętam, że wszystko wydawało mi się strasznie duże. Było tam tyle budynków i taka chmara uczennic! A jak wyglądały! Gdyby nie mundurki, można by było pomyśleć, że to dorosłe kobiety. Nie chciało mi się wprost wierzyć, że tak dojrzałe osoby mogą jeszcze chodzić do szkoły. Sophie prawie się nie odzywała, pracowały za to jej oczy, rejestrując wszystko dookoła jak aparat fotograficzny. Wiedziałem, że gromadzi obserwacje, aby poddać je później drobiazgowej analizie. W samochodzie również milczała, czułem jednak, że wstępna ocena wypadła chyba pomyślnie. Widać to było nawet po jej pozie: siedziała z założonymi rękami, zamyślona, ale pogodna — jakby to, co widziała, spełniło jej oczekiwania.

Później bardzo solidnie zaczęła przygotowywać się do egzaminów. Każdego wieczoru, obłożona książkami i notatkami, brała do ręki zestaw pytań egzaminacyjnych i przez co najmniej godzinę sprawdzała swoje wiadomości. Czasami robiła to w kuchni, gdzie był większy stół, najwyraźniej chcąc pokazać mnie i matce, jak ciężko pracuje. Wtedy właśnie natknąłem się na te broszury z wypełnionymi testami IQ. Nie powiedziałem jej o tym. O egzaminach też się niewiele mówiło. Sophie widocznie uznała, że to wyłącznie jej sprawa, a ja byłem z tego zadowolony. Uczyła się rzeczy, które były dla mnie za trudne i szybko bym się pewnie znudził, gdyby chciała mieć we mnie słuchacza. Był też inny powód. Nie potrafię powiedzieć, skąd brało się we mnie przekonanie, że wbrew stwarzanym pozorom Sophie wcale nie zamierza spełnić oczekiwań swych nauczycieli. Czułem przez skórę, że szykuje im jakąś niespodziankę. Miałem cichą nadzieję, że zamierza oblać egzaminy. Wiedziałem, że stać ją na coś takiego; byłem pewien, że potrafi tak rozegrać sprawę, aby nie tracąc honoru nie dostać się do tej szkoły, która w moim pojęciu znajdowała się tak strasznie daleko od domu.

Sophie niestety miała własne plany, różniące się trochę od moich pobożnych życzeń. Z taką samą precyzją jak przy teście IQ, w którym uzyskała tylko tyle punktów, ile sama sobie wyznaczyła, rozwiązała problem stypendium, przegrywając rywalizację tak niewielką różnicą punktów w stosunku do ich wymaganej liczby, że znalazła się w gronie najlepszych przegranych. Z tym wynikiem oczywiście przyjęto ją do nowej szkoły — i to nawet bez dalszych testów. Jej nauczyciele byli trochę zawiedzeni, ale wielkiego szumu nie było. Niektórzy uznali, że widocznie przecenili jej zdolności, inni, że po prostu miała zły dzień. Sophie nie komentowała swej „porażki", potrafiła jednak sprawiać wrażenie na tyle rozczarowanej, by zyskać sobie ogólne współczucie. No cóż, mówiono, nie udało jej się. Jest zdolna, ale nie aż t a k z d o l n a, aby zdobywać stypendia. Ci spośród nauczycieli, których czasem zaskakiwały jej błyskotliwe uwagi, stanowczo zbyt dojrzałe na jej wiek, odetchnęli z ulgą — Sophie Howard mimo wszystko jest normalnym dzieckiem. Tylko ja wiedziałem, jak było naprawdę: że zaplanowała sobie taki wynik. Gdy ją spytałem dlaczego, wyjaśniła mi to w paru słowach:

— Nie chcę się zbytnio wyróżniać. To nie ma sensu. A poza tym dostałam się do tej szkoły, prawda? Mnie to wystarczy. Im wszystkim chodziło wyłącznie o prestiż; ja nie mam takich ambicji, a stypendium nie jest nam potrzebne.

— No, chyba nie... Jak myślisz, spodoba ci się w tej szkole?

— Możliwe — odrzekła z pewną rezerwą.

— Będziesz przyjeżdżać na weekendy?

Zaczęła się śmiać.

— Nie martw się, nie zamierzam o tobie zapomnieć. Wszystko będzie dobrze. Dasz sobie radę, prawda? Nie będziesz zanadto za mną tęsknił?

— Spróbuję.

— Tak trzymaj. Tęsknota zresztą nic tu nie pomoże — stwierdziła bardzo stanowczo. Nigdy przedtem nie mówiła takim tonem. — Obiecujesz, że będziesz dzielny?

— Tak. — I jakby ta obietnica dodała mi ducha, poczułem się trochę lepiej.

— Najlepiej nie myśl teraz o tym. Mamy jeszcze bardzo dużo czasu. Całe lato. Jeszcze się nie żegnamy.

Jak mógłbym o tym nie myśleć? Dla mnie nad całym tym latem unosił się cień pożegnania. To był koniec, koniec wszystkiego. Jeszcze dziś, kiedy patrzę wstecz, doświadczam tych samych uczuć.

Zbliżał się koniec roku szkolnego, trwały więc gorączkowe przygotowania do galowego spektaklu, w którym oboje braliśmy udział. Pod murem auli zbudowano scenę z tekturowym zamkiem, a na dziedzińcu równymi rzędami ustawiono plastikowe krzesła dla rodziców. W razie deszczu czekałaby nas klęska, na szczęście wieczór był wyjątkowo piękny i nasz spektakl odniósł wielki sukces. Ja grałem halabardnika, a Sophie jedną z dam dworu. Miała nawet kilka kwestii, w które potrafiła włożyć tyle poczucia humoru, że cała scenka stała się przez to niezwykle zabawna. Gdy na zakończenie wszyscy aktorzy wyszli do ukłonów, rozległ się gromki aplauz; brawa i okrzyki nie milkły przez kilka minut. Zmęczeni, ale pełni wrażeń, czekaliśmy na matkę, która miała nas odwieźć do domu.

W ostatnim dniu nauki w szkole jak zwykle panował niesłychany zamęt.

— Wszyscy ganiają jak ogłupiałe kurczaki! — zaśmiała się Sophie, gdy natknąłem się na nią w korytarzu, pędząc w przeciwnym kierunku niż ona. — Pół mojej klasy dostało histerii! Wszystkie dziewczyny ryczą!

— Zawsze tak jest! — odkrzyknąłem.

Gdy około czwartej wszyscy hurmem wysypali się z budynku, już nie tylko na boisku, ale i na drodze zrobił się taki zator, że ugrzęzły w nim nawet samochody.

— Wyjdźmy boczną bramą — zadecydowała Sophie.

Musieliśmy przez to nadłożyć kawałek drogi, ale uniknęliśmy ścisku i po chwili szkoła została daleko za nami. Dzień był pogodny i ciepły, powietrze pachniało latem.

— Denerwujesz się? — spytałem, kopiąc jakiś kamyk.

— Nie, niby dlaczego? Wszystko będzie dobrze, ale nie mówmy o tym, bo i po co? Jeszcze przez dwa miesiące będziemy się świetnie bawić.

— Brzmi nieźle — odrzekłem z uśmiechem.

Tego lata wiele się miało zdarzyć, ale dopiero później. Pierwsza połowa wakacji minęła bardzo spokojnie. Nic nie zapowiadało późniejszych wydarzeń. Oboje świętowaliśmy urodziny; rozbawiony myślą, że Sophie jest już teraz prawdziwą nastolatką, zacząłem się trochę z nią droczyć:

— No i jak to jest, kiedy ma się trzynaście lat?

— Tak samo jak wtedy, gdy się ma dwanaście. Nie widzę żadnej różnicy, a ty? Dobrze jest mieć jedenaście?

— Super!

— Po południu wybieram się do miasta. Chcesz iść ze mną?

— A co tam będziesz robić?

— Pochodzę trochę po sklepach. Może kupię sobie jakieś ciuchy.

— Przecież masz mundurek.

— Mundurek jest do szkoły. Potrzebuję czegoś na teraz.

— Wiesz... Chyba zostanę w domu.

— Jak wolisz. Wrócę koło piątej.

Matka była cicha tego lata. Wiedziałem już teraz, jak jej unikać, jak stwarzać wrażenie, że w ogóle nie ma nas w domu. Nauczyłem się tego od Sophie. Widywaliśmy ją czasem przy posiłkach — gdy zdarzało nam się jeść w domu — nieraz też mijałem ją w holu albo w progu kuchni. Na górę rzadko wchodziła i przedtem, a po śmierci dziecka nie widziałem jej tam już nigdy. Większość dnia spędzała w swym mrocznym salonie, siedząc w fotelu lub krążąc w kółko po dywanie. Mimo tych dziwnych zwyczajów nie widziałem w niej wtedy nic tajemniczego. Była dla mnie tak zwykłym i tak mało ważnym elementem codziennego życia jak tapeta na ścianie w holu czy wciąż ten sam zapach panujący w mojej klasie. Żyliśmy w jej cieniu, ale ja nie zdawałem sobie sprawy, jaki to wywiera na nas wpływ. Zacząłem o niej myśleć dopiero po jej pogrzebie. Przez pięć dni poświęciłem jej wtedy chyba więcej myśli niż przedtem w ciągu pięciu lat. Dopiero po śmierci stała się dla mnie zagadką — zagadką nie do rozwiązania. Nigdy się nie dowiedziałem, jakie kryła w sobie tajemnice ani jakie okoliczności mogły uformować tak niesamowitą osobowość. Gdybym to wiedział, potrafiłbym lepiej zrozumieć zarówno samego siebie, jak i Sophie. Pytania te jednak nasunęły mi się zbyt późno, kiedy już nie żyła. Gdy zdałem sobie sprawę, że nigdy nie uzyskam na nie odpowiedzi, wtedy dopiero tę dziwną kobietę, prawie nie dostrzeganą przeze mnie za życia, otoczył nimb tajemnicy. Wiedziałem o niej tylko tyle, że późno wyszła za mąż i późno została matką. Jej matka już nie żyła, kiedy przyszedłem na świat. Skąd wziął się Ol'Grady? Czy był potomkiem jakiejś innej, wcześniejszej postaci, którą w tej rodzinie straszono nieposłuszne dzieci? Może ideę takiego straszydła przekazywano sobie z pokolenia na pokolenie i dopiero Sophie przerwała ten ponury łańcuch? Ludzka wyobraźnia nie zna granic, a jej twory żyją bardzo długo, bo to nasza ignorancja przedłuża im żywot.

Właśnie tego lata zmiany zachodzące w Sophie stały się wyraźnie widoczne. Nie mówię tu o jej wysiłkach zmierzających do zmiany wizerunku, które zresztą przynosiły pożądane przez nią rezultaty. Celem tych działań nie było jednak przekroczenie owej subtelnej granicy dzielącej pospolitość od urody. Może nie potrafiła tego zrobić, a może uważała, że to mało ważne, tak czy inaczej stosowane przez nią sztuczki nigdy nie służyły upiększaniu. Tak więc i ona musiała się chyba zdziwić, kiedy ledwo dostrzegalne zmiany zachodzące w niej od paru lat zsumowały się nagle w całkiem nową jakość. Niemal z dnia na dzień przestała być dawną pospolitą Sophie — ani brzydką, ani ładną. Twarz jej się wydłużyła, zarys szczęki nabrał zdecydowania, kości policzkowe stały się wyraziste, nadając melancholijnemu spojrzeniu dziecka wyraz zagadkowej głębi. Z tej nowej twarzy biła zadziwiająca dojrzałość. Nie była to powierzchowność rzucająca się w oczy, wystarczyło jednak przelotne spojrzenie, aby uznać tę twarz za ładną. Każdy, kto dłużej i bardziej uważnie przyjrzał się mojej siostrze, musiał w niej dostrzec coś więcej: zapowiedź, że wkrótce wyrośnie z niej piękna kobieta.

Ja też to widziałem, mimo że przez codzienne obcowanie z Sophie jej wygląd mógł mi się opatrzyć. Tak się nie stało, gdyż od czasu kiedy po raz pierwszy ukazała mi się w nowej wersji, a ja prawie uwierzyłem, że to nie ona, nauczyłem się dostrzegać wszelkie najdrobniejsze zmiany w jej twarzy i sposobie bycia. Stałem się dzięki temu chyba najlepszym z możliwych obserwatorów.

Kiedy wspominam ten okres, zawsze nazywam go w myślach latem wyjazdu Sophie, choć byłoby stosowniej nazwać go początkiem nowego etapu jej życia, wyjściem poza to wszystko, co miała zostawić za sobą. W oczach samej Sophie — choć nigdy mi tego nie mówiła — musiało to wyglądać podobnie. Czyż mogło być zresztą inaczej? Dla mnie te wakacje oznaczały koniec wszystkiego, co od urodzenia stanowiło treść mego życia. Trudno wprost było uwierzyć, że cały ten wieloletni porządek rzeczy wkrótce przestanie istnieć, że od jego końca dzieli mnie już tylko kilkanaście kartek w kalendarzu. Nie chciałem rozstawać się z Sophie. Nie jestem na to gotowy, myślałem, jeszcze nie teraz, a równocześnie jakaś cząstka mojego jestestwa czekała na to już nie tylko bez strachu czy bólu, ale nawet z pewną nadzieją. Tygodnie mijały mi szybko i zarazem straszliwie wolno; w końcu sam już nie wiedziałem, co właściwie czuję ani czego pragnę.

Pod koniec lata zaczęły się przygotowania do wyjazdu. Pewnego dnia matka wróciła z miasta z wielkim podróżnym kufrem. Gdy zanieśliśmy go z Sophie do jej pokoju i postawili na łóżku, widziałem, że zrobiło jej się smutno. Kufer był ciemnogranatowy, miał na rogach mosiężne okucia i taki sam zamek, a w środku kraciastą wyściółkę. Dziwnie pachniał. Sophie dłuższą chwilę przyglądała mu się w zadumie.

— Za duży na moje rzeczy — powiedziała wreszcie. — Wymieszają się jak groch z kapustą.

Później zapadło milczenie — bo co można było powiedzieć?

Wciąż jeszcze pozostało nam trochę czasu — dwa tygodnie. Rzadko spędzaliśmy go pod dachem, chyba że w stodole, gdzie skryci w naszej wewnętrznej komnatce czytaliśmy książki lub prowadzili długie rozmowy. Sophie zwierzała mi się, jak sobie wyobraża tę nową szkołę i co tam zamierza robić. Słuchałem tego z mieszaniną smutku i zawiści. Ona już wkrótce zasmakuje tego nowego życia, myślałem, pozna tyle ciekawych rzeczy, a ja?

— Nie będziesz się ze mną nudzić, kiedy przyjedziesz na weekend z tej swojej ogromnej szkoły? — spytałem któregoś dnia.

Drgnęła; przez jej twarz przemknął dziwny wyraz. Nigdy przedtem takiego u niej nie widziałem.

— Nie bądź głupi, oczywiście, że nie. Przecież wiesz, że cię kocham!

— Wiem — powiedziałem, nie patrząc jej w oczy. Nie mogłem.

— Ja cię naprawdę kocham — powtórzyła z naciskiem — nie zapominaj o tym.

— Dobrze. — Udało mi się uśmiechnąć.

— Zawsze będę przy tobie. To ty się możesz mną znudzić, więc uważaj.

— Ja się na pewno nie znudzę.

— Ani ja. To co, zawrzemy umowę?

Zmusiłem się do uśmiechu.

— Zgoda.

— Więc przestań się martwić.

Przez te ostatnie tygodnie cały czas byliśmy razem. Wędrowaliśmy ścieżkami, które jak pajęczyna oplatały wzgórza wznoszące się wokół domu, zbierając kwiaty i nucąc znane melodie. Zaglądaliśmy w ptasie gniazda, płoszyliśmy cierniki, wiliśmy długie łańcuchy z polnych kwiatów, by zawieszać je później na gałęziach przydrożnych jarzębin. Parę razy, siedząc na szczycie wzgórza, patrzyliśmy, jak słońce powoli chowa się za drzewa. Sophie miała przy sobie „Alicję w Krainie Czarów" i od czasu do czasu czytała mi moje ulubione fragmenty. Gdy po takim dniu jedliśmy kolację pod chłodno obojętnym wzrokiem naszej matki, milczeliśmy oboje, myśląc o tym samym: nigdy się nie dowiesz, ile się dziś wydarzyło, jak piękny był zachód słońca i jak ciekawie minął nam ten dzień. Ty nigdy tego nie zrozumiesz.

Coraz mniej kartek w kalendarzu dzieliło nas od rozstania, a jednak każdego wieczoru, kiedy leżałem już w łóżku, zaczynałem cieszyć się myślą, że jestem znów o dzień bliżej nowego roku szkolnego. Jako uczeń przedostatniej klasy miałem stać się członkiem szkolnej elity, wśród której ci młodsi byli zawsze w najlepszej sytuacji. Mogli korzystać z przywilejów swojej pozycji, wolni zarazem od stresów związanych z egzaminami, wyborem nowej szkoły czy wyjazdem z domu. Ogarniało mnie zadowolenie, ilekroć pomyślałem, że już wkrótce znajdę się w tym gronie — póki nie uprzytomniłem sobie, że po lekcjach będę musiał samotnie wracać do domu i nikt mi nie powie, że idziemy dziś do stodoły, nad staw czy do lasu.... To dopiero uświadomiło mi w pełni, że po raz pierwszy w życiu będę całkiem sam, zdany tylko na własne siły.

— Ile nam jeszcze zostało? — spytałem z nagłym niepokojem któregoś z ostatnich wieczorów.

— Osiem dni — odrzekła Sophie. — Przestań wciąż liczyć minuty. Mój wyjazd to nie koniec świata, ile razy mam ci to powtarzać? — W jej głosie brzmiał jednak smutek.

Pomyślałem nagle, że to prawda. I w tej samej chwili zrozumiałem, że chociaż coś się kończy, to przecież już

wkrótce zacznie się coś nowego — dla nas obojga. Dla mnie.
Myśl ta musiała nurtować mnie już od dawna, ale tak
niejasno, jakby wciąż jeszcze zbierała siły do ataku, i teraz
dopiero, gdy wreszcie okrzepła, objawiła mi się wyraźnie.
Może to nowe życie nie będzie aż takie złe?

— Masz rację — powiedziałem z westchnieniem — to nie
koniec świata.

ROZDZIAŁ TRZYNASTY

— Mattie?

— Tak?

— Pójdziesz na spacer? Jest coś... parę spraw, które powinnam... które chcę załatwić.

— Tak — powiedziałem ochoczo, podnosząc się znad strumienia. Była piąta po południu. Następnego dnia matka miała odwieźć Sophie na dworzec i wsadzić ją do pociągu. Jutro już jej tu nie będzie, pomyślałem ze smutkiem. Pojedzie do tego wielkiego miasta, które widziała zaledwie raz w życiu... — A dokąd chcesz iść?

— Tu i tam — odrzekła wymijająco. — Chcę odwiedzić parę miejsc. To jak?

— Dobrze, chodźmy. — Poszedłem za nią, zastanawiając się nad tym, co usłyszałem w jej głosie. Wahanie? Było to do niej tak niepodobne, że mogło budzić niepokój. Poprowadziła mnie do domu i kazała wziąć kurtkę. To też mnie zdziwiło. — Wychodzimy na dłużej?

— Tak, chyba tak. Poczekaj chwileczkę. — Zatrzymała się w dolnym holu i na moment zastygła z przechyloną głową, zastanawiając się nad czymś. „Tak" — mruknęła do siebie — „to chyba byłoby wszystko", a potem uśmiechnęła się przepraszająco. — Wybacz, Mattie, musiałam pomyśleć, czy o czymś nie zapomniałam. Jutro już przecież dzień zero.

Skinąłem głową.

— No to chodźmy.

Wyszliśmy frontowymi drzwiami, aby zaraz za domem skręcić w stronę wzgórza. Nietrudno się było domyślić, że idziemy do kamieniołomu. Dzień był spokojny i piękny. Popołudniowe słońce wciąż jeszcze mocno grzało mnie w policzek, z lasu dobiegał wesoły gwar ptasich głosów. Sophie po cichu nuciła jakąś melodię.

— Co to takiego?

— To znaczy co?

— Ta melodia. Chyba ją gdzieś słyszałem.

— Oczywiście. To cygańska piosenka „The Raggle Taggle Gypsies". Nie pamiętasz?

— Chyba mi ją kiedyś śpiewałaś — bąknąłem niepewnie.

— Zgadza się. Jakieś pięć, może sześć lat temu. Byłeś wtedy jeszcze taki mały, a teraz... teraz jesteś już prawie dorosły.

— Ty też.

— Tak, ale ja o niczym nie zapominam — powiedziała bardzo poważnie.

Byliśmy już prawie na szczycie wzgórza.

— Sophie?

— Tak?

— A kiedy ty będziesz dorosła?

— Już tak zupełnie? Nie wiem. Myślę, że z tym bywa różnie. Jedni potrzebują na to więcej czasu, inni mniej. Poza tym ciało i umysł też dojrzewają w różnym tempie. A tobie chodzi o co?

— O jedno i drugie.

— Hm... Ciało z grubsza biorąc osiąga pełny rozwój w wieku szesnastu, siedemnastu lat. Później też jeszcze zachodzą w nim pewne zmiany, ale już niewielkie. Z umysłem jest inaczej. Mało wiem na ten temat, ale powiem ci, co o tym myślę. Według mnie to jest tak: społeczeństwo spodziewa się po nas dojrzałych zachowań mniej więcej od chwili, gdy skończymy osiemnaście lat, więc przeważająca większość nastolatków stara się spełnić te oczekiwania. Gdyby wymagano tego od nas wcześniej, powiedzmy o cztery lata, kto wie, czy nie dojrzewalibyśmy szybciej. — Urwała, by nabrać oddechu, a potem zaśmiała się głośno. — Ale skąd się wzięły takie poważne pytania?

— Nie wiem. Po prostu myślałem o tym dziś w nocy.

Szliśmy skrajem lasu emanującego ciepłem zachodzącego już słońca; wśród jego soczystej zieleni unosiły się z brzękiem całe chmary owadów. Machinalnie skręciłem w stronę osypiska, ale Sophie chwyciła mnie za rękę.

— Nie, Mattie, zaczekaj, chodźmy najpierw tam... — powiedziała, wskazując miejsce nad południową ścianą kopalni, tą, w której mieściły się klatki. Pamiętałem to miejsce. Tam właśnie stałem parę lat temu, dumając nad startem swego spitfire'a.

Ale czego szuka tam Sophie? Gdy brodząc w gęstym poszyciu, dotarliśmy wreszcie do płotu, zobaczyłem tę samą lukę, przez którą już kiedyś przeszedłem — w miejscu gdzie odłamana gałąź zgruchotała fragment ogrodzenia, zamieniając go w stertę splątanych drutów i desek. Przekroczywszy ją ostrożnie, stanęliśmy na wąskim, porośniętym darnią skrawku gruntu pomiędzy płotem a krawędzią niecki. Miał najwyżej półtora metra szerokości. Widać stąd było drugi koniec kamieniołomu zalany teraz promieniami słońca. Rozpościerały się tam jakieś dorodne rośliny o ciemnozielonych liściach i strzępiastych purpurowych kwiatach.

— To była nasza pierwsza kryjówka — cicho powiedziała Sophie — pierwsze tajne miejsce. Pamiętasz, jak cię tu przyprowadziłam? Siedziałeś sobie w słońcu, a ja nazbierałam kwiatków i zrobiłam ci z nich plecionkę, a potem rysowałam ci obrazki na tej płaskiej skale.

— Nie pamiętam.

— Byłeś jeszcze taki malutki, że musiałam cię tu przynieść. Sama byłam wtedy mała, więc zajęło mi to pół popołudnia, ale tak bardzo chciałam pokazać ci to wszystko... Przedtem chodziłam tu sama. Później, gdy już podrosłeś, też polubiłeś to miejsce, a na punkcie muszelek wprost dostałeś bzika.

— Uhm, a jedną ci kiedyś dałem.

— Wciąż ją mam. Podejdźmy jeszcze kawałeczek.

— Gdy zbliżyliśmy się do krawędzi, stało się widoczne całe

dno kopalni. Jego środek, gdzie wznosiły się te wielkie jasnoszare skały, pod którymi zwykle rozbijaliśmy obóz, tonął już teraz w cieniu. Tylko na wschodniej ścianie, tam gdzie zaczynała się ścieżka biegnąca w dół osypiska, leżała jeszcze półkolista plama światła, lecz i ona zaczynała się kurczyć.

— Będziesz tu przychodzić? — zapytała Sophie.

— Nie wiem. Uważasz, że powinienem?

— Myślę, że tak... oczywiście, jeżeli chcesz. Powiem ci tylko, że dobrze jest mieć taki azyl, miejsce, gdzie nikt cię nie znajdzie, bo znasz je tylko ty sam. W życiu zdarzają się takie chwile, gdy jest nam to bardzo potrzebne. — Odetchnęła lekko. — Z ludźmi nieraz trudno wytrzymać, a gdy pobędziesz trochę w takim miejscu, robi ci się lżej, rozumiesz?

— Chyba tak.

— Teraz może jeszcze niezupełnie, ale wkrótce się pewnie przekonasz, że jest tak, jak mówię. — Osłoniwszy twarz dłonią, zapatrzyła się gdzieś daleko, w stronę zachodzącego słońca, które właśnie zaczynało się chować za wzgórza. — Podejdź do mnie, Mattie — poprosiła.

Ostrożnie postąpiłem parę kroków — stała tuż przy krawędzi.

— Uważaj — powiedziałem — to jest urwisko.

— Wiem, ale myślę, że dzisiaj się jeszcze nie urwie. Chodzi mi o to, żebyś mógł jak najlepiej przyjrzeć się temu miejscu. — Stanęła mi za plecami i oparła dłonie na mych barkach. — Ono jest twoje, Mattie, tak samo twoje jak moje. To, że nie pamiętasz tej pierwszej wizyty, nie ma żadnego znaczenia. Przypomnij sobie, jacy byliśmy tutaj szczęśliwi. Było to zawsze tylko nasze miejsce i niech tak zostanie. Nie przyprowadzaj tu nikogo, dobrze?

— Dobrze. — Od krawędzi niecki dzieliło mnie najwyżej trzydzieści centymetrów; zaczynało mi się kręcić w głowie. — Możemy już iść?

Nie odpowiedziała, tylko trochę mocniej chwyciła mnie za ramiona.

— Możemy?

— Tak, chodźmy. — Łagodnym ruchem pociągnęła mnie do tyłu. — Chciałam tylko, żeby ten widok utrwalił ci się w pamięci.

Zatoczyliśmy półkole, by przedostać się na drugą stronę, a potem zbiegliśmy na dół. Zapadał już zmierzch. Czubki drzew, wciąż jeszcze skąpane w słońcu, płonęły jak złoto-czerwone pochodnie, ale cała kopalnia stała się już teraz jeziorem cieni.

— Chcę coś zapisać — powiedziała Sophie. Sama tym razem przyniosła torbę i usiadła obok mnie na kamieniu. — Dzisiaj to długo nie potrwa.

Zostawiłem ją samą i swoim zwyczajem zacząłem wałęsać się po niecce, kopiąc kamyki i spoglądając co chwila na krawędź, z której przed paroma minutami tak pilno mi było uciec. Wyobraziłem sobie nagle, że obrywa się z niej kawał skały z całym tym ziemnym nawisem, i zacząłem obliczać, gdzie by to wszystko upadło. Tu, pomyślałem, stając z lekkim dreszczykiem emocji w ustalonym miejscu. Zerknąwszy na Sophie, zobaczyłem, że właśnie pakuje zeszyty. Tak prędko? Trochę zdziwiony wróciłem na środek kręgu.

— Mam odnieść torbę?

— Nie — powiedziała powoli — dzisiaj odniosę ją sama. — Klepnęła wypchaną torbę, z której wydobył się stłumiony grzechot. — Chcesz może którąś z tych rzeczy? Może trochę muszelek?

— Nie, dziękuję.

— Tak myślałam. To już zamknięty rozdział — powiedziała z westchnieniem, ruszając szybkim krokiem do najdalszej klatki. Poszedłem za nią. Z otworu jak zwykle wydobywał się ten dziwny zapach, od którego zaczęło mnie mdlić. W półmroku nie widać było wnętrza. Pokryte rdzawym nalotem grube metalowe pręty i solidna kłódka strzegły wejścia jak niemi strażnicy.

Sophie oddychała tak płytko i szybko, jakby przed chwilą przebiegła setkę. Nie widziałem wyraźnie jej twarzy — było za ciemno — spostrzegłem tylko, że jest bardzo blada.

— No dobrze — powiedziała cicho, wsuwając rękę z torbą między pręty, a mnie w tym momencie ogarnęła taka sama panika jak dawniej. Wydawało mi się, że w głębi tej klatki czai się coś strasznego, co znienacka wyskoczy z ciemności i rzuci się na nas jak głodna bestia na zdobycz. Z gwałtownie bijącym sercem patrzyłem, jak Sophie zaczyna kołysać torbą, a potem ciska nią daleko w ciemność. Rozległ się klekot starego żelastwa, który po chwili ucichł. Sophie wycofała rękę i zaczęła starannie otrzepywać rdzę z kurtki.

— Tu będzie bezpieczna — mruknęła bardziej do siebie niż do mnie. — Idziemy, Mattie — powiedziała już nieco raźniej — obiecałam ci przecież spacer. Wynośmy się stąd.

Po kilku krokach zerknąłem za siebie. Otwór był ciemny i cichy. Teraz dopiero poczułem, że zupełnie zaschło mi w gardle.

— Z tego, co mówiłeś, wydawało mi się, że przeczytałeś jednak te zapiski...

— Dobrze ci się wydawało. Poszedłem tam później. Z kluczem.

— Miałeś klucz?

— Tak.

Jak go skłonić, żeby powiedział coś więcej?

— Miałeś jakiś szczególny powód, żeby tam pójść?

— Chciałem się upewnić... Dowiedzieć się o tobie wszystkiego, co możliwe. Chciałem cię poznać.

— Poznać?

— Tak, bo w pewnym momencie zdałem sobie sprawę, że zupełnie nie znam własnej siostry. Przedtem byłem pewien, że wiem o tobie tyle, ile powinienem wiedzieć, i to był mój wielki błąd. Chciałem go naprawić. Po twoim wyjeździe stało się to dla mnie niesłychanie ważne, a że nie było nikogo, kto mógłby mi w tym przeszkodzić, poszedłem do kamieniołomu — uśmiecha się z lekką ironią. — Pogoda była pod psem. Mokro i bardzo zimno. W sam raz na taką wyprawę.

— Kiedy to było?

— Kiedy miałem szesnaście lat. Trudno powiedzieć, czemu zwlekałem z tym aż tak długo. Po części pewnie dlatego, że musiało upłynąć trochę czasu, by dojrzała we mnie ta potrzeba, a częściowo z braku odwagi. Bałem się tego miejsca. Od tego ostatniego wieczoru nie byłem w kamieniołomie...

— Ani razu?

— Ani razu — powtarza, zamykając oczy.

— Opowiedz mi o tej wyprawie.

Nie było mnie tutaj pięć lat, a wszystko wyglądało jak dawniej, jakby czas stanął w miejscu. Zbierało się na ulewę. Całe niebo przesłaniały nisko wiszące chmury, a za wzgórzami widać już było szarą ścianę deszczu. Szedłem z miasteczka tą samą trasą, którą wracaliśmy zwykle ze szkoły. Pod żywopłotami jak dawniej o tej porze roku piętrzyły się wielkie sterty zwiędłych liści. Gdy znalazłem się na ścieżce wiodącej na farmę, już z daleka uderzył mnie w oczy poczerniały szkielet stodoły. Nad bramą wejściową rozpięto drut kolczasty z ostrzegawczą wywieszką: „Uwaga! Budynki grożą zawaleniem". Pod ogołoconymi ścianami, z których zimowe wiatry doszczętnie pozrywały dachy, szeleściły kępy zeschłych pokrzyw.

Gdy zacząłem wspinać się na wzgórze, spadły pierwsze krople deszczu. Nasza ścieżka przy kamiennej ścianie wydawała się węższa niż dawniej... Deszcz po chwili rozpadał się na dobre. Z monotonną regularnością bił prosto w zbocze pagórka, żłobiąc w nim wąskie rynienki, którymi natychmiast zaczęła spływać woda. Mój płaszcz przeciwdeszczowy nie na wiele się przydał; woda ściekała mi po karku, mocząc koszulę, a buty i nogawki pokryły się błotem.

Dotarłem na skraj lasu mokry i zziębnięty, szedłem jednak dalej, usiłując nie zważać na kolczaste gałęzie jeżyn czepiające się mego ubrania. Choć od południa upłynęły dopiero dwie czy trzy godziny, w lesie panował już wieczorny mrok rozjaśniany tylko jakąś dziwną burzową poświatą. Szum deszczu ciągle się wzmagał. Zejście do kamieniołomu wymagało w tych warunkach iście akrobatycznych zdolności. Ślizgając się po chybotliwych łupkach, pokonałem jakoś pół ściany, lecz gdy kamienie zaczęły znienacka usuwać mi się spod nóg, nie miałem innego wyjścia, jak tylko zaryzykować bieg na łeb na szyję. Zatrzymałem się dopiero po kilku metrach od ściany i spojrzałem za siebie: mocno zrujnowałem osypisko. Mnóstwo luźnego rumoszu osunęło się o jakieś dwa metry, tworząc tam wielkie zwałowisko w kształcie delty, z którego sypały się teraz lawiny drobniejszych kamyków przemieszane ze strużkami błota.

Padało coraz gwałtowniej; krople wody odbijające się od dna kopalni podskakiwały jak piłki, mocząc mi nogi do kolan. Wyglądałem żałośnie — włosy przylepiły mi się do głowy, a zęby szczękały z zimna. Klatek prawie nie było widać. Dotarłem do tej najdalszej i uchwyciwszy się prętów, z nawyku zerknąłem w prawo, gdzie pod skalnym występem leżała zawsze nasza torba. Teraz oczywiście jej tam nie było.

Zdrętwiałymi z zimna palcami wygrzebałem z kieszeni pęk kluczy i zacząłem otwierać kłódkę — wyglądała na znacznie nowszą niż drzwiczki. Położyłem ją potem na ziemi i otrząsnąwszy płaszcz z wody, chwyciłem za kompletnie zardzewiałe pręty. Nie oliwione od lat zawiasy ani drgnęły. Dopiero gdy oparłszy nogę o skałę, z całej siły szarpnąłem drzwiczki, poddały się wreszcie z przeraźliwym zgrzytem. Wytarłem ręce o ciężkie od wody spodnie, zostawiając na nich rdzawe plamy, chwyciłem plecak i starając się nie myśleć o tym, co robię, wsunąłem się w otwór.

Miałem przed sobą długi tunel wznoszący się lekko ku górze. Było tu całkiem sucho. Zapaliłem latarkę i zacząłem szukać torby. Upadła dosyć daleko od wejścia. Przykucnąwszy wśród zalegających całe dno rupieci — szczątków jakichś starych narzędzi, odłamków skały, potłuczonych butelek po piwie — wydobyłem puszkę z zeszytami, zardzewiałą podobnie jak pręty. Wieko także nie chciało się poddać. Musiałem położyć ją na boku i brutalnie potraktować butem. Pomogło. Metalowa pokrywka na tyle uległa odkształceniu, że zdołałem wcisnąć pod nią palec. Plastikowe worki były całe, a ich zawartość nie poniosła żadnego uszczerbku. Upchnąłem zeszyty do wewnętrznych kieszeni płaszcza, a puszkę wrzuciłem z powrotem do torby. Deszcz w tym momencie chyba zelżał.

Nim wyszedłem na zewnątrz, błysnąłem latarką w głąb klatki. Zdążyłem zauważyć, że tunel skręca dalej w prawo — i z nagłym dreszczem zawróciłem szybko do wyjścia.

Ulewa rzeczywiście zelżała, zrobiło się też trochę widniej. Popychając drzwiczki ramieniem, zdołałem w końcu je zamknąć, choć z otworu posypała się na mnie kaskada drobnego gruzu. Odpocząłem chwilę, oparty plecami o pręty, po czym z powrotem założyłem kłódkę. Była dziwnie solidna w porównaniu z tymi, w które zaopatrzono pozostałe klatki — większa i znacznie mocniejsza.

Sprawdziwszy, czy zeszyty są dobrze zabezpieczone przed deszczem, ruszyłem w drogę powrotną, zżymając się w duchu na mokre ubranie nieprzyjemnie ziębiące mnie w plecy. Kiedy dotarłem do zbocza, przez chmury zaczęło przebijać się słońce.

— Rozszyfrowałem wszystko, co było w tych czterech zeszytach.

Potrafię już rozpoznać po wyrazie twarzy, że trudno mu o czymś mówić — jakby materia stawiała mu opór. Tak jest i teraz, siedzę więc cicho, aby go nie spłoszyć.

— Tak jak przypuszczałem, wcześniejsze szyfry okazały się najłatwiejsze. Te dalsze natomiast kosztowały mnie mnóstwo wysiłku, zwłaszcza że wciąż je zmieniałaś. Że też potrafiłaś zapamiętać wszystkie te systemy! Posługiwałaś się nimi z taką łatwością, jakby to było najzwyklejsze pismo. — Urywa nagle i przygląda mi się badawczo. — Uświadomiłem sobie właśnie coś bardzo dziwnego: to, że nigdy nie czytałaś swych zapisków. Nie pamiętam, żebyś kiedykolwiek przeglądała któryś z wcześniejszych zeszytów. Dziwne, że dopiero teraz przyszło mi to na myśl. — Znów milknie. Pauza przedłuża się niepokojąco; wygląda na to, że może nie podjąć już tego wątku. Muszę go jakoś zachęcić.

— Może były tam rzeczy, do których nie chciałam wracać...

— Tak, też tak myślę. Czytając te zapiski, często miałem takie wrażenie.

Próbuję ostrożnie wyciągnąć z niego więcej.

— Czy może coś jeszcze przychodziło ci na myśl, kiedy je czytałeś?

Nie odpowiada. Wpatrzony w gasnącą świeczkę sięga po nową i zapala ją od ogarka, który z roztargnieniem posyła kopniakiem w kąt.

A ja doznaję olśnienia. Znienacka, bez żadnej zapowiedzi — i ogarnia mnie takie przerażenie, że krew zastyga mi w żyłach. Milknę, starając się nie zdradzić żadnym słowem czy gestem, że widzę, jak rozproszone elementy układanki wskakują nagle na miejsce, tworząc wreszcie klarowną całość. Od tego widoku zaczyna mi szumieć w uszach. Przez ten szum ledwo słyszę Matthew, kiedy zaczyna znów mówić.

Tłumaczenie szło mi opornie, więc choć poświęcałem tej pracy wszystkie wolne chwile, udało mi się ją skończyć dopiero po dwóch miesiącach. Nie chciałem, by ktokolwiek widział te zeszyty, co dodatkowo utrudniało mi zadanie, bo mogłem pracować wyłącznie w którymś ze swoich bezpiecznych miejsc. Miałem ich kilka, ale nie zawsze mogłem z nich korzystać.

Znalazłem w tych zeszytach wzmianki o sprawach, których się domyślałem, lecz sporo było i takich, o jakich nie miałem pojęcia. Sophie zaczęła prowadzić swój dziennik już jako pięcioletnie dziecko. Zapisów z tego okresu zupełnie nie rozumiałem — dotyczyły ludzi i faktów, o których nigdy nawet nie słyszałem. Zdziwiły mnie tylko liczne wzmianki o mnie — byłem wtedy jeszcze taki mały! Dopiero później pojawiły się fragmenty nawiązujące do znanych mi zdarzeń.

...mattie wciąż ma złe sny próbuję zrobić z tym porządek ale zupełnie z tym skończyć można tylko w jeden sposób na który jeszcze za wcześnie z nią jest coraz gorzej nie mogę pozwolić żeby go straszyła a on jest za mały żeby mu powiedzieć ale kiedyś powiem mu o wszystkim

Fragment ten dotyczył Ol'Grady'ego. Przez pewien czas miałem nadzieję, że dowiem się wreszcie, jak go uśmierciła, niestety, jedyna wzmianka na ten temat była krótka, niejasna i tak napisana, jakby Sophie nie chciała o tym mówić.

...dłużej niż myślałam więc musiałam odczekać dwa dni i gdy mattie zasnął zrobiłam co trzeba ol'greedy wrócił na swoje miejsce szkoda że nie mogę go teraz wykończyć ale jestem za mała oboje jesteśmy za mali

Całości nie zrozumiałem, ale ostatnie zdanie bardzo dobrze — i mróz mi przeszedł po kościach.

Sophie z pamiętnika wydawała się zupełnie inna od tej, którą znałem. Zredukowana wyłącznie do słów straciła całe poczucie humoru, serdeczność i ciepło. Stała się osobą budzącą zakłopotanie i lęk, kimś nieznanym, a nawet obcym. Raz po raz przychodziło mi na myśl, że Andy miał rację, mówiąc: ,,Mattie, ona nie jest normalna". Była tak wyrachowana, tak bezwzględna w działaniu. Zacząłem zdawać sobie sprawę, że ja jej zupełnie nie znałem, że żyliśmy w dwóch różnych światach, że nocami działy się rzeczy, o których nie miałem pojęcia. Były też takie, o których zapomniałem, bo może pragnąłem zapomnieć.

...zeszłej nocy długo czekałam aż wszyscy położą się spać i o czwartej rano poszłam sprawdzić czy śpią spali więc wróciłam na górę i zrobiłam to co miałam zrobić nie chciałam tego ale musiałam inaczej wszystko by się zawaliło kiedy go dotknęłam wydawał się taki ciepły i miękki więc go pogłaskałam żeby się nie bał i nie narobił hałasu pokręcił się trochę ale nie rozpłakał wtedy poszłam jeszcze raz sprawdzić drzwi starając się zachowywać jak najciszej oddychałam tylko bardzo szybko wiedziałam że muszę to zrobić jak trzeba więc przeczytałam przedtem parę książek było tam napisane gdzie jest ten otwór położyłam mu rękę na głowie i zaczęłam szukać miękkich miejsc było bardzo ciemno ale dobrze wszystko widziałam kiedy znalazłam ten otwór zaczęłam go naciskać tak mocno jak tylko mogłam zaczął się rzucać i otworzył oczy ale nie wydał żadnego dźwięku kiedy już było po wszystkim zobaczyłam na jego główce wgłębienia w tych miejscach o których mówiły książki pogłaskałam go jeszcze żeby sprawdzić czy się nie poruszy zamknęłam mu oczy żeby wyglądało że śpi i wytarłam buzię ze śliny zmoczył się ale to już zostawiłam

wróciłam do swego pokoju i czekałam żeby go znaleźli a potem
zasnęłam

Dzięki tym zaszyfrowanym zapiskom po raz pierwszy zobaczyłem nasze dzieciństwo oczami Sophie, co pomogło mi zrozumieć motywy jej postępowania. Nie działała pod wpływem impulsu czy dla perwersyjnej przyjemności. Chciała nas chronić — i temu służyło wszystko, co robiła. W jej pojęciu cały świat zewnętrzny stanowił dla nas ustawiczną groźbę, starała się więc przeciwdziałać grożącym nam niebezpieczeństwom wszelkimi możliwymi sposobami. Pewne rzeczy starała się ukryć, udając na przykład mniej zdolną, niż była, inne przewidzieć — stąd te eksperymenty, poprzez które chciała się dowiedzieć, jak to jest być dorosłą — jeszcze inne wyeliminować. Dotyczyło to zwłaszcza wszystkiego, co groziło jakąkolwiek ingerencją w strukturę i porządek naszego dwuosobowego światka. Kiedy po raz pierwszy czytałem jej dziennik, byłem tym przerażony, później jednak zacząłem ją rozumieć. Nie było to łatwe, gdyż nigdzie nie znalazłem żadnych wyjaśnień ani usprawiedliwień. Z początku mnie to dziwiło, ale potem pomyślałem, że przecież pisała to tylko dla siebie, więc komu się miała tłumaczyć? Byłem w błędzie.

Myliłem się nie tylko w tej sprawie. Wiele fragmentów odczytałem zbyt powierzchownie.

...czy dlatego że steve i andy okazali się lepsi niż można było oczekiwać mamy powierzać swój los przypadkowi ja myślę że trzeba mieć wpływ na wszystko co się z nami dzieje i gdy źle się dzieje odwrócić bieg rzeczy ale żeby to zrobić trzeba wiedzieć naprzód i umieć to wykorzystać jestem pewna że to potrafię martwi mnie tylko że są rzeczy co do których nie można być pewnym dopóki się nie spróbuje teraz jest okazja do takiej próby przynajmniej czegoś się dowiem

Myślałem, że Sophie mówi tu o swoim rozstaniu z dzieciństwem. Widziałem przecież, jak ją to gnębiło przez całe ostatnie lato. Właśnie z tego powodu tak usilnie starała się dowiedzieć, co ją czeka na nowym etapie życia. Po drugim czy trzecim czytaniu zacząłem dostrzegać inne znaczenie tych słów. Zrozumiałem, że w jej życiu nic nie działo się spontanicznie, że wszystko, łącznie z najbłahszymi szczegółami, było przemyślane i zaplanowane na wiele miesięcy z góry, a czasem i wiele lat. Gdy uświadomiłem sobie wszystkie wynikające z tego konsekwencje, poczułem dla niej już nie tylko podziw, ale i szacunek, choć wydawało mi się, że tego rodzaju uczuć wyzbyłem się bardzo dawno. Nie sądziłem, by mogły kiedykolwiek wrócić, a jednak wróciły.

Trochę później natknąłem się na fragment wymownie świadczący o tym, z jaką konsekwencją prowadziła każdą swoją akcję. Był on wyraźnym nawiązaniem do czegoś, o czym wspominała już kilka lat wcześniej.

...nigdy nawet na jeden dzień nie zapominam o tym co jej obiecałam pamiętam wszystkie te noce kiedy mattie budził się z krzykiem zawsze wtedy myślałam też o tym jak to było kiedy byłam mała powiedziałam że to zrobię i tak będzie choćbym miała czekać bardzo długo ale oprócz tej dawnej złożyłam jej teraz nową obietnicę że nie będzie to dla niej łatwe zasłużyła sobie na to za mattiego nigdy nie miała dla niego litości

Nie ukrywam, że szukałem czegoś, co by mogło świadczyć, że przynajmniej czasami działała wyłącznie w swoim interesie, na przykład zdania typu: „Zrobiłam to tylko dla siebie", ale nic takiego nie znalazłem. Pod tym względem Sophie z pamiętnika była taka sama jak w życiu: uważała, że tworzymy nierozłączną jedność. Każde z nas było częścią drugiego, więc wszystko, co robiła, robiła dla nas obojga. Nie mogłem temu zaprzeczyć, mimo że bardzo chciałem.

Natknąłem się za to na fragment, który mnie zaskoczył.

...a potem powiedziałam co się stanie jeśli powie o tym komukolwiek i tak już był przerażony ale to przeraziło go jeszcze bardziej wyglądał śmiesznie gdy tak siedział na słomie ze spodniami opuszczonymi do kolan ale mnie się nie chciało śmiać nie było to wcale takie jak myślałam tylko strasznie dziwne i bardzo bolało dobrze że nie trwało długo nie rozumiem jak można pozwalać komuś na coś takiego to niesamowite że ktoś to może lubić

Najważniejszą wiadomość znalazłem dopiero na ostatniej stronie. Później już zawsze miałem ją w pamięci, gdy zaczynałem czytać to wszystko od nowa. Powstała ona w ten ostatni wieczór, kiedy lato dobiegało końca, a z nim cała reszta. Do dziś pamiętam Sophie piszącą to swoje ostatnie przesłanie. Teraz wiem, czemu zajęło jej to tylko chwilę. Tym razem pisała otwartym tekstem, nie bawiąc się w żadne szyfry. Wiedziała, że to ja będę czytał te słowa i że tylko dla mnie ich znaczenie będzie całkiem jasne.

„Mogłam wrzucić w ogień te zeszyty i byłby to koniec wszystkiego, ale pomyślałam, że będą Ci one potrzebne. Miałam rację, prawda? W przeciwnym razie nie trzymałbyś ich teraz w ręku. Mam nadzieję, że znajdziesz tu wyjaśnienia, o które Ci chodzi — i że zrozumiesz. Pisałam to dla Ciebie i Tobie pozostawiam te zeszyty. Tylko Ty wiesz, czym są.

Mam nadzieję, że wszystko się ułoży. Kocham Cię i nigdy nie przestanę."

Słyszę bicie własnego serca. Wiem już, ku czemu to wszystko zmierza — i nic nie mogę zrobić. Nie mogę temu zapobiec. Wiem też nareszcie, z czego się brało to frustrujące uczucie, że odpowiedź na wszystkie pytania jest tak blisko, że mam ją w zasięgu ręki. To te wypalone świece w kącie kuchni. Już dawno powinnam się była domyślić.

Teraz nie pozostaje mi już nic innego, jak tylko przebrnąć przez to do końca, skłonić Mattiego, żeby mówił dalej. Skoro nigdy jeszcze nie zaszedł tak daleko, to jest nadzieja, że gdy wreszcie wyrzuci z siebie wszystko, schemat zostanie przełamany i finał tym razem będzie inny. Och, musi być inny, bo jeśli nie, wolę nie myśleć o tym, co mnie czeka.

— Mów, Mattie, powiedz mi wszystko — zaczynam nalegać, choć widzę po jego oczach, że trudno go będzie przekonać. Jest zakłopotany. Ale nie mam już teraz wyboru, muszę grać *va banque*. — Opowiedz mi o tej nocy. Wszystko, rozumiesz?

— Nie... Nie chcę... — odpowiada głosem małego chłopca. Przed czym tak się broni? Przed czymś gorszym niż te ogarki?

— Musisz mi powiedzieć. Powinieneś wreszcie zwierzyć się komuś, nie sądzisz?

— Nie wiem, czy potrafię... — Jeśli się zaprze, jestem skończona.

— Wróć w przeszłość, Mattie, i weź mnie z sobą. — Staram się włożyć w te słowa tyle siły, na ile tylko mnie stać. Nie ma tego wiele, gonię resztkami, nie jestem w stanie opanować nawet drżenia głosu. — Opowiedz mi o tym wieczorze w końcu lata, gdy poszedłeś z Sophie do kopalni. Mówiłeś, że był to wasz ostatni wieczór. Co się wtedy stało? Wyszliście stamtąd i co? Co było potem?

— Poszliśmy do domu.

— Po co?

Zaciska ręce tak kurczowo, że aż bieleją mu kostki.

— Poszliśmy do domu porozmawiać z mamą.

ROZDZIAŁ CZTERNASTY

Nigdzie nie znalazłem wyjaśnienia, w jaki sposób Sophie zdobyła tak wielką władzę nad matką. Nie potrafiłbym nawet powiedzieć, czy miała na nią coś konkretnego, czy też był to rezultat jakiejś dawnej batalii, w której matka poniosła klęskę. Nie interesowałem się tym jako dziecko; ich wzajemne stosunki były mi zupełnie obojętne. W miarę upływu lat matka odgrywała coraz mniejszą rolę w moim życiu, aż w końcu doszło do tego, że przestałem już prawie uważać ją za człowieka. Zamknięta w swoim mrocznym i dusznym salonie, skąd coraz rzadziej zdarzało jej się wychodzić, stała się dla mnie kimś tak dalekim i obcym, że były chwile, gdy zapominałem nawet o jej istnieniu.

Myślę, że z Sophie było inaczej. Ona częściej widywała matkę, już choćby dlatego, że wyręczała ją w różnych, zagadkowych dla mnie czynnościach gospodarskich, a poza tym Sophie z jej tylko wiadomych powodów w pewnym przynajmniej stopniu interesowała się osobą naszej matki. Nie znaczy to wcale, że matka z własnej woli powierzyła jej większość obowiązków domowych, sądzę raczej, że zmusiła ją do tego Sophie. Nie była to normalna sytuacja. Po tamtej nocy całymi latami próbowałem dociec jej przyczyn, odtwarzając w pamięci wszystkie te momenty, w których widziałem je razem. Było ich zaledwie kilka. To popołudnie, kiedy Sophie wzięła mnie w obronę przed matką szalejącą ze złości z powodu ataku astmy, który chwycił mnie w szkole

— najwyraźniej z emocji wywołanej odkryciem, że księgi Sophie pisane są szyfrem. Te chwile, gdy matka bez protestów zgadzała się na nasze eskapady, nie żądając od Sophie żadnych wyjaśnień, dokąd się wybieramy i co tam będziemy robić. No i była jeszcze sprawa Ol'Grady'ego. W czasach gdy byłem zbyt mały, aby się domyślić, co naprawdę dzieje się w moim pokoju, Sophie odkryła, że uprawia on nadal swoje stare praktyki — i zdołała go unieszkodliwić. Wszystkie te incydenty świadczyły wyraźnie, że Sophie latami trzymała naszą matkę w szachu, nie wyjaśniały jednak, w jaki sposób.

Znalazłem na ten temat tylko kilka bardzo skąpych wzmianek i w żadnej nie było mowy o jej własnych doświadczeniach z Ol'Gradym. A musiała go przecież pamiętać; znała jego imię — w trochę tylko zmienionym brzmieniu — i od razu skojarzyła je sobie ze straszną, pozbawioną twarzy postacią nawiedzającą mnie w snach. Skoro znała sprawę od dawna, a postanowiła mi o tym powiedzieć dopiero wtedy, gdy doszła do wniosku, że musi to zrobić dla mojego dobra, pamiętała też pewnie wiele innych zdarzeń, o których nie chciała mi mówić. Natrafiłem później na wzmianki, które mogły o tym świadczyć, dla mnie były jednak zupełnie niezrozumiałe. Aby je rozszyfrować, musiałbym znać jej dzieciństwo.

...zadaję sobie pytanie czy to się opłacało i myślę że tak że kiedyś to mi się przyda są rzeczy które warto pamiętać i wciąż przypominać miesiąc po miesiącu rok po roku muszę mieć coś takiego co w razie potrzeby będę mogła później wykorzystać ona od razu zrozumie o czym mówię i myślę że taki haczyk mi na nią wystarczy

Znalazłem również fragmenty, w których pod słowami dawało się wyczuć emocje. U Sophie była to prawdziwa rzadkość — zarówno w jej zapiskach, jak i w życiu. Nauczyła się dobrze ukrywać swoje uczucia, ale emocje, które budziła w niej matka, musiały być bardzo silne.

...w tej rodzinie istnieją pewne reguły ale żeby z nich korzystać trzeba znać je naprawdę dobrze mama myśli że zna te reguły ale tak jej się tylko wydaje zna zaledwie połowę bo tylko tyle umie dostrzec ja znam wszystkie i dlatego jesteśmy tu

bezpieczni gdybym chciała mogłabym jej pokazać kto tu naprawdę rządzi

Tamtego wieczoru, gdy szliśmy z kopalni do domu, nie wiedziałem, o czym myśli Sophie. Prawie nic nie mówiła. Kiedy już decydowała się odezwać, sprawiała wrażenie spokojnej i opanowanej, czułem jednak, że duchem jest całkiem gdzie indziej. Gdy teraz o tym myślę, wyobrażam sobie, że być może chciała raz jeszcze rozważyć właśnie to wszystko, co napisała o władzy, wykorzystywaniu posiadanej wiedzy, o tych ukrytych zasadach istniejących w naszej rodzinie.

Dotarliśmy do domu, gdy słońce wciąż jeszcze muskało wierzchołki drzew, a z lasu dobiegał śpiew ptaków. Był piękny świetlisty wieczór, taki, jakie często zdarzają się u schyłku lata — z błękitno-różowym niebem przesłoniętym tu i ówdzie bielą małych przejrzystych obłoczków. Wychodząc z kamieniołomu, nie zastanawiałem się nad tym, dokąd idziemy, zdziwiłem się dopiero w chwili, gdy Sophie przyprowadziła mnie z powrotem do ogrodu i przykucnąwszy nad strumieniem, zaczęła w zamyśleniu mącić dłonią wodę. Po chwili podniosła głowę i uśmiechnęła się do mnie.

— Chodźmy. Jest do zrobienia jeszcze parę rzeczy.

Zatrzymała się znowu dopiero przed szopą, w której wisiał płaszcz Ol'Grady'ego, i wyjęła z kieszeni pęk kluczy. Wciąż jeszcze doskonale pamiętałem ten wieczór, kiedy mnie tu przyprowadziła, aby mi pokazać jego „skórę", ale teraz oczywiście ów tak przerażający niegdyś rekwizyt nie budził już we mnie strachu. Nadal wisiał na drzwiach — jako zwykły rybacki sztormiak. Sophie zdjęła go z kołka i przerzuciła przez ramię. Nie pytałem, do czego jest jej potrzebny. W milczeniu poszliśmy do domu. Przy drzwiach kuchennych Sophie przystanęła.

— Możesz tu poczekać — powiedziała. — Ja za chwilę wrócę.

— Gdzie idziesz?

— Porozmawiać z mamą. Potem pójdziemy do stodoły, dobrze?

Bez słowa skinąłem głową.

— Wszystko będzie dobrze — powiedziała, przesuwając w palcach materiał starego płaszcza. — Nie martw się, Mattie. Muszę z nią pogadać, choć myślę, że ona już wie, co ma zrobić.

— Nie chcę tu czekać.

— Tak będzie lepiej, naprawdę. To długo nie potrwa, zobaczysz. — Uśmiechnęła się lekko i weszła do domu, zabierając ze sobą ten płaszcz.

Czekałem chwilę na zewnątrz, miotany sprzecznymi uczuciami. Pragnąłem pójść za nią, ale się bałem. Bardzo się bałem. W końcu zrzuciłem trampki i po cichu wśliznąłem się do kuchni, a stamtąd do holu. Drzwi do salonu uchylone były tylko na tyle, że widziałem zaledwie wąską smugę światła na dywanie. Ze środka dochodziły mnie stłumione głosy, ale tak niewyraźnie, że nie potrafiłem ich rozróżnić. Podsunąłem się trochę bliżej. Nagły przypływ adrenaliny sprawił, że zacząłem drżeć na całym ciele, ale teraz już dobrze usłyszałem głos Sophie:

— Nie będzie nas jakieś cztery godziny — powiedziała spokojnie i bardzo rzeczowo. — Później zadzwonię do ojca, mam jego numer. Cztery godziny to bardzo dużo. Powinno ci to wystarczyć.

A potem dobiegł mnie głos matki, nabrzmiały taką nienawiścią, że trudno go było rozpoznać:

— Ty małe ścierwo!

— Przez dzień czy dwa będzie trochę zamieszania — mówiła dalej Sophie, jakby w ogóle tego nie słyszała — ale damy sobie radę. Mam pieniądze, a Mattie jest już całkiem duży, jak może zauważyłaś.

— Ty potworze! — syknęła matka, a potem dodała tak głośno, że na moment zamarło mi serce, bo myślałem, że mówi do mnie: — Urodziłam nie dziecko, ale jakieś monstrum!

— Spróbuj się skupić — przerwała jej Sophie. — Naprawdę nie mam ochoty zaczynać wszystkiego od początku.

— Ty potworze — powtórzyła matka, tym razem ciszej i słabiej, jakby nagle zapomniała o swej nienawiści.

— Powinnam była się ciebie pozbyć, zanim jeszcze się urodziłaś.

— Twój błąd — odparowała Sophie. Na moment zapadła cisza. — Wiedziałaś, że w końcu do tego dojdzie. Daję ci cztery godziny. Jak widzisz, jestem bardzo hojna. Masz mnóstwo czasu na żale.

Słysząc skrzypnięcie podłogi, czym prędzej wycofałem się na zewnątrz, zabierając ze sobą buty. Mniej więcej po minucie w drzwiach ukazała się Sophie, ale już bez płaszcza Ol'Grady'ego.

— Pójdziemy teraz do stodoły. Wieczór jest bardzo piękny.

— Tak.

— Co usłyszałeś?

Drgnąłem z zaskoczenia.

— Tylko trochę. Sam koniec.

Zamyśliła się na chwilę.

— No, mniejsza o to. Jesteś jeszcze za młody, żeby wszystko zrozumieć — powiedziała, patrząc mi w oczy.

— Tak. Mam dopiero jedenaście lat.

Uśmiechnęła się na to.

— Brawo, braciszku, dobra odpowiedź. Ale teraz już chodźmy, niedługo zacznie się ściemniać.

— Czasami myślę, że może ona miała rację — mówi, patrząc w ścianę gdzieś nad moją głową.

— Kto?

— Mama. Obiektywnie biorąc chyba ją miała, ale wtedy tak nie myślałem.

— To oczywiste. Byłeś jeszcze dzieckiem.

Gniewnie marszczy brwi.

— Co powiedziałaś?

— Że w twojej sytuacji nie mogło być inaczej.

— Co ty możesz o tym wiedzieć!

— Całkiem dużo — odpowiadam z półuśmiechem, po czym milknę na moment, pozwalając mu to przetrawić.

— Chcesz się przekonać? Wiem, co naprawdę myślałeś, mówiąc, że masz tylko jedenaście lat.

— Nie mam pojęcia, o co ci chodzi! — Akurat. Wcale nie wygląda na człowieka, który czegoś nie wie. Jest zwyczajnie zirytowany tym, że go przejrzałam.

— Wiesz, i to dobrze. Kiedy Sophie powiedziała, że jesteś za młody, żeby wszystko zrozumieć, pozornie przyznałeś jej rację, doskonale wiedząc, że tak nie jest, podobnie zresztą jak ona. Powiedz prawdę, Mattie, czy rzeczywiście byłeś takim naiwnym dzieckiem, które nie miało pojęcia, co się wokół niego dzieje? Chcesz się nadal usprawiedliwiać w ten sposób? Uważasz, że to wystarczy?

— Nie wiem! — zaczyna krzyczeć, ale zaraz bierze się w garść. — Nie wiem — powtarza już znacznie spokojniej. — A właściwie tak. Mówisz, że to kiepskie usprawiedliwienie, a ja je uważam za wystarczające. Nie byłem taki jak Sophie, byłem całkiem normalnym chłopcem i naprawdę nie rozumiałem przynajmniej połowy tego, co się działo.

— Nie wierzę ci.

— Mało mnie to obchodzi — odpowiada ze złością, przeciągając ręką po włosach. — Ty kompletnie nic nie rozumiesz.

Gwałtownie wciągam powietrze, bo nagle jak cios między oczy dociera do mnie świadomość, że to koniec gry! Przestaliśmy udawać, że jestem Sophie! I nawet nie pamiętam, kiedy to się stało!

— Rozumiem więcej, niż myślisz — desperacko próbuję przerwać nagłą ciszę. — Powiedziałeś mi tyle o sobie, że potrafię wyciągać prawidłowe wnioski nawet z twoich uników czy niedopowiedzeń. Wiem na przykład, że znałeś Sophie o wiele lepiej, niż mi próbujesz wmówić. Mam rację, prawda?

— Ja naprawdę nie wiedziałem, co ona zamierza zrobić. To wszystko działo się zbyt szybko. Chciałem z nią pójść do mamy, ale stchórzyłem, a potem też prawie nic nie słyszałem.

— Ale wiedziałeś, o czym mówi Sophie i do czego chce zmusić matkę?

Rozgląda się po kuchni jak spłoszone zwierzę, niespokojnie pocierając dłonią usta.

— Tak — mówi wreszcie — wiedziałem. To chciałaś usłyszeć?

— Chcę tylko usłyszeć prawdę — ale już mówiąc te słowa, zaczynam mieć wątpliwości, czy rzeczywiście sobie tego życzę. Kątem oka widzę te ogarki... Ich biel tak bardzo przypomina zwłoki... Staram się o tym nie myśleć.

— Jesteś pewna, że chcesz poznać prawdę? — pyta, podnosząc się z miejsca. Do licha, czyta mi w myślach?

— Tak, myślę, że tak. Prawda potrzebna jest nam obojgu, nie uważasz?

— Może.

— Nikomu jeszcze o tym nie mówiłeś?

— Nie.

— Więc powiedz mi, Mattie. Chcę to usłyszeć. Wróć do momentu, kiedy wyszliście z domu.

Spojrzenie ma tak nieobecne, że mimo woli przychodzi mi na myśl coś, co powiedział wcześniej o Sophie: że patrzy w siebie i ogląda tam takie widoki, jakich pewnie nigdy nie zobaczę.

Staraliśmy się trzymać jak najbliżej muru. Szliśmy powoli, trochę rozmawiając, dopóki nie dotarliśmy do ścieżki prowadzącej na farmę. Zatrzymaliśmy się tam na długą chwilę, przyglądając się w milczeniu temu miejscu, tak jak przedtem w kamieniołomie. Słońce tymczasem zapadło już za horyzont. Po zachodniej stronie nieba wciąż widać było rudopomarańczową łunę, ale trawa przybrała już szarogranatowy odcień, a ptaki przestały śpiewać. We wsi zabłysły światła.

W stodole panowała nieprzenikniona ciemność.

— Poczekaj chwilę — powiedziała Sophie, wyjmując z kieszeni zapałki i ogarek świeczki.

Świeczka? Rozpoznałem ją od razu: używaliśmy takich w chatce, ale tutaj nigdy, ani takich, ani żadnych innych. Patrzyłem więc z dziwną fascynacją jak Sophie przytyka do knota płonącą zapałkę, jak oblewa nas ciepły krąg światła, jak w tym świetle jej oczy nabierają blasku. Podeszła powoli do podnóża słomianej twierdzy i usiadła na jakiejś beli. Poszedłem za nią. Wywierciła w zbitej słomie mały otwór i wetknęła tam ogarek, tak że jego płomyk zawisł tuż nad samą powierzchnią beli. Brakowało może paru centymetrów.

— Wystarczy — mruknęła. Siedziałem cicho, mimo że wiedziałem, co się stanie.

Krople stopionej stearyny powoli kapały na słomę, coraz mocniej przytwierdzając do niej świeczkę. Jej płomyk opadał coraz niżej, ale ja, nonszalancko machając nogami, zająłem się śledzeniem tańczących w kręgu światła drobniutkich fragmentów sieczki. Z twarzy Sophie nic się nie dało wyczytać. Sennym wzrokiem patrzyła przed siebie.

— To też było dobre miejsce — powiedziała po chwili.
— Uhm.
— Nigdy nie zajrzeliśmy nawet do tych opuszczonych domów, chociaż mogło to być ciekawe. Myślę jednak, że tak jest lepiej. Postąpiliśmy słusznie.
— Ja też tak myślę.
— Naprawdę?
— Tak.
— Dzięki, Mattie — uśmiechnęła się trochę smutno. — Porządny z ciebie chłopak. Oboje jesteśmy tacy. — Spuściłem oczy na obniżający się wciąż płomyk świeczki. — Ale z wiekiem ludzie się zmieniają, przeważnie na gorsze, i dlatego nie chcę dorosnąć — dodała po chwili milczenia. — Rozumiesz? Nie chcę być taka jak mama.
— Nigdy nie będziesz taka jak mama. Jesteś zupełnie inna.
— Wiem, ale i tak nie chcę.
— Chciałabyś zawsze być dzieckiem?
— Jak Piotruś Pan? Nie, chyba nie. Byłoby to strasznie nudne, nie uważasz? To tak, jakbyś musiał jeść co dzień to samo i ubierać się w te same rzeczy. Chybabym tego nie wytrzymała. Żyć to znaczy iść naprzód, podejmować wciąż nowe decyzje.

Ogień jakby na próbę liznął pęczek słomy. Kółko białego dymu poszybowało pod dach.

— Pora iść — powiedziała Sophie. — Musimy jeszcze coś zrobić.

Posłusznie wyszedłem za nią na zewnątrz. Świeca paliła się już mocnym, coraz to wyższym płomieniem, jakby chciała rzucić wyzwanie czającym się w kątach mrokom. Nadal milczałem. Nie mogłem sprzeciwiać się Sophie. To była jej chwila.

Poszliśmy do szopy, gdzie Sophie odnalazła tę żelazną rurkę, której użyliśmy już kiedyś, by włamać się do stodoły, i którą postanowiła wykorzystać teraz w takim samym celu. Wsunąwszy ją w środek łańcucha kłódki wiszącej na wielkich wrotach, okręciła go wokół rurki, po czym kazała mi złapać za koniec, a sama chwyciła za drugi. Zaczęliśmy powoli obracać rurką, walcząc ze wzrastającym oporem łańcucha — kostki na rękach Sophie zrobiły się białe z wysiłku. Gdy z ostrym trzaskiem rozpękł się na połowę, ze zdumienia upuściłem łom. Czekając na Sophie, która poszła odnieść to stare żelastwo, wziąłem do ręki połówkę łańcucha i zacząłem mu się przyglądać; wprost nie mogłem uwierzyć, że pękł. Był odlany z dobrej stali — w miejscu pęknięcia błyszczała jasna powierzchnia bez żadnych śladów korozji — strasznie się tylko rozgrzał, tak że musiałem przerzucać go z ręki do ręki. W końcu przyszło mi na myśl, że nie powinien tu leżeć, schowałem go więc do kieszeni, a potem pomogłem Sophie otworzyć wrota na oścież. Świeczka paliła się nadal — równym, wysokim płomieniem.

— Reszta zrobi się sama — orzekła Sophie. — Chodźmy na wzgórze.

Nie patrzyliśmy za siebie. Zmierzaliśmy ku polanie ze zwalonym drzewem. Z tego miejsca widać było farmę. Czekaliśmy, siedząc na pniu. Ogień buchający z otwartej stodoły ciągle się wzmagał, oświetlając stopniowo kolejne budynki. Słyszeliśmy głuche trzaski i od czasu do czasu metaliczne odgłosy krótkich eksplozji — jakby blacha pękała od żaru. Szkielet stodoły był z drewna; kiedy się wypalił, zapadł się z hukiem wielki kawał dachu, a z otworu buchnęły płomienie na wysokość drugiego piętra.

Całe zbocze wzgórza zalała straszliwa czerwona łuna, jaką widzi się czasem w złych snach. Patrzyliśmy na to bez słowa — ja, fikając nogami, Sophie nieruchoma jak posąg. Po chwili rozległo się wycie syren, rozbłysły niebieskie światła i na dziedzińcu zaroiło się od ludzi, którzy rozwinąwszy węże, oblali wodą sąsiednie budynki, po czym odstąpili na bok, pozostawiając stodołę własnemu losowi. Płonęła już teraz jak żagiew.

— Niewiele z niej zostanie — mruknęła Sophie.

— Uhm.

— Z tego, kto byłby w środku, też by nie było co zbierać...

— Myślisz, że Steven i Andy będą wiedzieli...?

— Trzeba im powiedzieć. Wiesz, gdzie mieszkają, prawda?

— Tak. — Ona mi powiedziała.

— Steven to bystry chłopak. Będzie wiedział, co zrobić. Rozmawiałam z nim.

— To dobrze.

— Ładnie to wygląda, prawda? — powiedziała z westchnieniem. — Chętnie posiedziałabym tu dłużej.

— Możemy, jeśli chcesz...

— Nie, lepiej już chodźmy, mamy jeszcze sporo roboty.

Zaczęliśmy wspinać się w górę, ścigani rykiem pożaru nawet gdy farma zniknęła nam z oczu. Lekkie obłoczki widoczne nad wioską wciąż jeszcze miały kolor krwi. Znad pogorzeliska co chwila nadlatywały jakieś żarzące się szczątki, które padając na ziemię zamieniały się w szary popiół.

Pod lasem Sophie przystanęła, spoglądając w dół, w stronę domu. W jednym oknie widać było światło. Wzruszywszy lekko ramionami, ruszyła dalej przed siebie.

Matthew zaczyna znowu niespokojnie krążyć po kuchni. Znów się wyłączył. Kiedy go o coś pytam, ociąga się z odpowiedzią lub odpowiada monosylabami. Najwyraźniej nie chce dalej mówić. Sprawia zarazem wrażenie, jakby patrzył przez ściany tej kuchni — i w pewnym sensie tak jest. Nie, Matthew, nie mogę pozwolić, żebyś się teraz wycofał.

— Rozumiem, że po raz drugi poszliście do kopalni.

— Uhm.

— Mów, Mattie. Wróciliście tam i co dalej?

— Usiedliśmy na trawie.

— A gdzież tam jest trawa?

— Na krawędzi, tam gdzie byliśmy przedtem. Tu już nie było słychać huku ognia. Znajdowaliśmy się za daleko.

— No dobrze i co było potem? Co ci powiedziała Sophie?

Kładzie dłonie na ścianie i opiera o nią głowę.

— Powiedziała, że w tej szopie, gdzie wisiał płaszcz Ol'Grady'ego, jest trochę ropy. Że mam nim oblać ostrokrzew i podpalić. Żeby po naszej chatce nie zostało śladu.

— Czemu sama tego nie zrobiła?

— Powiedziała, że jest zmęczona i że to przecież mój pomysł.

— To był naprawdę twój pomysł?

— Może i tak, sam już nie wiem. Wiem tylko, że chciałem jej pomóc. Myślałem, że ma już dosyć sekretów i dlatego chce wszystko zniszczyć.

— Ale myliłeś się, prawda? Tajemnice nie zniknęły, choć spaliliście stodołę, a zeszyty wrzucili do klatki.

— Wiem — mówi szeptem — wiem.

— A co z tobą, Mattie? Sophie miała swoje sekrety, ale ty także. Powiedz, po co naprawdę poszedłeś po te zeszyty.

Tak mocno wbija paznokcie w ścianę, że sypie się z niej stary tynk. Twarzy nie widzę, ale w jego głosie brzmi ból.

— Musiałem dowiedzieć się wszystkiego... mieć pewność...

— Musiałeś być pewien, co do niej czujesz.

— Wiedziałem, co do niej czuję. Kochałem ją. Była dla mnie najważniejszą istotą na świecie.

— Ona zdominowała twój świat. Panowała nad nim. Jesteś pewien, że ją kochałeś?

— Kochałem — powtarza jak uparte dziecko.

— Ty jej nienawidziłeś. Nie byłeś pewien, czy słusznie, i dlatego poszedłeś do kopalni. Chciałeś w jej zapiskach znaleźć usprawiedliwienie dla swej nienawiści.

— Nie, to nie była nienawiść! — Odwraca się do mnie twarzą akurat w chwili, gdy usiłuję podnieść się na nogi, co nie jest łatwe, kiedy ma się związane ręce, i to w dodatku tak ciasno. On jednak nie zwraca na mnie uwagi. — Ja tylko nie we wszystkim ją rozumiałem.

Udaje mi się stanąć.

— Sophie cię opuściła i za to ją znienawidziłeś. Przyznaj się, Mattie, no powiedz, czego tak zawzięcie szukałeś w jej pamiętnikach.

— Niczego! Nigdy nie czułem do niej nienawiści! Ty nic nie rozumiesz! Pleciesz bzdury!

— Doprawdy? — Ja też zaczynam na niego krzyczeć. Chcę nim wstrząsnąć, przebić się przez tę warstwę pogmatwanych wspomnień do tego, co kryje się głębiej. — Ile ich było, Mattie? Którą z kolei ja jestem?

— Nie mam pojęcia, o czym mówisz!

— O tych kobietach, które miały ci zastąpić Sophie, którym nadawałeś jej imię! Ile ich było do dzisiaj?

Gwałtownie odchyla się do tyłu — jak po nagłym ciosie. Z wyrazem głębokiego szoku w szeroko otwartych oczach próbuje coś powiedzieć — i nie może.

— No, którym ja jestem numerem? Spójrz na te ogarki i policz! Niezłej nabrałeś w tym wprawy! Tylko że żadnej z tych kobiet nie opowiedziałeś całej swej historii i dlatego ze mną jest inaczej! Co z nimi zrobiłeś? Powiedz!

Potrząsa głową jak pijak, który chce się ocknąć. Przez chwilę milczy.

— Ja ją kochałem... — mówi wreszcie cicho i niepewnie. — Wiem, że ją kochałem.

— Ile było tych kobiet?

— Kochałem Sophie... Ja tylko nie mogłem... nie umiałem jej zrozumieć... I kiedy mnie poprosiła, żebym tam z nią poszedł... za bardzo się bałem...

Jego twarz przypomina pole bitwy — strach walczy w nim z chęcią wyznania.

— Byłem zbyt przerażony, żeby tam pójść...

Z pewnym wahaniem robię krok w jego stronę.

— Powiedz mi, co się stało. Opowiedz wszystko do końca.

— Masz rację — mówi, kiwając głową. — Najwyższy czas już z tym skończyć.

Znowu przeszliśmy przez płot w tym miejscu, gdzie konar wybił w nim lukę. Wąski pasek trawiastego gruntu tonął w mroku, ale krawędź niecki widać było wyraźnie: jasne skały w dole lśniły w blasku księżyca, który był już w połowie swej drogi do pełni. Nocną ciszę mącił tylko lekki szelest liści kołysanych łagodnymi podmuchami wiatru. Płonąca stodoła pozostała daleko za nami; nawet zapach dymu zdążył już ulotnić się z naszych ubrań. Nic tu nie przypominało niedawnych wydarzeń. Można byłoby pomyśleć, że nie było pożaru, że w ogóle nic się nie stało.

— Jak tu dobrze — westchnęła Sophie. — To miejsce lubię chyba najbardziej. Zawsze było wyjątkowe... Będziesz tu przychodził? — spytała po krótkiej pauzie.

— Bez ciebie?

Uniosła w górę jedną brew.

— No... tak.

— Nie wiem — wyznałem uczciwie. — Bez ciebie to już nie będzie to samo.

— To prawda. Ach, czekaj, mam coś dla ciebie. — Wyjęła z kieszeni pęk kluczy, ten, który już widziałem, i odczepiła z kółka mały szary kluczyk. — Weź. Przechowaj go dla mnie. Później ci wytłumaczę... Ha! — wykrzyknęła, gdy ostrożnie wziąłem klucz do ręki — patrz, co znalazłam! — Zobaczyłem na jej dłoni coś ciemnego w kształcie medalionu. — Poznajesz?

— Nie bardzo.

— To twój amonit, ta muszla, którą dałeś mi na urodziny. Wciąż ją mam. Jest taka piękna. Mam ci ją zwrócić?

— Och nie, dałem ci ją przecież, jest twoja.

— Dzięki. — Nadal patrzyła na muszlę. — Najcenniejsza ze wszystkich, które tu znalazłeś, prawda?

— Myślę, że tak.

— Ja też. Jeszcze raz ci dziękuję, Mattie.

— Och, nie musisz... — bąknąłem z zakłopotaniem.

— Nie wiem, czy kiedykolwiek dałam ci w zamian coś równie cennego — szepnęła na poły do siebie.

— Och, mnóstwo rzeczy! — Zdziwiłem się, słysząc te słowa. Całkiem jakby wypowiedział je za mnie kto inny.

— Nie wiem, Mattie... Czasami... mocno w to wątpię.

Przez chwilę siedzieliśmy w milczeniu, wpatrzeni w ciemne szeleszczące drzewa. Na tle nocnego nieba ich gałęzie, a nawet liście przybierały tak niesamowite kształty... Sophie w zamyśleniu obracała w palcach jakiś kamyk.

— Zimno ci? — spytała, widząc, że ciaśniej owijam się kurtką.

— Nie.

Upuściła kamyk i uciekła wzrokiem gdzieś daleko.

— Nie pojadę do tej szkoły. Wiesz o tym, prawda?

Milczałem.

— Wiedziałeś od początku, prawda, Mattie?

Nie miałem pojęcia, co powiedzieć.

— Nie mów, jeśli nie chcesz. No więc nie jadę. Długo o tym myślałam. I dziś... dziś wszystko się kończy. Stodoła, kamieniołom, nasz dom, nasza matka i my. To już koniec.

Zdołałem wreszcie odzyskać głos.

— Tylko dlatego, że ty tego chciałaś. To ty chciałaś z tym skończyć. — Musiałem bezwiednie włożyć w te słowa tyle urazy i żalu, że Sophie otworzyła usta, a jej oczy... Wyglądała jak człowiek, którego zdradzono.

— Nie, ja tego nie chciałam. Ja tylko nie mogłam temu zapobiec. Nic nie mogłam zrobić.

— Spaliłaś stodołę!

Zamrugała powiekami, aby strząsnąć łzy. Dla mnie był to widok wręcz niesamowity. Nigdy w życiu nie widziałem płaczącej Sophie.

— Cóż, Mattie, tak czy inaczej to już koniec — szepnęła. — Wszystko tak się potoczyło... pewne sprawy okazały się tak trudne... Próbowałam to zmienić, znaleźć jakiś sposób, niestety, nie wyszło...

Szukałem czegoś, co mógłbym powiedzieć — i nie znalazłem. Widząc to, próbowała sama brnąć dalej.

— Trudno to ująć w słowa... Sama nie wszystko rozumiem. Wiem tylko, że gdybym wyjechała, zostawiając tu ciebie, byłaby to dla nas katastrofa, po której nic by nie zostało... Mój wyjazd wszystko by zniszczył... Wszystko, co nas łączyło... wszystko, co najważniejsze... — Widać było, że rozpaczliwie szuka słów, które by mi mogły choć trochę wyjaśnić, co ją skłoniło do takiej decyzji, czuliśmy jednak oboje, że to niemożliwe.

— Zawsze postępujesz słusznie — powiedziałem w końcu — więc i teraz tak będzie.

Uśmiechnęła się lekko.

— Jesteś w porządku, już ci to mówiłam.

Na chwilę zapadła cisza. Słychać było tylko dobiegający z ciemności szum drzew. W przeciwległym końcu kopalni wiatr kołysał kwitnące chwasty. Od ziemi zaczynał bić chłód — czułem go przez cienki materiał dżinsów.

— Obiecaj mi coś — poprosiła Sophie.

— Co?

— W tej szopie, gdzie wisiał płaszcz Ol'Greedy'ego, stoi taka szara bańka. Jest w niej trochę ropy. Wylej ją na ostrokrzew i podpal. Nie mam już sił ani głowy, żeby się tym zająć, a bardzo bym chciała zakończyć wszystko porządnie. Zrobisz to dla mnie?

— Tak.

— Nie będzie ci żal? Nie bądź smutny!

— Nie jestem smutny. — Pomyślałem o tych popołudniach, kiedy siedząc pod kopułą wiecznie zielonych gałęzi, opowiadała mi bajki lub czytała ulubione książki... i naprawdę nie poczułem smutku. Było tak, jakby to wszystko już do mnie nie należało, jakbym sam o tym nie wiedząc, dawno zrzekł się swojej własności na korzyść kogoś innego. I nawet mu nie zazdrościłem, kimkolwiek był.

— Co jeszcze... No tak, oczywiście. Będziesz musiał zadzwonić do ojca. Myślę, że kiedy już ochłonie z szoku, będzie nawet zadowolony. Wiesz, on cię zawsze lubił.

Nie wiedziałem, przyjąłem to więc bez słowa.

212

— On zajmie się wszystkim — mówiła dalej Sophie, tak spokojnie i tak rozsądnie, że aż wydawało się to podejrzane. Czułem, że nadrabia miną, starając się ukryć, co naprawdę myśli. — W tej sprawie to chyba byłoby tyle, ale jest coś jeszcze...

— Sophie, ja wciąż nie rozumiem...

— Nie martw się, Mattie. — Wzięła mnie za rękę i uścisnęła ją mocno. — Zobaczysz, wszystko będzie dobrze. Zaufaj mi.

Rozpaczliwym gestem uderza się w czoło.

— Wszystko będzie dobrze!! Nie mogło być dobrze i świetnie o tym wiedziała!

— Może w tej sytuacji nic lepszego nie przyszło jej na myśl.

— Uważasz, że nie chciała mnie okłamać? — Brzmi to niemal jak prośba.

— Cóż, nie mogę być pewna, ale myślę, że ciebie by nie okłamała.

— Dlaczego tak myślisz?

— Za bardzo cię kochała, żeby kłamać. — Mówiąc to, zaczynam się zastanawiać, co sama do niego czuję. — Tak, Mattie, to z miłości do ciebie podjęła taką decyzję. Kochała cię tak bardzo, że nie miała innego wyboru. Dla Sophie istniały tylko ekstremy. W życiu, w uczuciach, we wszystkim. Taka się już urodziła i nic na to nie mogła poradzić. Bo czyż można zmienić swój umysł, swój sposób myślenia? Gdyby nawet jakimś cudem była w stanie zrobić z siebie przeciętną dziewczynkę, wątpię, czyby tego chciała. Nie mogłaby wtedy opiekować się tobą. Ona po prostu musiała być taka, jak była.

— Nie mogłem uwierzyć, że chce mnie opuścić.

— Musisz mi jeszcze coś przyrzec — powiedziała. — Zrobisz to?

— Tak.

— To dobrze. Posłuchaj uważnie. — Kazała mi usiąść przed sobą na trawie i zaczęła instruować, co mam mówić ludziom, kiedy będą mnie pytać o dzisiejszy wieczór.

— Po powrocie do domu będziesz musiał trochę poczekać, zanim podniesiesz alarm. Upewnij się przedtem, czy wszystko pamiętasz i czy czas się zgadza. Dasz radę?

— Myślę, że tak. Będę się starał.

— Świetnie. Nic więcej nie musisz robić.

Siedziałem jak odrętwiały, a dookoła było tak pięknie... I tak spokojnie. Chmury gdzieś odpłynęły, na niebie błyszczały tysiące gwiazd, ucichł nawet ten lekki wietrzyk. W lesie nie drgnął nawet jeden listek.

— Mattie?

— Tak?

— Będziesz się trzymał?

Co miałem powiedzieć? Teraz już nic nie wiedziałem. Nawet tego, czy czuję strach.

— Tak. — Było to jedyne słowo, które mi przyszło na myśl.

Sophie spojrzała na zegarek.

— Jeszcze jedno. Musisz być bardzo dzielny i zrobić dokładnie to, co ci powiem. Masz klucz?

Bez słowa wyjąłem go z kieszeni.

Zatacza następne kółko i staje przy drzwiach wychodzących na ogród. Nad czym tak myśli? Czoło ma zmarszczone, jego ręce poruszają się nerwowo. Milczy już od kilku minut. Przez szpary między deskami sączy się światło przedświtu, nikłe i blade, zawsze to jednak światło. Kuchnia tymczasem tonie w posępnej szarości. Świeczka wypaliła się do końca. Tym razem tego nie spostrzegł.

Patrzę na niego i myślę, że jeszcze wczoraj był dla mnie kimś zupełnie innym, że ta jedna noc wystarczyła, by runęły wszystkie moje sądy. Ale już się go nie boję. Czuję się teraz tak, jakbyśmy wspólnie przeżyli to wszystko, co mi opowiedział. Cóż, w pewnym sensie chyba tak jest i myślę, że dla niego również. To dziwne, ale wydaje mi się, że aby zrozumieć tę jego spowiedź, musiałam przynajmniej chwilami myśleć podobnie jak Sophie, zobaczyć go jej oczyma. Sama nie wiem, czy mnie to przeraża, czy może cieszy.

Matthew odwraca się od drzwi i po raz pierwszy od chwili, kiedy mnie uderzył, podchodzi do mnie tak blisko. Oczywiście uderzył mnie za to, że nie byłam Sophie czy że nie chciałam nią być — teraz już nie wiem, czym bardziej mu się naraziłam. Narzucił mi swoje reguły gry, ale to ja go pokonałam.

— Wyciągnij ręce — mówi cicho, wyjmując z kieszeni nóż, którym przecina taśmę. Ręce mam zdrętwiałe, skórę w kilku miejscach zdartą razem z taśmą, ale jestem wolna.

— Dziękuję.

Podchodzi znowu do drzwi, odsuwa rygle i pomagając sobie ramieniem, otwiera te drzwi na oścież, a ja po raz pierwszy widzę ogród na tyłach domu. Jest strasznie zapuszczony i chyba mniejszy, niż sobie wyobrażałam, rozpoznaję jednak miejsca, które mi opisał. Podnoszę się na nogi i po paru chwiejnych krokach staję obok niego.

— Spójrz, tam jest ten ostrokrzew. — Miał rację, mówiąc, że stary krzak odżył. U podnóża potężnego pniaka widać młode zielone gałązki. — Zrobiłem, jak mi kazała: po powrocie do domu znalazłem bańkę z ropą i spaliłem nasz wigwam. Przykro mi było patrzeć, jak płonie, choć mniej niż można by było przypuszczać. Do tego czasu zobojętniałem na wszystko. Zbyt wiele się wydarzyło.

— Wiem.

— Kiedy wróciłem do domu, poszedłem do jej pokoju, usiadłem na łóżku i siedziałem tak chyba z godzinę. Miałem później wezwać policję, ale ktoś już musiał zauważyć, że w ogrodzie się pali, bo w uliczce pojawiły się nagle jakieś samochody i wóz strażacki. Chyba od razu znaleźli mamę, bo mi nie pozwolili wchodzić do salonu. Potem zjawiła się policja. Pytali o ojca i Sophie. Powiedziałem, że nie wiem, gdzie jest ojciec, ale mam jego numer telefonu. Byłem tak zmęczony, że zasypiałem na stojąco, ale nie pozwolili mi spać. Gdy już dodzwonili się do ojca, zaczęli znowu pytać mnie o Sophie.

Powiedziałem, że kilka godzin temu poszła do stodoły i że kiedy spostrzegłem pożar, pobiegłem jej szukać. Byłem na polu i w lesie, ale jej nie znalazłem. Popatrzyli na siebie, a potem na moje zabłocone trampki i brudne ślady na dywanie. Musieli też spostrzec, że kiepsko wyglądam, bo któryś z nich zaniósł mnie do sanitarki i kazał tam siedzieć. Z tego, co usłyszałem, widać było jasno, że nie mogą zrozumieć, co właściwie stało się w tym domu. Po chwili ktoś inny przyniósł mi kubek i nalał kawy z termosu, ale pokręciłem głową, że nie. Chciałem powiedzieć, że w nocy piję tylko sok pomarańczowy, ale nic z tego nie wyszło. Wybełkotałem coś tak niewyraźnie, jakbym nie umiał mówić, i chyba zaraz zasnąłem.

Kiedy obudziłem się po jakimś czasie, oni nadal czekali na ojca; wciąż go nie było, więc zawieźli mnie do szpitala. Pewno nie wiedzieli, co ze mną zrobić. W szpitalu jacyś ludzie dali mi piżamę i położyli do łóżka. Przespałem prawie cały dzień. Musiałem mieć pełno popiołu we włosach, bo poduszka była całkiem szara. Mnóstwo ludzi zadawało mi różne pytania. Pamiętam, że ja zapytałem, czy znaleziono już Sophie, ale powiedziano mi, że nie, że powinienem odpocząć, a o Sophie pomówimy później. Widziałem po twarzach, że ci ludzie nie wiedzą, co zrobić. No bo jak powiedzieć małemu chłopcu, że jego siostra spłonęła żywcem w stodole, i to tak doszczętnie, że nie znaleziono nawet żadnych fragmentów jej ciała.

Dopiero mój ojciec zmuszony był w końcu powiedzieć mi o Sophie. I o mamie. Nie było go tak długo, bo przyjechał aż z Ameryki, gdzie miał stałą pracę. Pamiętam, że gdy w drzwiach separatki stanął wysoki mężczyzna w śnieżnobiałej koszuli, zmęczony, ale sympatyczny, w pierwszej chwili go nie poznałem — kręciło się tu tylu ludzi — dopiero gdy poczułem jego zapach, uświadomiłem sobie, że to ojciec. Usiadł na brzegu łóżka — i powiedział mi, co się stało. Zrobił to bardzo dobrze, choć nie było to dla niego łatwe.

I to już wszystko. Nasz dom został wystawiony na sprzedaż, nikt go jednak nie chciał. Zbyt dużo osób wiedziało, co się tu wydarzyło, a ludzie nie lubią domów, w których ktoś popełnił samobójstwo. Będzie pewnie tak stał, dopóki się nie zawali.

— A co będzie ze mną?

— Nic ci nie grozi. Sam nie wiem czemu. Może dlatego, że bardziej przypominasz mi Sophie niż którakolwiek ze znanych mi kobiet. Nie wyobrażałem sobie nawet, że potrafię opowiedzieć komuś o tym wszystkim.

— Powiedz, Matt, dlaczego zabiłeś te kobiety, te wszystkie Sophie?

Wzrusza ramionami, pocierając czoło znajomym już gestem.

— To ją chciałem zabić. Raz na zawsze. Bo choć odeszła, wciąż miała nade mną władzę.

— Ach, więc to tak...

— Ona tak naprawdę nigdy nie odeszła. Myślałem, że gdy sam ją zabiję i zrobię to tak jak trzeba, przestanie do mnie powracać. Nic z tego. Zawsze wracała.

— A tamte? Gdzie one są?

— Niedaleko. — W tym domu? No tak, widziałam tu przecież tylko tę kuchnię. — Wiesz — mówi, patrząc mi w oczy — że ciebie też mogłem zabić?

— Wiem.

— Teraz już nie musisz się mnie bać. Już ci powiedziałem, że jesteś bezpieczna, proszę cię tylko, żebyś coś dla mnie zrobiła.

— Co?

— Chodź — mówi, biorąc mnie za rękę.

Wiem, dokąd mnie prowadzi przez ten mokry, zdziczały ogród. Idziemy na wzgórze.

ROZDZIAŁ PIĘTNASTY

Nie czuję chłodu; twarz muska mi lekki przewiew, grunt pod stopami jest suchy. Znikąd nie dobiega żaden dźwięk. W lesie na wzgórzu towarzyszył nam śpiew ptaków, ale teraz ucichł. Zniknął blask słońca powoli wznoszącego się nad drzewa. Zniknęły szeroko rozlane kałuże i lśniące od rosy krzewy. Cały świat skurczył się do rozmiarów tej małej zamkniętej przestrzeni tonącej w łagodnym półmroku. Światła jest tylko tyle, ile sączy się go zza węgła. Nie ma świec ani ich ogarków.

Nie ma też gruzów i śmieci zalegających pierwszy odcinek tunelu. Począwszy od wejścia biegnie on stopniowo w górę, po czym ostro skręca w prawo, gdzie poszerza się nieco, by po dalszych pięciu metrach utworzyć niewielką niszę. Jej niskie kamienne sklepienie wznosi się prawie regularnym łukiem nad wąską naturalną półką, przywodzącą na myśl ołtarzyk w kąciku malutkiej świątyni. Tak tu spokojnie i cicho. Niemal pięknie. Wszystko, co zostało powiedziane, wydaje się takie odległe, jakby od tej chwili upłynęły lata.

Dziwne, że tak to odczuwam, a jeszcze dziwniejsze, że w ogóle tu jestem. Kiedy szliśmy z Mattem na wzgórze, przepełniały mnie inne emocje, wśród których najsilniejsze było uczucie triumfu: dokonałam tego, co nie udało się żadnej z jego licznych Sophie! Tylko ja potrafiłam go zmusić, żeby opowiedział mi wszystko do końca, żeby przestał uciekać przed swoją przeszłością i zechciał się wreszcie z nią zmierzyć. Wtedy też przyszło mi na myśl, że i mnie by się to nie udało, gdybym w jakiś sposób nie była podobna do Sophie, i choć komuś innemu sama myśl o takim podobieństwie mogłaby się wydać wręcz odrażająca, mnie wyraźnie podniosła na duchu. Kto mógł pokonać Mattiego? Tylko ktoś taki jak Sophie, ktoś znacznie od niego silniejszy. Odnalazłam cię w sobie, pomyślałam, ciebie i twoją siłę, i to ty mi pomogłaś uniknąć losu tych kobiet.

— Wiesz, Sophie, widziałam to miejsce, gdzie złamany konar zgruchotał kawałek płotu — mówię głośno i cieszę się, słysząc, że brzmi to spokojnie i tak przyjaźnie, jakbym mówiła do kogoś bliskiego. — I ten wąziutki spłachetek trawy, tam na krawędzi, gdzie siedziałaś z Mattiem w ten ostatni wieczór. Opowiedział mi o waszej rozmowie, pomijając milczeniem tylko jedno: co naprawdę stało się z tobą. Chociaż nie, o tym właściwie mi mówił, nie powiedział tylko, jak to się stało. Zachowaliście sobie ten ostatni sekret.

Z tylnej ściany groty, tuż nad ziemią, wyrasta niewielka naturalna półka, nad którą w równych odstępach widać okrągłe otwory. Myślę, że to otwory pod ładunki wybuchowe z czasów, gdy jeszcze wysadzano skały. Ale to stare dzieje. Dzisiaj nikt już tego nie pamięta.

Teraz spoczywa tu Sophie. Zwinięta w kłębek jak śpiące dziecko. Jej czerwona kurtka wydaje się w półmroku prawie czarna. Twarzy nie widzę wyraźnie i nawet nie chcę — minęło zbyt wiele czasu — wolę widzieć ją taką, jaka jawi mi się przed oczyma. Tak jak opisał ją Mattie.

— On cię naprawdę kochał — mówię dalej. Teraz już w to nie wątpię. — Wiem, ile dla niego znaczyłaś. Jestem jedyną osobą, która zna cię prawie tak dobrze jak on.

Odkąd po raz pierwszy zobaczyłam ją w tej alkowie, nie przestaję myśleć o tym, jak odeszła. Wiem już chyba teraz, jak to było, choć oczywiście sprawdzić się tego nie da. Mimo to wydaje mi się, że wiem, że te obrazy, które nieustannie podsuwa mi wyobraźnia, układają się w logiczny, jedynie możliwy ciąg zdarzeń. Widzę, jak Sophie prosi Mattiego, aby tu z nią przyszedł, ale on za bardzo się boi. Widzę, jak idzie samotnie przez pola oblane wciąż jeszcze łuną pożaru, jak po powrocie do domu starannie wypełnia kolejne instrukcje, jak leżąc w szpitalnym łóżku, ściska w ręku klucz do tej klatki. Mijają dni; ludzie bezskutecznie szukają Sophie, która coraz głębiej zapuszcza się w ciemny tunel, aż w końcu zasypia tu, gdzie ją znalazłam. Czy rzeczywiście tak było? Czy musiała to zrobić w taki właśnie sposób? Nie wiem, lecz obraz ten wprost natrętnie narzuca się moim myślom. Zwłaszcza teraz, w tym miejscu.

— On wciąż ma ten kluczyk. Przechowuje go przez tyle lat, tak jak kiedyś ty jego muszlę — mówię cicho, aby nie mącić jej snu. Wydaje się tak spokojna, tak silna i tak niezniszczalna. Chciałabym być taka. — Zostawiając Mattiemu ten kluczyk i to wasze ulubione miejsce, chciałaś mu dać wskazówkę... Bo tylko ty jedna znałaś go naprawdę. Powinnam była to wiedzieć. Tyle razy to przecież powtarzał. Znałaś go tak samo, jak on znał ciebie. Powinnam to była dostrzec. Potrafiłam zrozumieć, co znaczą te świece, a to mi kompletnie umknęło. — Milknę, bo zaczynam myśleć, że chyba za dużo mówię. Sophie by się pewnie to nie podobało. Mogłaby pomyśleć, że ta gadanina to oznaka paniki, a przecież wcale tak nie jest.

— Wiedziałam, gdzie jesteś — mówię po chwili ciszy — i właśnie dlatego tu przyszłam. Tak, Mattie mnie o to prosił, ale prawdziwym powodem byłaś ty. To ciebie pragnęłam zobaczyć. Spójrz, dał mi klucz. — Wyjmuję go z kieszeni i wyciągam rękę w stronę leżącej postaci. Może to głupie, ale ja tak nie myślę. Tak wyraźnie czuję jej obecność. — To on mi powiedział, gdzie jesteś. Dlatego, że jestem... inna, że dokonałam tego, co dotąd nie udało się nikomu. Wiedziałam, że tak będzie. Wiedziałam, że jestem tak silna jak ty.

Chowam klucz do kieszeni. Jest mały i szary, dokładnie taki, jak mi go opisał. Nie wiem właściwie, po co go trzymam. Przed alkową, w której leży Sophie, znajduje się kilka bocznych galerii. Leżą tam jej imienniczki i każda ma taki kluczyk. Tylko że żaden nie otwiera kłódki — już to sprawdziłam. W ciągu kilku ostatnich dni wypróbowałam wszystkie po kolei. Właścicielki tych kluczyków ułożone są równo i schludnie, ale żadna nie sprawia wrażenia uśpionej — jak Sophie. Mattie przychodzi tu pewnie zobaczyć, czy wszystko w porządku.

— Teraz dopiero widzę, jaki on jest do ciebie podobny. Wiesz, jestem bardzo ciekawa, jak brzmiałaby wasza historia, gdybyś ty ją opowiedziała. Tak samo czy jednak inaczej? A ty? Czy naprawdę byłaś taka, jak mi cię opisał?

Wyjmuję znów kluczyk i obracam go między palcami. Zaczyna mi się trochę kręcić w głowie — jak przy lekkim rauszu — ale po tym, co przeszłam, to przecież nic dziwnego.

— No i co ty na to, Sophie? Opowiesz mi swoją historię? Bez żadnych kłamstw i niedomówień?

Trochę by to trwało, odpowiada. Podoba mi się jej głos — jest taki niski i miękki.

— Nie szkodzi, czasu mamy dosyć. Mów, Sophie.

———————

Wydawnictwo „Książnica" sp. z o.o.
ul. Konckiego 5/223
40-040 Katowice
tel. (032) 757-22-16, 254-44-19
faks (032) 757-22-17
Sklep internetowy: http://www.ksiaznica.com.pl
e-mail: ksiazki@ksiaznica.com.pl

Wydanie pierwsze
Katowice 2004

Skład i łamanie:
Z.U. „Studio P", Katowice

Druk i oprawa:
WZDZ — Drukarnia LEGA, Opole